KB166202

한길 김승곤 전집
08

국어 형용사 분류

저자 김승곤

- 한글학회 회장 및 재단이사 역임
- 건국대학교 문과대학 국어국문학과, 대학원 졸업
- 건국대학교 인문과학대학장, 문과대학장, 총무처장, 부총장 역임
- 문화체육부 국어심의회 한글분과위원 역임
- 주요저서:『관형격조사 '의'의 통어적 의미분석』(2007),『21세기 우리말 때매김 연구』
  (2008),『21세기 국어 토씨 연구』(2009),『국어통어론』(2010),『문법적으로
  쉽게 풀어 쓴 논어』(2010),『문법적으로 쉽게 풀어 쓴 향가』(2013),『국어
  조사의 어원과 변천 연구』(2014),『21세기 국어형태론』(2015),『국어 부사
  분류』(2017),『국어 형용사 분류』(2018) 등

한길 김승곤 전집 08

국어 형용사 분류

© 김승곤, 2018

1판 1쇄 인쇄_2018년 09월 10일
1판 1쇄 발행_2018년 09월 20일

지은이_김승곤
펴낸이_홍정표

펴낸곳_글로벌콘텐츠
　　　등 록_제25100-2008-24호

공급처_(주)글로벌콘텐츠출판그룹
　　　대표_홍정표　　이사_양정섭　　편집디자인_김미미　　기획·마케팅_노경민
　　　주소_서울특별시 강동구 풍성로 87-6(성내동) 글로벌콘텐츠
　　　전화_02) 488-3280　팩스_02) 488-3281
　　　홈페이지_http://www.gcbook.co.kr
　　　이메일_edit@gcbook.co.kr

값 29,000원
ISBN 979-11-5852-202-5 93710

※ 이 책은 본사와 저자의 허락 없이는 내용의 일부 또는 전체의 무단 전재나 복제, 광전자 매체 수록 등을 금합니다.
※ 잘못된 책은 구입처에서 바꾸어 드립니다.

간행사

글쓴이는 이번에 문집을 내기로 했다. 그 까닭은 다음과 같다. 재직 시에 낸 책은 ① 한국어 조사의 통시적 연구, ② 음성학, ③ 21세기 국어형태론(이것은 재직 시에 낸 '나라말본'을 개정하여 2015년에 간행하였음), ④ 한국어의 기원 등 네 권이었으나, 정년 후에 더 연구하여 보니까 여러 가지로 미흡한 데가 많아 다음과 같은 저서를 간행하게 되었다.

1. 국어형태론
2. 국어통어론
3. 국어 조사 연구
4. 국어 조사의 어원과 변천 연구
5. 조사 '이/가'와 '은/는' 연구
6. 관형격조사 '의'의 통어적 의미 분석
7. 국어 부사 분류
8. 국어 형용사 분류
9. 국어굴곡법(국어 연결어미 연구, 국어 의향법 연구, 국어 때매김 연구)
10. 국어의 의존명사 대명사 관형사 감탄사 연구(국어 의존명사

연구, 국어의 대명사 관형사 감탄사 연구)

11. 음성학

12. 한국어의 기원

13. 문법적으로 쉽게 풀어 쓴 논어

14. 문법적으로 쉽게 풀어 쓴 대학 중용 향가(문법적으로 쉽게 풀어 쓴 대학 중용, 문법적으로 쉽게 풀어 쓴 향가)

15. 새롭게 연구한 국어학 연구논문집

등 도합 19권이다.

이 모든 책 중『문법적으로 쉽게 풀어 쓴 논어』,『문법적으로 쉽게 풀러 쓴 대학 중용』,『문법적으로 쉽게 풀어 쓴 향가』를 제외한 16권은 국어의 모든 분야에 걸친 연구 서적이므로 이들을 한데 묶어 놓으면 국어 연구에 편람서 구실을 할 것 같아 모두 엮어서 문집으로 한 것이다. 다만 동사는 빠졌는데 양이 너무 많고 분류도 쉽지 않기 때문이다.

미흡할지 모르겠으나, 나의 일생을 통한 국어학 연구서 묶음이니 읽어 보면 연구하는 데 도움이 될 것이다.

2018년 08월
지은이 김승곤 씀

한길 김승곤 전집

국어 형용사 분류

나랏말ᄊᆞ미
異ᅟᅵᆼᆼ乎ᅘᅩᆼ中ᄃᆑᆼ國귁ᄒᆞ야
異ᅟᅵᆼ乎ᅘᅩᆼ中ᄃᆑᆼ와로 서르ᄉᆞᄆᆞᆺ디
아니ᄒᆞᆯᄊᆡ
이런젼ᄎᆞ로 어린百ᄇᆡᆨ姓셩이
니르고져 ᄒᆞᇙ배이셔도
ᄆᆞᄎᆞᆷ내제ᄠᅳ들시러펴디
몯ᄒᆞᇙ노미하니라
내이ᄅᆞᆯ為윙ᄒᆞ야어엿비너겨
새로스믈여듧字ᄍᆞᆼᄅᆞᆯᄆᆡᇰᄀᆞ노니
사ᄅᆞᆷ마다ᄒᆞ여수ᄫᅵ니겨
날로ᄡᅮ메便뼌安ᄒᆞᆫ킈ᄒᆞ고져
ᄒᆞᇙᄯᆞᄅᆞ미니라

국어 형용사 분류

김승곤 지음

글모아출판

일러두기

다음과 같은 기호들에 대한 설명을 잘 읽고 착오 없기를 바란다.

여: 여린 뜻의 형용사임을 나타낸다.

좌: 작은 뜻의 형용사임을 나타낸다.

큰: 큰 뜻의 형용사임을 나타낸다.

센: 센 뜻의 형용사임을 나타낸다.

거: 거센 뜻의 형용사임을 나타낸다.

비: 뜻이 비슷한 형용사임을 나타낸다.

준: 줄인 뜻임을 나타낸다.

본: 본딧말임을 나타낸다.

=: 같은말임을 나타낸다.

반: 반대되는 뜻임을 나타낸다.

ㄷ: 옮아감표(어원의 변천을 보임)

머리말

지금까지 국어의 형용사 분류는 외솔 선생의 『우리말본』을 비롯하여 몇 몇 형태론에서 다룬 정도로써 만족하였으나 글쓴이는 형용사의 수가 많은데 몇 가지 종류로써는 불충분하다는 생각을 평소에 해 오다가 2년여에 걸쳐서 한글학회에서 발행한 『우리말사전』에서 통계를 내어 보니 그 종류가 엄청남에 놀라지 않을 수 없어 그 전체를 밝히어서 국어의 형용사의 올바른 분류를 하여 후학들에게 참고가 되게 하고자 하여 세밀하게 분류한다고 애써서 이번에 이 책을 내기로 하였다.

실제로 형용사의 분류를 하다 보니까 참으로 어려움을 느끼지 아니 할 수 없었다.

왜냐하면, 한 무리의 종류로 묶을 수 있는 형용사도 많이 있는 반면에 하나의 종류로 나누기에는 그 수가 아주 적은 것이 있기 때문이었다.

그런 것은 하나의 분류 항목에 여러 가지 형용사를 한데 묶어서 다루었다. 그리고 하나의 형용사의 뜻이 두세 가지가 되는 것은 그에 따라 분류하였다.

또 우리말의 형용사는 양성·음성 모음과 자음의 예사소리·거센소리·된소리 등에 따라 그 뜻에 거센말·센말·큰말·작은말·여린말 등의 구별이 있음이 특징인데, 그만큼 파생어가 많아 형용사의 수는 더 많아지게 된다.

그런데 이러한 형용사를 다음과 같은 체계로 분류 설명하겠다.

형용사 ─ 주형용사 ┬ 상태성 ┬ 상태성 형용사
                              └ 비상태성 형용사
                    └ 주관성 ─ 주관적 형용사

등으로 분류되어 있는데, 내용에 들어가서는 하위 항목만을 세워 분류
할 것이다.

　사실 위 표와 같이 분류하면 그 많은 형용사의 분류가 어렵게 되므로
통계에 나타난 대로 합리적으로 분류할 것임을 밝혀 둔다.

　그리고 덧붙일 것은 각 항목마다 형용사 분류가 "ㄱ, ㄴ, ㄷ, …"순으
로 되어 있지 않은 데가 많다. 뜻을 중심으로 하다 보니까 그리 된 데가
있는데, 독자 여러분의 이해를 바란다. 끝으로 염려되는 것은 형용사의
분류가 과연 잘 되었는지 걱정이 된다. 앞으로 여러 후학들에 의하여
완전한 분류를 기대하여 마지않는다. 여러 가지 어려운 이때에 이 책을
간행하여 주신 글모아출판 사장님을 비롯하여 관계하신 여러분께 고맙
다는 말씀을 드린다.

2017년 11월
지은이 삼가 씀

차례

제2장 비상태성 형용사

제3장 주관적 형용사

제**1**장

상태성 형용사

01. 감각형용사

1.1. 시각과 관련된 형용사

1.1.1. 빛깔

빛깔과 색깔의 뜻을 나타내는 형용사 『우리말사전』에 보면 '빛깔'은 "빛이 드러내어 보이는, 빨강, 노랑, 파랑 따위와 같은 성질"이라 풀이하고 비슷한 말에는 빛(눈으로 볼 수 있도록 밝혀 주는 물질 현상)과 색깔(빛을 받아 물건들이 빨강, 노랑, 파랑, 하양, 검정 따위로 나타내는 것)로 풀이하고 '색깔=빛깔'로 풀이하고 있다. 결국 '색깔'과 '빛깔'은 같은 말이므로 여기서는 함께 다루기로 하겠다.

1.1.1.1. 검은 빛깔

가마노르메하다: 검은 빛을 띠면서 노르게 하다
가마말쑥하다: 가맣고 말쑥하다
가마무트름하다: 얼굴이 가무스름하고 토실토실하다
가마반드르하다: 가맣고 반드르르하다

가마반지르하다: 가맣고 반지르르하다

가맣다: 짙게 검다 쎈까맣다

가무대대하다: 좀 천하게 보이도록 가무스름하다 큰거무데데하다

가무댕댕하다: 격에 어울리지 않게 가무스름하다 쎈까무댕댕하다 큰거무뎅뎅
　　하다

가무레하다: 엷게 가무스름하다 쎈까무레하다 큰거무레하다

가무스레하다: ⊒가무스름하다 쎈까무스레하다 큰거무스레하다

가무스름하다: 빛깔이 좀 어둡게 거무스름하다 쎈까무스름하다 큰거무스름
　　하다

가무잡잡하다: 작은 얼굴이 곳곳에 짙은 빛을 띠고 있다 쎈까무잡잡하다 좌거
　　무접접하다

가무족족하다: 칙칙하게 보이도록 길쭉길쭉한 검은 빛깔들이 여기저기 어지
　　럽게 널려 있다 쎈까무족족하다 큰거무죽죽하다

가무칙칙하다: 흉해 보이도록 곳곳이 어둡고 짙은 빛을 띠고 있다 쎈까무칙칙
　　하다 큰거무칙칙하다

가무퇴퇴하다: 너저분하게 보이도록 곳곳이 흐리터분한 빛을 띠고 있다 쎈까
　　무퇴퇴하다 큰거무튀튀하다

가무트름하다: '가마무트름하다'의 준말

가뭇가뭇하다: 점점이 빛깔이 가뭇하다 쎈까뭇까뭇하다 큰거뭇거뭇하다

가뭇하다: 빛깔이 좀 검은 듯하다 쎈까뭇하다 큰거뭇하다

감노랗다: 검은 빛을 약간 띠면서 노랗다

감다: 산뜻하게 검다

감상감상하다: 조금 감숭감숭하다

감숭감숭하다: 군데군데 모두 감숭하다 큰검숭검숭하다

감숭하다: 드물게 난 털 따위가 거무스름하다

감파랗다: 검은 듯 파랗다

감파르다: 검은 빛을 띠면서 파랗다

거머누르께하다: 검은빛을 띠면서 곱지도 짙지도 않게 누르다

거머멀쑥하다: 거멓고 멀쑥하다 쎈꺼머멀쑥하다 좌까마말쑥하다

거머무트름하다: 거무스름하고 투실투실하다 쎈꺼머무트름하다 좌가마무트름
　　하다

거머번드르하다: 거멓고 번드르르하다 쎈꺼머번드르하다 좌가마반드르하다

거머번지르하다: 거멓고 번지르르하다 쎈꺼머번지르하다 좌가마반지르하다

거멓다: 연하게 검다 ⟨센⟩꺼멓다 ⟨작⟩가맣다

거무끄름하다: 빛깔이 좀 어둡게 거무스름하다 ⟨센⟩꺼무끄름하다 ⟨작⟩가무끄름하다

거무데데하다: 좀 천하게 보이도록 거무스름하다 ⟨센⟩꺼무데데하다 ⟨작⟩가무데데하다

거무뎅뎅하다: 격에 어울리지 않게 거무스름하다 ⟨센⟩꺼무뎅뎅하다 ⟨작⟩가무뎅뎅하다

거무레하다: 엷게 거무스름하다 ⟨센⟩꺼무레하다 ⟨작⟩가무레하다

거무스름하다: 빛깔이 좀 검은 듯하다 ⟨센⟩까무스름하다 ⟨작⟩가무스름하다

거무접접하다: 큰 얼굴이 검은 빛을 띠고 있다 ⟨센⟩꺼무접접하다

거무칙칙하다: 흉하게 보이도록 곳곳이 어둡고 짙은 빛을 띠고 있다 ⟨센⟩꺼무칙칙하다 ⟨작⟩가무칙칙하다

거무튀튀하다: 너저분하게 보이도록 곳곳이 흐리터분한 빛을 띠고 있다 ⟨센⟩꺼무튀튀하다

거뭇거뭇하다: 군데군데 빛깔이 거뭇하다 ⟨센⟩꺼뭇꺼뭇하다 ⟨작⟩가뭇가뭇하다

거뭇하다: 빛깔이 좀 검은 듯하다 ⟨센⟩꺼뭇하다 ⟨작⟩가뭇하다

검다: 숯이나 먹의 빛깔과 같다 ⟨센⟩껌다 ⟨작⟩감다

검디검다: 몹시 검다

검붉다: 검은 빛을 띠면서 붉다

검뿌옇다: 검은 빛을 띠면서 뿌옇다

검실검실하다: 조금 검실하다

검측측하다: 빛깔이 깨끗하지 못하게 검다

검퍼렇다: 검은 빛을 띠면서 퍼렇다

검푸르다: 검은 빛을 띠면서 푸르다

까맣다: 짙게 검다 ⟨여⟩가맣다 ⟨큰⟩꺼멓다

까무끄름하다: 빛깔이 좀 어둡고 까무스름하다 ⟨큰⟩꺼무끄름하다

까무대대하다: 좀 천하게 보이도록 까무스름하다 ⟨여⟩가무대대하다 ⟨큰⟩꺼무데데하다

까무뎅뎅하다: 격에 어울리지 않게 까무스름하다 ⟨여⟩가무뎅뎅하다 ⟨큰⟩꺼무뎅뎅하다

까무레하다: 빛깔이 검은 듯하다 ⟨여⟩가무레하다 ⟨큰⟩꺼무레하다

까무숙숙하다: 수수하게 보이도록 자잘한 검은 빛깔이 고르게 널려 있다 ⟨여⟩가무숙숙하다 ⟨큰⟩꺼무숙숙하다

까무스레하다: 엷게 까무스름하다 예가무스레하다 큰꺼무스레하다

까무스름하다: 빛깔이 좀 깜은 듯하다 예가무스름하다 큰꺼무스름하다

까무잡잡하다: 작은 얼굴이 곳곳이 검은 빛을 띠고 있다 예가무잡잡하다 큰꺼무접접하다

까무족족하다: 칙칙하게 보이도록 길쭉길쭉한 검은 빛깔들이 어지럽게 널려 있다 예가무족족하다

까무칙칙하다: 흉해 보이도록 곳곳이 어둡고 짙은 빛을 띠고 있다 예가무칙칙하다 큰꺼무칙칙하다

까무퇴퇴하다: 너저분하게 보이도록 곳곳이 흐리터분한 빛을 띠고 있다 예가무퇴퇴하다 큰꺼무튀튀하다

까뭇까뭇하다: 점점이 빛깔이 까뭇하다 예가뭇가뭇하다 큰꺼뭇꺼뭇하다

까뭇하다: 빛깔이 좀 깜은 듯하다 예가뭇하다 큰꺼뭇하다

깜다: 빛깔이 매우 검다 예감다 큰껌다

꺼머멀쑥하다: 꺼멓고 멀쑥하다 예거머멀쑥하다 좌까마말쑥하다

꺼머무트름하다: 얼굴이 꺼무스름하고 투실투실하다 예거머무트름하다 큰까마무트름하다

꺼머번드르하다: 꺼멓고 번드르르하다 예거머번드르하다 큰까마반드르하다

꺼머번지르하다: 꺼멓고 번지르르하다 예거머번지르하다 큰까마반지르하다

꺼멓다: 연하게 검다 예거멓다 큰까맣다

꺼무끄름하다: 빛깔이 좀 어둡게 꺼무스름하다 예거무끄름하다 큰까무끄름하다

꺼무데데하다: 좀 천하게 꺼무스름하다 예거무데데하다 큰까무대대하다

꺼무뎅뎅하다: 격에 어울리지 않게 꺼무스름하다 예거무뎅뎅하다 큰까무댕댕하다

꺼무레하다: 엷게 꺼무스름하다 예거무레하다 큰까무레하다

꺼무숙숙하다: 수수하게 보이도록 자잘한 검은 빛깔들이 고르게 널려 있다 예거무숙숙하다 큰까무숙숙하다

꺼무스레하다: ＝꺼무스름하다 예거무스레하다 큰까무스레하다

꺼무스름하다: 빛깔이 좀 검은 듯하다 예거무스름하다 큰까무스름하다

꺼무접접하다: 큰 얼굴이 곳곳이 짙은 빛을 띠고 있다 예거무접접하다 큰까무잡잡하다

꺼무죽죽하다: 칙칙하게 보이도록 길쭉길쭉한 검은 빛깔들이 어지럽게 널려 있다 예거무죽죽하다 큰까무족족하다

꺼무충충하다: 꺼림칙하게 보이도록 어둠침침한 빛을 띠고 있다 예거무충충
하다 큰까무총총하다
꺼무칙칙하다: 흉해 보이도록 곳곳이 어둡고 짙은 빛을 띠고 있다 예거무칙칙
하다 큰까무칙칙하다
꺼무튀튀하다: 지저분하게 보이도록 곳곳이 흐리터분한 빛을 띠고 있다 예거
무튀튀하다 큰까무퇴퇴하다
꺼뭇꺼뭇하다: 군데군데 빛깔이 꺼뭇하다 예거뭇거뭇하다 큰까뭇까뭇하다
꺼뭇하다: 빛깔이 좀 검은 듯하다 예거뭇하다 큰까뭇하다
껌다: 빛깔이 매우 검다 예검다 큰깜다
새까맣다: ① 아주 까맣다 좌새카맣다 큰시커멓다
새카맣다: 몹시 새까맣다 센새까맣다 큰시커멓다
샛까맣다: '새까맣다'의 잘못

1.1.1.2. 누른 빛깔

노랗다: 짙게 노르다
노르께하다: 곱지도 짙지도 않게 노르다 큰누르께하다 비노리끼리하다
노르다: 산뜻하게 누르다 큰누르다
노르무레하다: 티가 나지 않게 약간 노르다 큰누르무레하다
노르스름하다: 빛깔이 조금 노르다 큰누르스름하다
노릇노릇하다: 군데군데 다 노릇하다 큰누릇누릇하다
노리끼리하다: 노르께하다 큰누리끼리하다
놀면하다: 보기 좋을 만큼 알맞게 노르다 큰눌면하다
누렇다: 짙게 누르다 좌노랗다
누르께하다: 곱지도 짙지도 않게 누르다 좌노르께하다 비누리끼리하다
누르다: 놋쇠의 황금의 빛과 같다
누르디누르다: 매우 누르다
누르무레하다: 티가 나지 않게 약간 누르다 좌노르무레하다
누르스름하다: 빛깔이 누른 듯하다 좌노르스름하다
누르퉁퉁하다: ① 맵시가 없고 산뜻하지 않게 누르다 ② 붓거나 불은 것이
생기 없이 누르다
누릇누릇하다: 군데군데가 다 누르다 좌노릇노릇하다
누리끼리하다: =누르께하다 좌노리끼리하다

눌면하다: 보기 좋을 만큼 알맞게 누르다 죄눌면하다

뉘렇다: 생기가 없이 누르다 죄뇌렇다

샛노랗다: 매우 노랗다

싯누렇다: 매우 샛노랗다 죄샛노랗다

희누르스름하다: 좀 흰 빛을 띠면서 누르스름하다

1.1.1.3. 붉은 빛깔

발갛다: 밝고 연하게 붉다 센빨갛다 큰벌겋다

발그대대하다: 좀 천하게 보이도록 발그스름하다 센빨그대대하다 큰벌그데데
하다

발그댕댕하다: 격에 어울리지 않게 발그스름하다 센빨그댕댕하다 큰벌그뎅뎅
하다

발그레하다: 약간 곱게 발그스름하다 센빨그레하다 큰벌그레하다

발그름하다: =발그스름하다 센빨그름하다 큰벌그름하다

발그무레하다: 티가 나지 않게 가장 발그스름하다 큰벌그무레하다

발그속속하다: 수수하고 알맞게 발그스름하다 큰벌그숙숙하다

발그스레하다: =발그스름하다 센빨그스레하다 큰벌그스레하다

발그스름하다: 빛깔이 좀 발갛다 센빨그스름하다 큰벌그스름하다 비발그름하
다 발그스레하다

발그족족하다: 칙칙하게 발그스름하다 센빨그족족하다 큰벌그죽죽하다

발긋발긋하다: 점점이 새뜻하게 모두 발갛다 센빨긋빨긋하다 큰벌긋벌긋하다

밝다: 빛깔이 산뜻하다

벌겋다: 어둡고 환하게 붉다 센뻘겋다 죄발갛다

벌그데데하다: 천하게 보이도록 벌그스름하다 센뻘그데데하다 죄발그대대
하다

벌그뎅뎅하다: 격에 어울리지 않게 벌그스름하다 센뻘그뎅뎅하다 죄발그댕댕
하다

벌그레하다: 약간 곱게 벌그스름하다 센뻘그레하다 죄발그레하다

벌그름하다: =벌그스름하다 센뻘그름하다 죄발그름하다

벌그무레하다: 티가 나지 않게 아주 엷게 벌그스름하다 죄발그무레하다

벌그숙숙하다: 수수하고 걸맞게 벌그스름하다 죄발그속속하다

벌그스레하다: =벌그스름하다 센뻘그스레하다 죄발그스레하다

벌그스름하다: 빛깔이 좀 벌겋다 🖭뻘그스름하다 🖾발그스름하다 🖪벌그름하
다 벌그스레하다

벌그죽죽하다: 칙칙하게 벌그스름하다 🖭뻘그죽죽하다 🖾발그족족하다

벌긋벌긋하다: 점점이 탁하게 모두 벌겋다 🖭뻘긋뻘긋하다 🖾발긋발긋하다

볼그대대하다: 좀 격이 낮아 보이도록 볼그스름하다 🖴불그데데하다

볼그댕댕하다: 격에 어울리지 않게 볼그스름하다 🖴불그뎅뎅하다

볼그레하다: 좀 연하게 볼그스름하다 🖭뽈그레하다 🖴불그레하다

볼그름하다: 🖃볼그스름하다 🖭뽈그름하다 🖴불그름하다

볼그무레하다: 아주 얇게 볼그스름하다 🖴불그무레하다

볼그속속하다: 수수하게 볼그스름하다 🖴불그숙숙하다

볼그스레하다: 🖃볼그스름하다 🖭뽈그스레하다 🖴불그스레하다

볼그스름하다: 산뜻하게 좀 붉다 🖭뽈그스름하다 🖴불그스름하다

볼그족족하다: 칙칙하게 보이도록 고르지 않게 볼그스름하다 🖭뽈그족족하다
🖴불그죽죽하다

볼긋볼긋하다: 점점이 박한 빛깔이 모두 볼긋하다 🖭뽈긋뽈긋하다 🖴불긋불
긋하다

볼긋하다: 연하게 붉은 듯하다 🖭뽈긋하다 🖴불긋하다

불그데데하다: 좀 격이 낮아 보이게 불그스름하다 🖾볼그대대하다

불그뎅뎅하다: 격에 어울리지 않게 불그스름하다 🖾볼그댕댕하다

불그레하다: 좀 연하게 붉다 🖭뿔그레하다 🖾볼그레하다

불그름하다: 🖃불그스름하다 🖭뿔그름하다 🖾볼그름하다

불그무레하다: 가장 엷게 불그스름하다 🖾볼그무레하다

불그숙숙하다: 수수하게 불그스름하다 🖾볼그속속하다

불그스레하다: 🖃불그스름하다 🖭뿔그스레하다 🖾볼그스레하다

불그스름하다: 조금 붉다 🖭뿔그스름하다 🖾볼그스름하다

불그죽죽하다: 칙칙하게 보이도록 어지럽게 불그스름하다 🖭뿔그죽죽하다 🖾
볼그족족하다

불긋불긋하다: 점점이 박힌 빛깔이 모두 불긋하다 🖭뿔긋뿔긋하다 🖾볼긋볼
긋하다

불긋하다: 조금 붉은 듯하다 🖭뿔긋하다 🖾볼긋하다

붉다: ① 핏빛이나 익은 앵두의 빛깔과 같다 ② 공산주의에 물들어 있다

붉디붉다: 몹시 붉다

빨갛다: 매우 발갛다 🖬발갛다 🖴뻘겋다

빨그대대하다: 좀 천하게 보이도록 빨그스름하다 예발그대대하다 큰뻘그데데
하다
빨그댕댕하다: 격에 어울리지 않게 빨그스름하다 예발그댕댕하다 큰뻘그뎅뎅
하다
빨그레하다: 약간 좀 빨그스름하다 예발그레하다 큰뻘그레하다
빨그름하다: =빨그스름하다 예발그름하다 큰뻘그름하다
빨그스레하다: =빨그스름하다 예발그스레하다 큰뻘그스레하다
빨그스름하다: 빛깔이 좀 빨갛다 예발그스름하다 큰뻘그스름하다
빨그족족하다: 칙칙하게 빨그스름하다 예발그족족하다 큰뻘그죽죽하다
빨긋빨긋하다: 점점이 산뜻하게 빨갛다 예발긋발긋하다 큰뻘긋뻘긋하다
뻘겋다: 매우 벌겋다 예벌겋다 작빨갛다
뻘그데데하다: 천하게 보이도록 뻘그스름하다 예벌그데데하다 작빨그대대
하다
뻘그뎅뎅하다: 격에 어울리지 않게 뻘그스름하다 예벌그뎅뎅하다 작빨그댕댕
하다
뻘그레하다: 약간 곱게 뻘그스름하다 예벌그레하다 작빨그레하다
뻘그름하다: =뻘그스름하다 예벌그름하다 작빨그름하다
뻘그스레하다: =뻘그스름하다 예벌그스레하다 작빨그스레하다
뻘그스름하다: 빛깔이 좀 뻘겋다 예벌그스름하다 작빨그스름하다
뻘그죽죽하다: 칙칙하게 뻘그스름하다 예벌그죽죽하다 작빨그족족하다
뻘긋뻘긋하다: 점점이 딱하게 뻘겋다 예벌긋벌긋하다 작빨긋빨긋하다
뽈그레하다: 좀 연하게 뽈그스름하다 예볼그레하다 큰뿔그레하다
뽈그름하다: =뽈그스름하다 예볼그름하다 큰뿔그름하다
뽈그스레하다: =뽈그스름하다 예볼그스레하다 큰뿔그스레하다
뽈그스름하다: 매우 볼그스름하다 예볼그스름하다 큰뿔그스름하다
뽈그족족하다: 칙칙하게 뽈그스름하다 예볼그족족하다 큰뿔그죽죽하다
뽈긋뽈긋하다: 점점이 산뜻하게 모두 뽈긋하다 예볼긋볼긋하다 큰뿔긋뿔긋
하다
뿔그레하다: 좀 연하게 뿔그스름하다 예불그레하다 작뽈그레하다
뿔그름하다: =뿔그스름하다 예불그름하다 작뽈그름하다
뿔그스레하다: =뿔그스름하다 예불그스레하다 작뽈그스레하다
뿔그스름하다: 매우 불그스름하다 예불그스름하다 작뽈그스름하다
뿔그죽죽하다: 칙칙하게 뿔그스름하다 예불그죽죽하다 작뽈그족족하다

뻘긋뻘긋하다: 점점이 짙게 모두 뻘긋하다 여불긋불긋하다 좌뽈긋뽈긋하다

새빨갛다: 아주 짙게 빨갛다 큰시뻘겋다

시뻘겋다: 아주 짙게 뻘겋다 좌새빨갛다

연붉다: 연하게 붉다

엷붉다: 엷게 붉다

울긋불긋하다: 짙고 옅은 여러 가지 빛깔들이 야단스럽게 한데 뒤섞여 있는
    상태이다 좌올긋볼긋하다

올긋불긋하다: 좀 짙은 여러 가지 붉은 빛깔들이 다른 빛깔들과 뒤섞여 야단스
    럽다 큰울긋불긋하다

희불그레하다: 빛깔이 희고 불그레하다

1.1.1.4. 푸른 빛깔

상청하다(常靑): 늘 푸르다

새파랗다: 아주 파랗다 큰시퍼렇다

시퍼렇다: 아주 퍼렇다 좌새파랗다

시푸르다: 매우 푸르다

시푸르뎅뎅하다: 아주 푸르뎅뎅하다

시푸르죽죽하다: 아주 푸르죽죽하다

짙푸르다: 짙게 푸르다

창연하다(愴然): 색깔이 매우 푸르다

창창하다(蒼蒼): 매우 푸르다

청청하다(靑靑): 싱싱하게 푸르다

파르께하다: 곱지도 짙지도 않게 푸르다

파르께하다: 엷지도 짙지도 않고 알맞게 파랗다 비푸르께하다

파르대대하다: 깨끗하지 않고 격이 낮고 파르스름하다

파르랗다: 파르스름하다

파르무레하다: 엷게 파르스름하다 큰퍼르스레하다

파르스레하다: ＝파르스름하다 큰퍼르스레하다

파르스름하다: 조금 파랗다 비파르랗다 파르스레하다

파르족족하다: 칙칙하게 파르스름하다

파릇파릇하다: 군데군데가 다 파르스름하다

파릇하다: 빛깔이 다 파란 듯하다 큰퍼릇하다

퍼렇다: 흐릿하게 푸르다 <u>작</u>파랗다

퍼르께하다: '푸르께하다'의 잘못

퍼르데데하다: '푸르데데하다'의 잘못

퍼르뎅뎅하다: '푸르뎅뎅하다'의 잘못

퍼르스레하다: <u>=</u>푸르스름하다 <u>작</u>파르스레하다

퍼르스름하다: '푸르스름하다'의 잘못

퍼르죽죽하다: '푸르죽죽하다'의 잘못

퍼릇하다: 빛깔이 좀 퍼런 듯하다

푸르다: 맑은 하늘이나 싱싱한 풀잎의 빛깔과 같다

푸르데데하다: 산뜻하지 못하고 좀 천박하게 푸르스름하다 <u>작</u>파르대대하다

푸르뎅뎅하다: 고르지 않게 푸르스름하다 <u>작</u>파르댕댕하다

푸르디푸르다: 더할 나위 없이 푸르다

푸르무레하다: 엷게 푸르스름하다

푸르스레하다: <u>=</u>푸르스름하다

푸르스름하다: 조금 푸르다 <u>비</u>푸르스레하다 <u>작</u>파르스름하다

푸르죽죽하다: 칙칙하고 고르지 않게 푸르스름하다 <u>작</u>파르족족하다

푸르퉁퉁하다: ① 맵시가 없고 산뜻하지 않게 푸르다 ② 붓거나 불어 오른 것이 곱지 않게 푸르다

푸릇푸릇하다: 점점이 박힌 빛깔이 푸르다

푸릇하다: 한 군데 빛깔이 좀 푸르다

1.1.1.5. 하얀 빛깔

보얗다: 안개나 연기가 낀 것처럼 산뜻하거나 투명하지 않고 좀 하얗다 <u>센</u>뽀얗다 <u>큰</u>부옇다

보유스레하다: <u>=</u>보유스름하다 <u>센</u>뽀유스레하다 <u>큰</u>부유스레하다

보유스름하다: 빛이 좀 보얀 듯하다

보잇하다: 빛이 좀 보얗다 <u>큰</u>부잇하다

부옇다: 안개나 연기가 낀 것처럼 산뜻하거나 투명하지 않고 좀 허옇다 <u>센</u>뿌옇다 <u>작</u>보얗다

부유스레하다: <u>=</u>부유스름하다 <u>작</u>보유스레하다

부유스름하다: 빛이 좀 부연 듯하다 <u>센</u>뿌유스름하다 <u>작</u>보유스름하다 <u>비</u>부유스레하다

부잇하다: 빛이 좀 부옇다 [좌]보잇하다

붉하다: [=]희붐하다

뽀얗다: 안개나 연기가 낀 것처럼 거의 투명하지 않고 하얗기만 하다 [여]보얗다
　　[큰]뿌옇다

뿌옇다: 안개나 연기가 짙게 낀 것처럼 거의 투명하지 않고 허옇기만 하다
　　[여]부옇다 [좌]뽀얗다

뿌유스레하다: [=]뿌유스름하다 [여]부유스레하다 [좌]뽀유스레하다

뿌유스름하다: 빛이 좀 뿌연 듯하다 [여]부유스름하다 [좌]뽀유스름하다

새뽀얗다: 빛깔이 산뜻하고 뽀얗다 [큰]시뿌옇다

새하얗다: 산뜻하게 하얗다 [큰]시허옇다

시뿌옇다: 전혀 투명하지 않고 거의 허옇기만 하다

시허옇다: 아주 허옇다

애애하다(靄靄): 눈·서리 따위가 매우 희다

정백하다(淨白): 깨끗하고 희다

하야스레하다: [=]하야스름하다 [큰]허여스레하다

하야스름하다: 빛깔이 좀 하얀 듯하다 [큰]허여스름하다 [비]하야스레하다

하얗다: 짙게 희다 [큰]허옇다

해끗하다: 빛깔이 좀 하얀 듯하다 [큰]희끔하다

해끗해끗하다: 여러 군데가 다 해끗하다 [큰]희끔희끔하다

해뜩해뜩하다: 하얀 빛깔에 다른 빛깔이 군데군데 뒤섞이어 있다 [큰]희뜩희뜩
　　하다

해말갛다: 빛깔이 몹시 희고 말갛다 [큰]희멀겋다

해말쑥하다: 빛깔이 몹시 희고 말쑥하다

해맑다: 빛깔이 하얗고 맑다

해읍스레하다: [=]해읍스름하다

해읍스름하다: 빛깔이 맑지 못하고 좁은 범위로 좀 흰 듯하다 [큰]희읍스름하다

허여스레하다: [=]허여스름하다 [좌]하야스레하다

허여스름하다: 빛깔이 좀 허연 듯하다 [좌]하야스름하다 [비]하야스레하다

허옇다: 연하게 희다

호연하다(晧然): 아주 희다

환하다: 빛깔이 밝고 맑다

희끔하다: 빛깔이 좀 허연 듯하다 [좌]해끔하다

희끔희끔하다: 여러 군데가 희끔하다 [좌]해끔해끔하다

희다: 눈의 빛깔과 같다

희디희다: 몹시 희다

희뜩희뜩하다: 허연 빛깔에 다른 빛깔이 군데군데 뒤섞이어 있다 邳해뜩해뜩
　하다

희맑다: 빛깔이 허옇고 맑다

희멀겋다: 빛깔이 희고 멀겋다 邳해말갛다

희멀끔하다: 빛깔이 희고 멀끔하다 邳해말끔하다

희멀쑥하다: 빛깔이 희고 멀쑥하다 邳해말쑥하다

희부옇다: 희고 부옇다

희읍스레하다: 〓희읍스름하다

희읍스름하다: 빛깔이 맑지 못하고 좀 흰 듯하다

1.1.1.6. 기타 빛깔

무색하다(無色): 빛깔이 없다

난하다(亂): 빛깔이나 무늬가 조촐하지 않고 야단스럽다

다채하다(多彩): 빛깔이 여러 가지로 밝다

담박하다(淡泊): 빛깔이 연하고 맑다

담하다(淡): 빛이 엷다

싱싱하다: 빛깔이 맑고 산뜻하다

야리다: 빛깔이나 소리 따위가 매우 약하거나 덜하다 囝여리다

얇다: 빛깔이 같지 아니하다 (예) 엷은 빛깔

얕다: 빛이 연하다 (예) 얕은 분홍빛

어둡다: ① 빛이 없거나 밝지 못하다 ② 빛깔이 침침하다

연연하다(娟娟): 빛깔이 산뜻하고 곱다

엷다: 빛깔이 진하지 아니하다 邳얇다

우중충하다: 오래 되거나 바래서 빛이 선명하지 아니하다

짯짯하다: 빛깔 따위가 순수하고 맑고 깨끗하다 囝쩟쩟하다

쩟쩟하다: 빛깔 따위가 순수하여 맑고 깨끗하다 邳짯짯하다

칙칙하다: 빛깔이 곱지 못하고 짙고 어둡다.

탁하다(濁): 다른 물질이 섞이어 공기나 액체 따위의 빛깔이 흐리다

1.1.2. 여러 가지 시각형용사

1.1.2.1. 맑고 밝은 뜻

교결하다(皎潔): 달빛이 맑고도 맑다
교교하다(皎皎): ① 달이 썩 맑고 맑다 ② 썩 희고 깨끗하다
난분분하다(亂紛紛): 눈이나 꽃잎 따위가 흩날리어 어지럽다
담담하다: 달빛이나 물빛 따위가 엷고 맑다 (예) 담담한 새벽 달빛
명쾌하다(明快): 밝고 말끔하다
몽실몽실하다: 구름·연기 따위가 떠서 엉기어 동글동글하다 큰뭉실뭉실하다
뭉실뭉실하다: 구름·연기 따위가 떠서 엉겨 둥글둥글하다 작몽실몽실하다
번하다: 어두운 가운데 빛이 뚜렷이 환하다 센뻔하다 작반하다
빤하다: 어두운 가운데 빛이 뚜렷이 환하다 여반하다 큰뻔하다
뻔하다: 어두운 가운데 빛이 뚜렷이 환하다 여번하다 작빤하다
소소하다(昭昭): 밝고 또렷하다
소연하다(昭然): 밝고 또렷하다
송송하다: 별들이 배게 떠 있다
수경하다(瘦硬): 글자의 획이나 그림의 선이 가늘고 빳빳하다
암암하다(暗暗): 잊어지지 아니하고 가물가물 보이는 듯하다 (예) 눈에 암암하다
애애하다(皚皚)[1]: 눈·서리 따위가 매우 희다
애애하다(藹藹)[2]: 풀이나 나무 따위가 무성하다
애애하다(靄靄)[3]: 안개나 구름 따위가 짙게 끼어 흐릿하다
양명하다(亮明): 환하게 밝다
양직하다(亮直): 밝고 고르다
영롱하다(玲瓏): 광채가 눈부시게 찬란하다
욱욱하다(昱昱): 퍽 밝다
으슴푸레하다: 달빛이나 불빛 따위가 흐릿하거나 어둑하다
절승하다(絶勝): 경치가 더할 나위 없이 뛰어나다
정명하다(精明): 매우 깨끗하고 밝다
찬연하다(燦然): 밝고 환하다
창명하다(彰明): 환히 밝다
통명하다(通明): 막힘이 없이 밝다
통연하다(洞然): 밝고 환하다

황연하다(晃然): 환하게 밝다
훤하다: 약간 흐릿하게 밝다 **좌**환하다
희번하다: 동이 트며 허연 광선이 약간 비치어서 번하다

1.1.2.2. 빛

낭랑하다(朗朗): 빛이 매우 밝다
몽롱하다(朦朧): 빛이 흐리다
반하다: 어두운 가운데 빛이 약하게 환하다 **센**빤하다 **큰**번하다
밝다: 빛이 환하다
번하다: 어두운 가운데 빛이 약하게 환하다 **센**뻔하다 **좌**반하다
부시다: 빛이나 색채가 강렬하여 마주 보기가 어려워 눈이 어리어리하다
빤하다: 어두운 가운데 빛이 뚜렷이 환하다 **여**반하다 **큰**뻔하다
뻔하다: 어두운 가운데 빛이 뚜렷이 환하다 **여**번하다 **좌**빤하다
섬섬하다(閃閃): 빛이 번쩍번쩍하다
찬찬하다(燦燦): 번쩍 빛나고 아름답다
총총하다: 촘촘한 별빛이 또렷또렷하다

1.1.2.3. 바라보는 뜻

되똑하다: 우뚝 솟아 있다 (예) 되똑하고 날씬한 코
두연하다(斗然): 우뚝 솟아 있다
망망연하다(望望然): 아득히 먼 곳을 바라보는 기색이 있다
우뚝우뚝하다: 여럿이 다 우뚝하다 **비**올올하다
우뚝하다: 특별히 두드러지게 높이 솟아 있다 **비**돌올하다

1.1.2.4. 시문

간심하다(艱深): 시문이 어렵고 뜻이 깊다
색스럽다: 아롱아롱하고 색다른 데가 있다 (예) 꽃이 죽 행렬을 지어 피어 있어서
　　마당은 사뭇 환하고 색스럽다
웅혼하다(雄渾): 시문 따위가 웅장하고 세련되어 있다 (예) 웅혼한 기상
창건하다(蒼健): 시문이 고아하고 굳세다

현란하다(絢爛): 시나 글의 수식이 다채롭고 야단스럽다

1.1.2.5. 시력·시각

가뭇없다: ① 보이던 것이 갑자기 아니 보여 찾을 곳이 감감하다 ② 눈에 띄지
　　않게 감쪽같다 ③ 흔적이 없다
날카롭다: 시선이 매섭다
밝다: 시력이 좋다
어둡다: 시력이 약하다

1.1.2.6. 어두움

깜깜하다: 아주 까맣게 어둡다 [거]캄캄하다 [큰]껌껌하다
껌껌하다: 아주 어둡다 [거]컴컴하다 [작]깜깜하다
냉암하다(冷暗): 차갑고 어둡다
망망하다(茫茫): 어렴풋하고 아득하다
명암하다(冥闇): 매우 어둡다
묘명하다(杳冥): 어두침침하고 아득하다
암담하다(暗澹): 아주 컴컴하고 쓸쓸하다
암암하다(暗暗): 몹시 어둡다
암울하다(暗鬱): 어둡고 답답하다
어두컴컴하다: 어둡고 컴컴하다
어둑시근하다: ‘어스레하다’의 방언(전라, 경상, 평북, 함북) [비]어스레하다
어둑어둑하다: 둘레를 똑똑히 알아볼 수 없을 만큼 어둡다
어둑하다: 제법 어둡다
어둠침침하다: 어둡고 침침하다
어둡다: 빛이 없거나 밝지 못하다
어스레하다: 무엇을 똑똑히 가려볼 수 없을 만큼 어느 정도 어둑하다
어슬어슬하다: 해가 지거나 날이 밝으려 할 무렵 둘레가 어스레하다
어슬하다: ‘어스레하다’의 준말
침울하다(沈鬱): 어둡고 시원하지 못하다
캄캄하다: 새까맣게 어둡다 [큰]컴컴하다
컴컴하다: 시커멓게 보이도록 몹시 어둡다 [센]껌껌하다

혼혼하다(昏昏): 빛이 없어 어둡다
혼흑하다(昏黑): 캄캄하게 어둡다
회명하다(晦明): 해와 달의 빛이 가리어 어두컴컴하다
회하다(晦): 밝지 않고 어둡다
훈흑하다(曛黑): 해가 져서 어둑어둑하다
흑암하다(黑暗): 몹시 껌껌하여 어둡다

1.1.2.7. 안개나 비

몽몽하다(濛濛): 비·안개 따위가 자욱하다
자오록하다: 바람 없이 자옥하다 큰자우룩하다
자옥하다: 안개나 연기 따위가 잔뜩 끼어 흐릿하다 큰자욱하다
자우룩하다: 매우 자욱하다
자욱하다: 연기나 안개 따위가 잔뜩 끼어 몹시 흐릿하다 작자옥하다
저미하다(低迷): 안개나 구름 따위가 끼어 어둑하다

1.1.2.8. 차림새

꺼벙하다: 모양이나 차림새가 거칠고 터부룩하다
남루하다: 옷 따위가 헤지고 지저분하다
단출하다: 일이나 차림차림이 간편하다
매끈하다: 차림새나 꾸밈새가 환하고 깔끔하다 큰미끈하다
미끈하다: 차림새나 꾸밈새가 환하고 깨끗하다 작매끈하다
보풀보풀하다: 종이나 천 따위의 거죽에 보푸라기들이 많이 일어나 있다
부풀부풀하다: 종이나 천 따위의 거죽에 보푸라기들이 많이 일어나 있다
앳되다: 애티가 있어 어려 보이다
특배다: 천의 짜임새가 톡톡하고 배다
특특하다: 옷감 따위의 바탕이 태가 없이 툭툭하다 작탁탁하다
회매하다: 옷차림 또는 묶은 모양이 가뿐하다

1.1.2.9. 풍치·선영

쨍하다: 물체가 더할 수 없이 맑고 투명하다

문아하다(文雅): 풍채가 있고 아담하다

번무하다(繁蕪): 초목이 무성하다

살풍경하다(殺風景): 풍경이 너무 멋쩍다

선연하다(鮮然): 🔠선명하다

성하다(盛): 나무나 풀이 한창 우거져 싱싱하다

상청하다(常靑): 늘 푸르다

풋풋하다: 무르고 싱싱하다

풍아롭다: 보기에 풍치가 있고 조촐하다 🔠풍아스럽다

풍아스럽다: 🔠풍아롭다

풍아하다(風雅): 풍치가 있고 조촐하다

1.1.2.10. 환하거나 희미한 모습

미미하다(微微): 뚜렷하지 않고 매우 희미하다

반투명하다(半透明): 속까지 비치어 보이는 정도가 흐릿하다

방불하다(彷彿): 흐릿하거나 어렴풋하다

불투명하다(不透明): 속까지 비치게 환하지 못하다

아슴푸레하다: 꽤 어둑하고 희미하다

애애하다(靄靄): 안개나 구름 따위가 짙게 끼어 흐릿하다

어슴푸레하다: 꽤 어둑하고 희미하다 🔠아슴푸레하다

오련하다: 형태나 빛깔이 조금 나타나 보일 정도로 희미하고 엷다 🔠아련하다

완하다(刓): 도장이나 책판 따위의 조각한 것이 닳아서 희미하다

우련하다: 모양이나 빛깔이 보일 듯 말 듯 희미하다

욱욱하다(煜煜): 빛나서 환하다

은미하다(隱微): 희미하다

일목요연하다(一目瞭然): 한 번 척 보아서 대뜸 알 수 있도록 환하다

탁란하다(濁亂): 흐리고 어지럽다

통창하다(通敞): 시원스럽게 넓고 환하다

혼탁하다(混濁): 깨끗하지 못하고 몹시 흐리다

흐리터분하다: 흐리고 터분하다

흐릿하다: 조금 흐리다

희미하다(稀微): 또렷하지 못하고 흐릿하다

1.2. 미각과 관련된 형용사

1.2.1. 고소함

고소하다: 볶은 참깨 맛이나 냄새와 같다
구뜰하다: 변변하지 않은 국물붙이의 맛이 제법 구수하다
구수하다: 맛이나 냄새가 잘 끓은 보리차나 숭늉 따위와 같다
커섯스럽다: 제법 엇구수한 데가 있다
깨고소하다: 깨가 쏟아지듯 매우 고소하다
꼬숩다: 고소하다〈전북〉
꼬시다: 고소하다〈경상〉
엇구뜰하다: 좀 구뜰하다 (예) 엇구뜰한 맛
엇구수하다: 맛이나 냄새가 좀 구수하다
엇꾸수하다: ⊟엇구수하다

1.2.2. 단맛

감미롭다: 달콤하다
다디달다: 매우 달다
달곰삼삼하다: 맛이 조금 달면서 삼삼하다
달곰새금하다: 맛이 조금 달면서 새금하다 게달콤하다
달곰쌉쌀하다: 맛이 조금 달고도 쌉쌀하다
달곰씁쓸하다: 맛이 조금 달고도 씁쓸하다
달곰하다: 감칠맛이 있게 조금 달다 게달콤하다
달금하다: 맛깔스럽게 조금 달다 게달큼하다
달다: 꿀이나 사탕의 맛과 같다
달보드레하다: 약간 달콤하다 큰들부드레하다
달짜근하다: ⊟달짝지근하다 게달차근하다 큰들찌근하다
달짝지근하다: 좀 엷게 달콤한 맛이 있다 게달착지근하다 큰들쩍지근하다 비
　　달차근하다
달차근하다: '달착지근하다'의 준말
달착지근하다: 약간 달콤한 맛이 있다 센달짝지근하다 큰들척지근하다
달치근하다: '달차근하다'의 방언(전남) 비달착지근하다 큰들치근하다

달콤새큼하다: 맛이 조금 달콤하면서 새큼하다 **여**달곰새금하다

달콤하다: ① 감칠맛이 있게 꽤 달다 **여**달금하다 ② 흥미가 나게 아기자기하거
　　나 간드러진 맛이 있다 **비**감미롭다

달큼하다: 맛깔스럽게 꽤 달다 **여**달금하다 **큰**들큼하다

들부드레하다: 조금 들큼한 맛이 있다

들쩍지근하다: 좀 엷게 들큼한 맛이 있다 **거**들척지근하다 **잘**달짝지근하다 **비**
　　들찌근하다

들찌근하다: **=**들쩍지근하다 **거**들치근하다 **잘**달짜근하다

들척지근하다: 좀 들큼한 맛이 있다

들치근하다: **=**들척지근하다

들큼하다: 맛깔스럽지 않게 좀 달다 **잘**달큼하다

1.2.3. 떫은맛

떠름하다: ① 조금 떫다 ② 조금 떨떨한 느낌이 있다

떨떠름하다: 몹시 떠름하다

떫다: 덜 익은 감의 맛처럼 맛이 거세여서 입맛이 텁텁하다

떫디떫다: 몹시 떫다

텁지근하다: 입맛이나 음식맛이 좀 텁텁하다

텁텁하다: 입맛이나 음식맛이나 뱃속이 시원하거나 깨끗하지 못하다 **잘**탑탑
　　하다

1.2.4. 매운맛

매큼하다: 약간 맵다

맵다: 고추·겨자 따위의 맛과 같이 혀가 알알하다

맵디맵다: 몹시 맵다

맵싸하다: 고추나 겨자처럼 맵고도 싸하다

맵짜다: 맵고 짜다

시금쏩쓸하다: 시금하고 쏩쓸하다

신랄하다(辛辣): 맛이 대단히 쓰고 맵다

알근달근하다: 맛이 조금 알근하면서도 달짝지근하다 **큰**얼근덜근하다

알근하다: 매워서 입안이 조금 알알하다

알짝지근하다: 맛이 좀 달면서도 아린 느낌이 있다

알찌근하다: '알짝지근하다'의 준말

알큰하다: 매워서 입안이 알알하다 여알근하다 큰얼큰하다

얼근덜근하다: 맛이 들쩍지근하면서도 얼근하다 작알근달근하다

얼근하다: 매워서 입안이 얼얼하다 작알근하다

얼얼하다: 맛이 몹시 매워서 혀끝에 깊숙이 아리고 쏘는 느낌이 있다

얼쩍지근하다: 상당히 얼얼하다

얼찌근하다: '얼쩍지근하다'의 준말

얼큰하다: 매워서 입안이 몹시 얼얼하다 작알큰하다

매음하다: 혀가 얼얼하게 약간 맵다

1.2.5. 비린 맛

배리다: 동물의 피나 물고기나 날콩을 씹을 때에 나는 냄새나 맛과 같이 속이
　　좀 메스껍고 아니꼽다 큰비리다

비리다: 동물의 피나 물고기나 또는 날콩을 씹을 때에 나는 냄새나 맛과 같이
　　속이 메스껍고 아니꼽다 작배리다

비리척지근하다: 냄새나 맛이 조금 비리다 작배리척지근하다 비비척지근하다

비리치근하다: 냄새나 맛이 비리척지근하다 작배리치근하다 비비치근하다

비릿비릿하다: 냄새나 맛이 매우 비리다 작배릿배릿하다

비릿하다: 냄새나 맛이 조금 비리다 작배릿하다

1.2.6. 신맛

새곰새곰하다: 여럿이 다 새곰하다 거새콤달콤하다 큰시금시금하다

새그무레하다: 조금 새금하다 거새크무레하다 큰시그무레하다

새금새금하다: 여럿이 다 새금하다 거새큼새큼하다 큰시금시금하다

새금하다: 웅숭깊게 새금하다 거새큼하다 큰시금하다

새콤달콤하다: 새콤하면서도 맛깔스럽게 달다

새콤새콤하다: 여럿이 다 새콤하다 여새곰새곰하다 큰시큼시큼하다

새콤하다: 웅숭깊게 새콤하다 여새곰하다 큰시큼하다

새큰새큰하다: 매우 새큰하다 여새근새근하다 큰시큰시큰하다

새큰하다: 매우 새근하다 여새근하다 큰시큰하다

새큼달큼하다: 여럿이 다 새큼하다 여새금새금하다 론시큼시큼하다
새큼하다: 매우 새금하다 여새금하다 론시큼하다
시굼시굼하다: 여럿이 다 시금하다 게시쿰시쿰하다 좌새곰새곰하다
시굼하다: 웅숭깊게 시금하다 게시쿰하다 좌새곰하다
시그무레하다: 조금 시금하다 게시크무레하다 좌새그무레하다
시근시근하다: 매우 시근하다 게시큰시큰하다 좌새근새근하다
시금떨떨하다: 맛이 옅은 맛으로 좀 시고 떫은 듯하다
시금시금하다: 여럿이 다 시금하다 게시큼시큼하다 좌새금새금하다
시금쌉쌀하다: 시금하고 쌉쌀하다
시금털털하다: 맛이 개운하거나 시원하지 않고 옅은 맛으로 좀 시다
시금하다: 모금 시다 게시큼하다 좌새금하다
시다: 맛이 먹는 초의 맛과 같다
시쿰시쿰하다: 여럿이 다 시쿰하다 여시굼시굼하다 좌새콤새콤하다
시쿰하다: 웅숭깊게 시큼하다 여시굼하다 좌새콤하다
시크무레하다: 조금 새큼하다 여시그무레하다 론시크무레하다 좌새크무레
　　하다
시큼시큼하다: 여럿이 다 시큼하다 여시금시금하다 좌새콤새콤하다
시큼하다: 매우 시금하다 여시금하다 좌새큼하다

1.2.7. 싱거운 맛

담담하다: 맛이 느끼하지 않거나 싱겁다
담박하다: 밍밍하고 싱겁다 비담담하다
담백하다: 맛이 느끼하지 않고 싱겁다
담하다(淡): ≡담백하다 비담담하다
덤덤하다: 밍밍하고 싱겁다
맹맹하다: 음식 따위가 제 맛이 나지 않고 싱겁다
심심하다: 맛이 좀 싱겁다
싱겁다: 짠맛이 없다

1.2.8. 쓴맛

검쓰다: 맛이 비위에 거슬리게 몹시 거세고 쓰다

쌉싸래하다: 조금 쌉쌀하다 囵쌉쓰레하다
쌉쌀하다: 조금 쓴맛이 있다 囵쌉쓸하다
쓰다: 맛이 소태나 씀바귀의 맛과 같다
쓰디쓰다: 몹시 쓰다
쌉쓰레하다: 조금 쌉쓸하다 囵쌉싸래하다
쌉쓸하다: 조금 쓰다 囲쌉쓰레하다

1.2.9. 짠맛

건건찝찔하다: 감칠맛이 적고 조금 짜기만 하다
간간짭짤하다: 간간하고 짭짤하다 囵건건찝찔하다
간간하다: 감칠맛이 나게 좀 짜다
건건하다: 감칠맛이 없이 좀 짜다
짜다: 소금 맛과 같다
짭조름하다: 좀 짠맛이 있다
짭짤하다: 맛이 없이 짜다
찝찔하다: 맛이 없이 짜다

1.2.10. 기타

거칠다: 음식이나 먹이가 영양분이 적고 부드러운 맛이 적다
구진하다: 음식이 만든 지가 오래 되어 맛이 없다
깔깔하다¹: 음식 맛이 모래를 씹는 것 같다
깔깔하다²: 밤·떡 따위가 몹시 되고 거칠다
노리다: 염소고기의 독특한 맛처럼 맛이 좀 매스껍다 囵누리다
맛깔스럽다: 입에 당길 만큼 음식의 맛이 있다.
맛깔지다: '맛깔스럽다'의 잘못
맛나다: 맛있다
맛없다: 음식의 맛이 없거나 나쁘다
개운하다: 맛이 산뜻하여 시원하다
먹음직스럽다: 보기에 먹음직하다
먹음직하다: 음식이 보기에 맛이 있을 듯하다
무료하다(無聊): 탐탁하게 어울리는 맛이 없다

무미하다: 맛이 없다

배틀하다: 감칠맛이 있게 좀 배리다 **큰**비틀하다

삼삼하다: 음식이 좀 싱거운 듯하면서 맛이 있다

새롭다: 이미 있던 것과 달리 생생하고 산뜻하게 느껴지는 맛이 있다

순하다: 맛이 독하지 아니하다

쌈박하다: 입맛이 당기게 썩 맛깔스럽다

잘깃잘깃하다: 매우 잘깃하다 **센**찔깃찔깃하다 **큰**질깃질깃하다

잘깃하다: 꽤 질긴 듯하다 **센**찔깃하다 **큰**질깃하다

진진하다(津津): 입에 착착 들러붙은 만큼 맛이 있다

질기다: 음식이 부드럽지 않고 질깃하다 (예) 질긴 소고기

찝찔하다: 맛이 없이 조금 짜다.

청담하다(淸淡): 맛이 산뜻하고 개운하다

청렬하다(淸冽): 맛이 산뜻하고 시원하다

환하다: 맛이 얼얼한 듯하면서 시원하다

훈감하다: 맛이 진하고도 냄새가 아름답다

1.3. 청각과 관련된 형용사

고요하다: 조용하고 잠잠하다

고자누룩하다: 떠들썩하다가 잠잠하다

고즈넉하다: 고요하고 아늑하다

공공적적하다(空空寂寂): 우주 만상의 상체가 모두 비어 지극히 고요하다

공적하다(空寂): **본**공공적적하다

괴리하다: 이상향 정도로 아주 고요하다

그윽하다: 깊숙하고 아늑하다

남남하다(喃喃): 무슨 말인지 알아들을 수 없이 재잘거리다

낭자하다: 떠들썩하거나 파다하다 (예) 낭자한 곡선

너누룩하다: 떠들썩하던 것이 잠시 조용하다

너눅하다: '너누룩하다'의 준말

늦다: 곡조 따위가 느리다

단촉하다(短促): 음성이 짧고 급하다

들썩하다: 시끄럽고 부산하다 **센**뜰썩하다

따들싹하다: 여러 사람이 좀 큰 목소리로 떠들어서 시끄럽다 **큰**떠들썩하다

뜰썩하다: 몹시 시끄럽고 부산하다 예들썩하다

멀다: 들리는 소리가 약하다

명창하다(明暢): 목소리가 맑고 시원하다

무겁다: 소리가 그윽하다

묵연하다(黙然): 말없이 잠잠하다

묵적하다(黙寂): 잠잠하고 고요하다

밝다: 청력 따위가 좋다

번요하다(煩擾): 번거롭고 요란하다

부산스럽다: 보기에 매우 부산하다

부산하다: 떠들썩하여 시끄럽다

새되다: 목소리가 높고 날카롭다

새살궂다: 성질이 차분하지 못하고 가벼워 말이나 행동이 실없고 부산하다

새살스럽다: 보기에 새살궂다

새실궂다: 매우 새살스럽다

새실스럽다: 보기에 수다스럽고 새살맞다

소란하다(騷亂): 시끄럽고 어수선하다

소삼하다(蕭森): 조용하고 쓸쓸하다

소소하다(騷騷): 부산하고 시끄럽다

소연하다(騷然): 떠들썩하다

소요하다(騷擾): 떠들썩하고 문란하다

소잡하다(騷雜): 시끄럽고 난잡하다

수떨다: 수선하고 떠들썩하다

수선스럽다: 제법 수선하다

숙숙하다(肅肅): 엄숙하고 고요하다

숙연하다(肅然): 고요하고 엄숙하다

시끄럽다: 듣기 싫게 떠들썩하다

시끌벅적하다: 시끄럽고 어수선하게 떠들썩하다

시끌시끌하다: 몹시 시끄럽다

시설궂다: 몹시 시끄럽다

야단스럽다: 몹시 떠들썩하고 소란스럽다

어런더런하다: 여러 사람이 오락가락하여 시끄럽다

열뇨하다(熱鬧): 비떠들썩하다

영롱하다: 구슬 따위의 울리는 소리가 맑고 산뜻하다

온화하다(穩和): 조용하고 평화롭다

왁자그르르하다: ① 여러 사람이 웃거나 재깔이어 몹시 시끄럽다 🔁 웍저그르르하다 ② 소문이 갑자기 퍼져서 왜자하다

왁자하다: 왜자하다

왜자하다: 왁자지껄하게 떠들썩하여 시끄럽다.

요란스럽다: 매우 요란스럽다

요란하다(搖亂): 야단스럽게 시끄럽고 어지럽다

요요하다(寥寥): 고요하다 쓸쓸하다

요적하다(寥寂): 고요하고 적적하다

유벽하다(幽僻): 한적하고 외지다

유수하다(幽邃): 그윽하고 깊숙하다

유심하다(幽深): 그윽하고 깊숙하다

유암하다(幽暗): 그윽하고 어둡다

유유하다(幽幽): 깊고 그윽하다

으슥하다: 몹시 조용하다

은진하다(殷賑): 흥성흥성하다

인성만성하다: 사람들이 많이 모여 떠들썩하다

자늑자늑하다: 진득하게 부드럽고 조용하다

잠잠하다: 아무 소리도 없이 조용하다

잠적하다(潛寂): 고요하고 호젓하다

재깔이다: 재깔이어 시끄럽다 🔁 지껄이다

적막하다(寂寞): 고요하고 쓸쓸하다

적요하다(寂寥): 적적하고 고요하다 🔢 요적하다

적적하다(寂寂): 조용하고 쓸쓸하다

적정하다(寂靜): 매우 조용하고 쓸쓸하다

정온하다(靜穩): 조용하고 평온하다

조용조용하다: 매우 조용하다

조용하다: 떠들지 아니하고 고요하다

지껄하다: 지껄이어 시끄럽다 🔄 재깔하다

청량하다(淸亮): 소리가 맑고 깨끗하다

청청하다(淸淸): 목소리가 맑고 씩씩하다

카랑카랑하다: 목소리가 쇳소리처럼 높고 맑다

칼칼하다: 목소리가 매우 걸걸하다

괄괄하다: 목소리가 거세다

탁하다: 소리가 굵고 거칠다

툭툭하다: 목소리가 투박하면서 거세다

파사하다: 거문고 따위의 소리가 꺾임이 많다

평담하다(平淡): 고요하며 깨끗하고 산뜻하다

한산하다(閑散): 조용하고 쓸쓸하다

허적하다(虛寂): 텅 비어 적적하다

호젓하다: 후미져서 무서움을 느낄 만큼 고요하다

화연하다(譁然): 여러 사람이 지껄이는 소리가 떠들썩하다

후미지다: 몹시 구석지고 호젓하다

훤소하다(喧騷): 떠들어서 소란하다

휘휘하다: 무서운 느낌이 들 정도로 고요하고 쓸쓸하다 준휘하다

흐리다: 목소리가 낮고 쉰 듯하다

1.4. 후각과 관련된 형용사

1.4.1. 고린 냄새

고리다: 곯은 풀 냄새 따위와 같다

고리타분하다: 냄새가 고리고도 타분하다 준골타분하다 큰구리터분하다

고리탑탑하다: 몹시 고리타분하다 준골탑탑하다 큰구리텁텁하다

골타분하다: '고리타분하다'의 준말 큰굴터분하다

골탑탑하다: '고리탑탑하다'의 준말 큰굴텁텁하다

구리다: 똥이나 방귀 냄새와 같다

구리터분하다: 냄새가 구리고도 터분하다 준구터분하다 작고리타분하다

구리텁텁하다: 몹시 구리터분하다 작고리탑탑하다

굴터분하다: '구리터분하다'의 준말 작고리타분하다

굴텁텁하다: '구리텁텁하다'의 준말 작고리탑탑하다

지리다: 오줌 냄새와 같거나 노린 맛이 있다

코리다: 냄새가 몹시 고리다 예고리다

코리타분하다: 냄새가 고리고도 타분하다 큰쿠리터분하다

코리탑탑하다: '고리탑탑하다'의 잘못

쾨쾨하다: 찌든 땀내와 같이 비위가 거슬리도록 고리다 큰퀴퀴하다

쿠리다: 냄새가 몹시 구리다 **예**구리다 (참고) 코리다
쿠리터분하다: 냄새가 구리고 터분하다 **예**구리터분하다 **잭**코리타분하다
쿠리텁텁하다: 몹시 구리터분하다 **예**구리텁텁하다
퀴퀴하다: 찌든 땀 냄새와 같이 비위가 거슬릴 정도로 구리하다 **잭**쾨쾨하다

1.4.2. 고소한 냄새

고소하다: 볶은 참깨 냄새와 같다
구구하다: 잘 끓인 보리차 냄새와 같다
귀성스럽다: 엇구수한 데가 있다
깨고소하다: 볶은 깨처럼 고소하다
꼬숩다: 고소하다〈전북〉
꼬시다: 고소한 냄새가 나다〈경상〉
엇구수하다: 냄새가 구수하다

1.4.3. 노린 냄새

노리다: ① 털이 타거나 노래기에서 나는 것처럼 냄새가 매스껍다 **큰**누리다
  ② 염소고기의 독특한 맛처럼 맛이 매스껍다 **큰**누리다
노리착지근하다: 좀 노린 냄새가 나는 듯하다 **큰**누리착지근하다
노리치근하다: 노리착지근하다 **큰**누리치근하다
누리다: 냄새가 매우 노리다 **잭**노리다
누리척지근하다: 조금 누린내가 나는 듯하다 **잭**노리착지근하다
누리치근하다: **=**누리착지근하다
누릿하다: 냄새 따위가 약간 누리다 **큰**노릿하다
누척지근하다: **=**누리척지근하다
누케하다: 누리착지근하다
뉘지근하다: '누척지근하다'의 준말
뉘척지근하다: 좀 누린 냄새가 나는 듯하다 **준**뉘지근하다

1.4.4. 매캐한 냄새

매캐하다: 연기나 곰팡이 따위의 냄새가 있다

맵다: 고추·겨자 따위의 맛과 같이 혀가 알알하다 (예) 매운 냄새
밉다: 연기의 기운으로 목구멍이나 눈이 쓰라리다

1.4.5. 몰칵한 냄새

매리착지근하다: 냄새나 맛이 조금 배리다 **큰**매리척지근하다 **비**배착지근하다
몰칵몰칵하다: 냄새가 심하게 풍기어 코를 쿡쿡 찌르는 듯하다 **큰**물컥물컥
　　하다
몰칵하다: 냄새가 갑자기 풍겨 코를 폭 찌르는 듯하다 **큰**물컥하다
몰큰몰큰하다: 매우 몰큰하다 **큰**물큰물큰하다
몰큰하다: 〈북한어〉 연하고 보드라운 느낌이 날 정도로 말랑하다 **큰**물큰하다
물컥물컥하다: 냄새가 갑자기 심하게 풍기어 코를 찌르는 듯하다 **작**몰칵몰칵
　　하다
물컥하다: 냄새가 갑자기 심하게 코를 찌르는 듯하다 **작**몰칵하다
물큰물큰하다: 매우 물큰하다 **작**몰큰몰큰하다
물큰하다: 냄새가 심하게 풍기어 코를 찌르는 듯하다 **작**몰큰하다

1.4.6. 비린 냄새

배리치근하다: 냄새나 맛이 배리착지근한 듯하다 **큰**비리치근하다 **비**배착지근
　　하다
배릿배릿하다: 냄새와 맛이 매우 배릿하다 **큰**비릿비릿하다
배착지근하다: **=**배리착지근하다 **큰**비척지근하다
배치근하다: **=**배리치근하다 **큰**비리치근하다
비리다: ① 동물의 피나 물고기나 또는 날콩을 씹을 대에 나는 냄새나 맛과
　　같이 속이 메스껍고 아니꼽다 ② 하는 짓이 좀스럽거나 구차스러워서 마
　　음이 더럽고 아니꼽다 **작**배리다
비리척지근하다: 냄새나 맛이 조금 비리다 **작**배리착지근하다 **큰**비척지근하다
비리치근하다: 냄새나 맛이 비리척지근한 듯하다 **작**배리치근하다 **큰**비치근
　　하다
비척지근하다: **=**비리척지근하다 **작**배착지근하다
비치근하다: **=**비리치근하다 **작**배치근하다
비틀하다: 감칠맛이 있게 좀 비리다

1.4.7. 향기로운 냄새

방연하다(芳然): 향기가 짙다
복욱하다(馥郁): 매우 향기롭다
상큼하다: 냄새나 맛 따위가 향기롭고 시원하다
욱욱하다(郁郁): 매우 향기롭다
향그럽다: '향기롭다'의 잘못
향긋하다: 조금 향기롭다
향기롭다: 향기가 있다
훈감하다: 맛이 진하고도 냄새가 아름답다

1.5. 촉각과 관련된 형용사

1.5.1. 가볍다

가드근하다: 가든하다 (예) 마음이 가드근하다〈평북〉
가든하다: 쓰거나 다루기에 가볍고 간편하다 센가뜬하다 큰거든하다
가볍다: 무게가 적다
가볍디가볍다: 매우 가볍다
가분가분하다: 여럿이 모두 가분하다 센가뿐가뿐하다 큰거분거분하다
가분하다: 좀 가볍다 센가뿐하다 큰거분하다
가붓가붓하다: 매우 가붓하다 센가뿟가뿟하다 큰거붓거붓하다
가붓하다: 가분한 듯하다 센가뿟하다 큰거붓하다
가뿐가뿐하다: 매우 가뿐하다 여가분가분하다 큰거뿐거뿐하다
가뿐하다: 매우 가분하다 여가분하다 큰거뿐하다
가뿟가뿟하다: 여럿이 모두 가뿟하다 여가붓가붓하다 큰거뿟거뿟하다
가뿟하다: 가뿐한 듯하다 여가붓하다 큰거뿟하다
개굽다: '가볍다'의 방언(강원, 전남, 충청)
갭직갭직하다: 여럿이 다 갭직하다
갭직하다: 좀 가볍다
거볍디거볍다: 매구 거볍다
거분거분하다: 여럿이 다 거분하다 센거뿐거뿐하다 작가분가분하다
거분하다: 좀 거볍다 센거뿐하다 작가분하다

거붓거붓하다: 여럿이 다 거붓하다 **센**거뿟거뿟하다 **좌**가붓가붓하다

거붓하다: 거붓한 듯하다 **센**거뿟하다 **좌**가붓하다

거뿐거뿐하다: 여럿이 모두 거뿐하다 **여**거분거분하다 **좌**가뿐가뿐하다

거뿐하다: 매우 거분하다 **여**거분하다 **좌**가뿐하다

거뿟거뿟하다: 여럿이 모두 거뿟하다 **여**거붓거붓하다 **좌**가뿟가뿟하다

거뿟하다: 거뿐한 듯하다 **여**거붓하다 **좌**가뿟하다

경소하다(輕小): 가볍고 작다

경이하다(輕易): 가볍고 쉽다

경하다(輕): 가볍다

홀가분하다: 딸린 것이 없이 가뜬하다

홋홋하다: 딸린 사람이 적어서 아주 홀가분하다

1.5.2. 굳고 단단하다

견인하다(堅靭): 단단하고 질기다

꽛꽛하다: 물건 따위가 굳어져서 거칠고 단단하다 (예) 윗목에 두 걸레가 밤새 꽛꽛하게 굳었다

댕댕하다: 무르지 않고 단단하다

딱딱하다: 몹시 굳고 단단하다

딴딴하다: 무르지 않고 매우 굳다 (예) 딱딱한 껍질

땡글땡글하다: 땡땡하고 동글동글하다

땡땡하다: 무르지 않고 딴딴하다 **거**탱탱하다 **여**댕댕하다 **큰**띵띵하다

뚝뚝하다: 바탕이 부드럽지 못하고 거세고 굳다 **준**뚝하다

뚝하다: '뚝뚝하다'의 준말

띵띵하다: 무르지 않고 딴딴하다 **거**팅팅하다 **여**딩딩하다 **큰**땡땡하다

우들우들하다: 크고 관절이나 날밤 따위를 씹는 것처럼 깨물기에 단단하다 **좌**오돌오돌하다

1.5.3. 눅눅하다

노그름하다: 좀 무르며 노글노글하다 **큰**누그름하다

노글노글하다: 좀 무르게 물기나 기름기가 돌아 보드랍다 **큰**누글누글하다

노굿노굿하다: 여럿이 다 노굿하다 **큰**누굿누굿하다

노굿하다: 메마르거나 빳빳하지 않고 녹녹하다 [큰]누굿하다

녹녹하다: 물기나 기름기가 돌아 딱딱하지 않고 좀 무름 보드랍다 [큰]눅눅하다

녹신하다: 질기거나 차진 물체가 좀 무르고 보드랍다 [큰]눅신하다

녹실녹실하다: 여럿이 다 녹실하다 [큰]눅실눅실하다

녹실하다: 썩 무르고 부드럽다 [큰]눅실하다

녹진녹진하다: 여럿이 다 녹진하다 [큰]눅진눅진하다

녹진하다: 질기거나 차진 물체가 노굿하면서 끈끈한 기운이 있다 [큰]눅진하다

눅눅하다: 물기나 기름기가 있어 딱딱하지 않고 무르며 부드럽다

눅실눅실하다: 여럿이 다 눅실하다 [작]녹실녹실하다

눅실하다: 썩 무르고 부드럽다 [작]녹실하다

눅진눅진하다: 여럿이 다 눅진하다 [작]녹진녹진하다

눅진하다: 질기거나 차진 물체가 누굿하면서 차진 기운이 있다 [작]녹진하다

증습하다(蒸濕): 찌는 듯이 무더워서 대기가 몹시 눅눅하다

1.5.4. 덥다

고습하다(高濕): [비]다습하다

낮다: ① 온도가 적다 [반]높다 ② 압력이 적다 [반]높다

따끈하다: 꽤 따뜻하고 더운 느낌이 있다.

매작지근하다: 찬기가 감돌면서 조금 더운 기가 있는 듯 만 듯하다

매지근하다: 더운 기가 조금 있는 듯하다 [큰]미지근하다

맹근하다: 조금 매지근하다

무덥다: 몹시 찌는 듯하여 못 견디게 덥다

미지근하다: 조금 더운 기운이 있다

염염하다(炎炎): 이글이글한 정도로 매우 덥다

웅신하다: 웅숭깊게 덥다

증울하다(蒸鬱): 찌는 듯한 더위로 답답하다

지열하다(至熱): 음식이나 약 같은 것이 몹시 덥다

후덥지근하다: 약간 후터분하다 [큰]후텁지근하다

홧홧하다: 달듯이 뜨겁다

후더분하다: 열기가 차서 좀 후터분하다

후덥다: 열기가 차서 답답할 정도로 더운 기운이 있다

후끈후끈하다: 매우 후끈하다 [작]화끈화끈하다

후끈하다: 뜨거운 기운을 받아 갑자기 달아오르다 좌화끈하다
후터분하다: 불쾌할 정도로 무더운 기운이 있다
후텁지근하다: 좀 후터분하다 좌호탑지근하다
호탑지근하다: 답답할 정도로 끈끈하고 무더운 기운이 있다
훈증하다(薰蒸): 찌는 듯이 무덥다
훈훈하다: 견디기에 좋을 만큼 덥다
홋홋하다: 훈훈하여 약간 갑갑할 정도로 덥다

1.5.5. 두껍다 또는 얇다

도독하다: 조금 두껍다 큰두둑하다
도톰하다: 조금 두껍다
두껍다: 두께가 크다
두껍다랗다: 꽤 두껍다
두껍디두껍다: 몹시 두껍다
두둑두둑하다: 여럿이 다 두둑하다 좌도독도독하다
두둑하다: 매우 두껍다 좌도독하다
두툼하다: 꽤 두껍다
박하다: 두께가 얇다
얄팍얄팍하다: 여럿이 모두 얇다
얄팍하다: 두께가 꽤 얇다
얇다: 두께가 얕다
얇디얇다: 매우 얇다
엷다: 두께가 열다
지후하다(至厚): ① 매우 두텁다 ② 매우 두껍다
후하다(厚): 두께가 두껍다

1.5.6. 따뜻하다

난화하다(暖和): 온화하다
다사롭다: 다스한 기운이 있다
다사하다: =다스하다
다스하다: 좀 다습다

드스하다: 좀 드습다 **센**뜨스하다 **좌**다스하다

드습다: 알맞게 따뜻하다 **센**뜨습다 **좌**다습다

따근따근하다: 어지간히 따갑게 덥다

따근하다: 그다지 심하지 않게 조금 따갑게 덥다

따듯하다: 기분이 좋을 만큼 조금 따뜻하다 **센**따뜻하다 **좌**뜨듯하다

따뜻하다: 덥지 않을 정도로 온도가 알맞다 **좌**따듯하다

따사롭다: 따스한 기운이 있다 **여**다사롭다

따스하다: 매우 다스하다 **여**다스하다 **큰**뜨스하다

따습다: 매우 다습다 **여**다습다 **큰**뜨습다

뜨겁다: 아주 몹시 더운 느낌이 있다

뜨근뜨근하다: 자꾸 뜨근한 느낌이 있다 **좌**따근따근하다

뜨근하다: 그다지 심하지 않게 조금 뜨겁거나 덥다 **좌**따근하다

뜨듯하다: 약간 뜨뜻하다 **센**뜨뜻하다 **좌**따듯하다

뜨뜻미지근하다: 온도가 뜨뜻한 듯하면서 미지근하다

뜨뜻하다: 뜨겁지 아니할 정도로 알맞게 덥다 **여**뜨듯하다 **좌**따뜻하다

뜨스하다: 매우 드스하다 **여**드스하다 **좌**따스하다

뜨습다: 매우 드습다 **여**드습다 **좌**따습다

맹근하다: 조금 미지근하다

온건하다(溫乾): 따뜻하고 습기가 없다

온습하다(溫濕): 따뜻하고 축축하다

1.5.7. 무겁다

극중하다(極重): 몹시 무겁다

낙낙하다: 크기, 수효, 부피 따위가 조금 크거나 남음이 있다 **큰**넉넉하다

돈하다: 엄청나게 무겁다

목직하다: 작은 물건이 보기보다 제법 무겁다 **큰**묵직하다

무겁다: 무게가 많다

무겁디무겁다: 몹시 무겁다

묵직하다: 좀 무겁다 **좌**목직하다

부경하다: 부피에 비하여 무게가 가볍다

천근같다: 썩 무겁다는 뜻으로 이르는 말

1.5.8. 물렁하다

난지락난지락하다: 물체가 심하게 물크러질 정도로 힘없이 자꾸 축 처지거나
　　조금 물러지다 囯는지럭는지럭하다
날캉날캉하다: 매우 물러서 조금씩 늘어져 처지게 된 듯하다 囯늘컹늘컹하다
날큰하다: 물러서 조금 늘어져 처지게 되다 囯늘큰하다
녹녹하다: 물기나 기름기가 돌아 딱딱하지 않고 좀 무르며 보드랍다
녹신하다: 질기거나 차진 물체가 좀 무르고 보드랍다 囯눅신하다
녹실녹실하다: 여럿이 다 녹실하다 囯눅실눅실하다
녹실하다: 씩 무르고 보드랍다 囯눅실하다
늘큰늘큰하다: 매우 늘큰하다 좌날큰날큰하다
늘큰하다: 꽤 물러서 늘어질 듯하다 좌날큰하다
말랑말랑하다: 매우 말랑하다
말랑하다: 물건이 무르고 만만하다
말씬말씬하다: 매우 말씬하다
말씬하다: 잘 익거나 물러서 말랑하다
말캉말캉하다: 매우 말캉하다
말캉하다: 물크러질 만큼 말랑하다
몰랑몰랑하다: 몹시 몰랑하다
몰랑하다: 물건이 무르고 야드르르하다 囯물렁하다
몰씬몰씬하다: 매우 몰씬하다 囯물씬물씬하다
몰씬하다: 잘 익거나 물러서 몰랑하다 囯물씬하다
몰캉몰캉하다: 매우 몰캉하다 囯물컹물컹하다
몰캉하다: 물크러질 만큼 몰랑하다 囯물컹하다
무르다: 바탕이 눅고 여리다
무릇하다: 무른 듯하다
문문하다: 물러서 부드럽다 (예) 흙이 문문하다
물긋물긋하다: 모두 다 묽은 듯하다
물긋하다: 묽은 듯하다
물렁물렁하다: 몹시 물렁하다 좌몰랑몰랑하다
물렁하다: 물건이 무르고 시드르하다 좌몰랑하다
물씬물씬하다: 매우 물씬하다 좌몰씬몰씬하다
물씬하다: 잘 익거나 물러서 물렁하다 좌몰씬하다

물컹물컹하다: 매우 물컹하다 <작>몰캉몰캉하다

물컹하다: 물크러질 정도로 물렁하다 <작>몰캉하다

묽다: 물이 그것에 섞여 있는 주가 되는 성분의 양보다 지나치게 많다

묽디묽다: 더할 나위 없이 묽다

묽숙하다: 알맞게 묽다

묽스그레하다: 조금 묽다 <작>맑스그레하다

뭉글뭉글하다: 매우 뭉글하다

뭉글하다: 덩이진 물건이 겉으로 무르고 부드럽다 <거>뭉클하다 <작>몽글하다

뭉클뭉클하다: 매우 뭉클하다 <여>뭉글뭉글하다 <작>몽클몽클하다

뭉클하다: 크게 덩어리진 물건이 겉으로 몹시 무르고 부드럽다 <여>뭉글하다 <작>몽클하다

서벅서벅하다: 거볍게 부스러질 만큼 부드럽고 무르다

연약하다(軟弱): 무르고 약하다

잔득하다: 녹진하고 차지다 <큰>진득하다

추지다: 물기가 배어서 몹시 눅눅하다

축축하다: 물기가 있어서 눅눅하다

취약하다(脆弱): 무르고 약하다

하분하분하다: 물기가 있는 물건이 조금 연하고 무르다 <큰>허분허분하다

함실함실하다: 너무 익거나 삶아져서 물크러질 정도로 무르다 <큰>흠실흠실하다

허분허분하다: 물기가 조금 있는 물건이 연하고 무르다

헙신헙신하다: 허분허분하고 물씬물씬하다

헤무르다: 맺고 끊음이 분명하지 못하고 무르다

1.5.9. 미끄럽다

활하다(滑): 반들반들하고 미끄럽다.

깔끄럽다: 깔깔하여 미끄럽지 못하다 <큰>껄끄럽다

껄끄럽다: 껄껄하여 미끄럽지 못하다 <작>깔끄럽다

번드레하다: 거침없이 저절로 밀리어 나갈 만큼 부드럽다 <센>뻔드레하다 <작>반드레하다

번드르르하다: 윤기가 있고 미끄럽다 <센>뻔드르르하다 <작>반드르르하다

번들하다: '번드레하다'의 준말

뻔드럽다: 껄껄하지 않고 윤기가 나도록 매우 미끄럽다 예번드럽다 작빤드럽다

뻔드레하다: 조금 뻔드르르하다 예번드레하다 작빤드레하다

뻔드르르하다: 매우 윤기가 있고 미끄럽다 예번드르르하다 작빤드르르하다

매끈둥하다: 아주 부드럽게 매끈하다 큰미끈둥하다

매끈매끈하다: 매우 매끈하다 큰미끈미끈하다

반드럽다: 깔깔하지 않고 윤기가 나도록 매끄럽다 큰번드럽다

반드레하다: 조금 반드르르하다 센빤드레하다 큰번드레하다

반드르르하다: 윤기가 있고 매끄럽다 센빤드르르하다 큰번드르르하다

반지랍다: 기름기 같은 것이 묻거나 하여 매끄럽고 반드럽다

반지레하다: 좀 반지르르하다 센빤지레하다

반지르르하다: 물기나 기름기 같은 것이 묻어서 매끄럽고 윤기가 있다

빤드럽다: 깔깔하지 않고 반지랍다 예반드럽다 큰뻔드럽다

빤드레하다: 조금 빤드르르하다 예번드레하다 큰뻔드레하다

빤드르르하다: 매우 윤기가 있고 매끄럽다

빤지레하다: 좀 빤지르르하다 예반지레하다 큰뻔지레하다

빤지르르하다: 기름기나 물기 같은 것이 물어 매우 매끄럽고 윤기가 있다 예반드르르하다 큰뻔지르르하다

정하다(精): 거칠지 않고 매우 곱고 매끈하다

바삭바삭하다: 잘 말라서 보송보송한 느낌이 있다

반들반들하다: 몹시 반반하고 매끄럽다

반질반질하다: 거죽이 윤이 나고 반지랍다 센빤질빤질하다 큰번질번질하다

빤질빤질하다: 거죽이 윤기가 흐르고 매우 매끄럽다 예반질반질하다 큰뻔질뻔질하다

뻔질뻔질하다: 거죽이 윤이 나고 몹시 번지럽다 예번질번질하다 큰빤질빤질하다

1.5.10. 번드럽다

미끄럽다: 거침없이 저절로 밀리어 나갈 만큼 번드럽다 작매끄럽다

미끈둥하다: 아주 부드럽고 미끈하다 (예) 미끈둥하게 내민 두 팔 작매끈둥하다

미끈미끈하다: 매우 미끈하다 (예) 길이 길고 미끈미끈하다 작매끈매끈하다

반드럽다: 깔깔하지 아니하고 윤기가 나도록 매끄럽다 큰번드럽다

번드럽다: 껄껄하지 않고 윤기가 나도록 미끄럽다 쎈뻔드럽다 좨반드럽다

번드레하다: 조금 번드르르하다 쥰번들하다

뻔지레하다: 좀 뻔지르르하다 여번지레하다 론빤지레하다

뻔지르르하다: 거죽에 기름기나 물기 따위가 묻어서 윤이 나고 미끄럽다 여번
　지르르하다 론빤지르르하다

짜르르하다: 물기·기름기·윤기 따위가 많이 흘러서 반지르르하다 여자르르하
　다 론찌르르하다

찌르르하다: 물기나 기름기, 윤기 따위가 많이 흘러서 번지르르하다

1.5.11. 보송보송하다

날카롭다: 감각기관에 미치는 힘이 강하다 (예) 귀를 날카롭게 찌르는 소리

보독보독하다: 매우 보독하다 (예) 생선이 알맞게 말라 보독보독하다

보독하다: 물기가 거의 말라 보송보송한 듯하다 쎈뽀독하다 론부둑하다

뽀독뽀독하다: 매우 뽀독하다

뽀독하다: 물기가 거의 말라 매우 보송보송한 듯하다 여보독하다 론뿌둑하다

뿌둑뿌둑하다: 매우 뿌둑하다

뿌둑하다: 물기가 있는 물건의 거죽이 거의 말라 약간 뻣뻣하다 여부둑하다
　론뽀독하다

서근서근하다: 사과나 배를 씹는 것과 같이 아주 부드럽고 연하다

야드르르하다: 윤이 나며 연하고 보드랍다 론이드르르하다

오돌오돌하다: 작고 여린 뼈나 말린 날밤처럼 깨물기에 조금 단단하다 론우들
　우들하다

이드르르하다: 번들번들 윤기가 돌고 부드럽다

이드를하다: '이드르르하다'의 준말

첨리하다(尖利): 날카롭고 뾰족하다 비첨예하다

첨예하다(尖銳): 날카롭고 뾰족하다 비첨리하다

1.5.12. 부드럽다

간드러지다: 멋있게 예쁘고 가늘고 보드랍다

나긋나긋하다: 보드랍고 연하다

나긋하다: 풀기가 없이 보드랍다

나른하다: 물기가 없이 보드랍다

녹녹하다: 물기나 기름기가 돌아 딱딱하지 않고 좀 무르며 보드랍다 큰녹눅
하다

녹신하다: 질거나 차진 물체가 좀 무르고 보드랍다

녹실녹실하다: 여럿이 다 녹실하다

녹실하다: 썩 무르고 보드랍다 큰눅실하다

눅신눅신하다: 여럿이 다 눅신하다 작녹신녹신하다

만만찮다: '만만하지 아니하다'의 준말

만만하다: 연하고 보드랍다

만질만질하다: 만지기가 좋게 연하고 부드럽다

보송보송하다: 물기가 없고 보드랍다 센뽀송뽀송하다 큰부숭부숭하다

부드럽다: 스치거나 닿는 느낌이 거칠거나 빳빳하지 아니하다 작보드랍다

부드레하다: 꽤 부드러운 느낌이 있다 작보드레하다

부들부들하다: 몹시 부드럽다 작보들보들하다

빽빽하다: 물기가 적어서 부드러운 맛이 없다 작빡빡하다

뽀송뽀송하다: 물기가 다 말라서 보들보들하다 여보송보송하다 큰뿌숭뿌숭
하다

뿌숭뿌숭하다: 물기가 다 말라서 부들부들하다 여부숭부숭하다 작뽀송뽀송
하다

사근사근하다: 사과나 배를 씹는 것과 같이 아주 부드럽고 연하다

사박사박하다: 가볍게 바스러질 정도로 부드럽고 무르다

서근서근하다: 사과나 배를 씹는 것과 같이 아주 부드럽고 연하다

숙부드럽다: 노글노글 부드럽다

연활하다(軟滑): 부드럽고 매끄럽다

요나하다(嫋娜): 부드럽고 날씬하다

우들우들하다: 매우 우둥퉁하고 부드럽다 작오돌오돌하다

유순하다(柔順): 부드럽고 순하다

유약하다(柔弱): 부드럽고 약하다

유연하다(柔軟): 부드럽고 연하다

유인하다(柔靭): 부드러우면서 질기다

유하다(柔): 부드럽고 순하다

유화하다(柔和): 성질이 부드럽고 온화하다

이들이들하다: 윤이 나고 매우 부들부들하다 작야들야들하다

임염하다(荏染): 부드럽고 연약하다

폭신폭신하다: 여럿이 다 폭신하다 튄푹신푹신하다

폭신하다: 매우 포근하게 부드럽고 탄력이 있다 튄푹신하다

푸근푸근하다: 매우 푸근하다 좬포근포근하다

푸근하다: 감정이나 분위기 또는 자리 따위가 딱딱하지 않고 부드럽다 좬포근
　　하다

하늘하늘하다: 드리우거나 느즈러진 나른하고 보드랍다 튄흐늘흐늘하다

흐르르하다: 종이나 피륙 따위가 얇고 성기며 풀기가 없어 매우 부드럽다 좬하
　　르르하다

1.5.13. 불기운·불길

문근하다: 싸지 아니한 불기운이 꾸준히 끊이지 아니하다

싸다: 불기운이 세다

약하다: 물·불·바람 따위의 기운이 덜하다

옮다: 불길이나 소문 따위가 한 곳에서 다른 곳으로 번져 가다

웅신하다: 불길이 세지 아니하고 약하다

1.5.14. 빳빳하다

까닥까닥하다: 풀기나 물기가 있는 물체의 거죽이 바짝 말라서 몹시 빳빳하다
　　여가닥가닥하다 튄꺼덕꺼덕하다

꺼덕꺼덕하다: 풀기나 물기가 있는 물체의 거죽이 바짝 말라서 뻣뻣하다 여거
　　덕거덕하다 좬까닥까닥하다

빠닥빠닥하다: 물건이 물기가 없어 보드랍지 못하고 아주 빡빡하다 튄뻐덕뻐
　　덕하다

빠삭하다: 좀 빳빳하다

빡빡하다: 물기가 적어서 보드라운 맛이 없다 튄뻑뻑하다

빳빳하다: 물체가 굳고 꼿꼿하다 튄뻣뻣하다

뻐덕뻐덕하다: 물건이 물기가 적어서 부드럽지 못하고 아주 뻑뻑하다 좬빠닥
　　빠닥하다

1.5.15. 살갗

가렵다: 살갗에 긁고 싶은 느낌이 있다
간지럽다: 무엇이 살에 닿아 가볍게 스칠 때처럼 견디기 어렵게 자리자리한
　　느낌이 있다 E근지럽다
겅그럽다: '가렵다'의 방언(경남)
근근하다: 근질근질 가렵다
근지럽다: 살에 무엇이 슬슬 닿아 스칠 때처럼 가려운 느낌이 있다 函간지럽다
근질근질하다: 매우 근지럽다 函간질간질하다
무렵다: 무엇이 물리어 가렵다
솔다: 긁으면 아프고 그냥 두면 가렵다
쟁그랍다: 보거나 만지기에 소름이 끼칠 정도로 조금 흉하거나 끔찍하다
쟁그럽다: ① '쟁그랍다'의 북한어 ② 하는 행동이 괴상하여 얄밉다

1.5.16. 습도

고습하다(高濕): 圓다습하다
꼽꼽하다: 조금 촉촉하다 E꿉꿉하다
꿉꿉하다: 조금 축축하다 函꼽꼽하다
낮다: 습도가 적다 凹높다
농후하다(濃厚): 진하거나 짙다
누리다: 눅눅한 기운이 스며들어 축축한 기운이 있다
다습하다(多濕): 습기가 많다 圓고습하다
비습하다(卑濕): 땅바닥이 낮고 습기가 많다
습윤하다(濕潤): 적어서 질척하다
습하다: ① 메마르지 아니하고 축축하다 ② 〈한의학〉 배꼽 아래 부분의 배가
　　축축하다
임리하다(淋漓): 흠뻑 젖어 뚝뚝 떨어지거나 흥건한 모양
자글자글하다: 어린아이가 아파서 자꾸 열이 나며 몸이 달아오르다 E지글지
　　글하다
잘착하다: 좀 차지게 짙다
잘카닥잘카닥하다: 매우 잘카닥하다
점조하다(粘稠): 차지고 밀도가 빽빽하다

지적지적하다: 물기가 있어 지적하다 **거**지척지척하다 **좌**자작자작하다

지적하다: 반죽 따위가 좀 진 듯하다

지질지질하다: 물기가 많아 좀 진 듯하다

지척지척하다: 물기가 있어 몹시 지적하다

진득진득하다: 물건이 끈적끈적하게 진 기가 있다 **센**찐득찐득하다 **좌**잔득잔득하다

진득하다: 눅진하고 차지다 **좌**잔득하다

질벅질벅하다: 매우 질벅하다 **거**질퍽질퍽하다 **좌**잘박잘박하다

질벅하다: 반죽이나 진흙 따위의 물기가 많아 부드럽고 질다 **거**질퍽하다 **좌**잘박하다

질척질척하다: 매우 질척하다 **좌**잘착잘착하다

질척하다: 차지게 질컥하다 **좌**잘착하다

질커덕질커덕하다: 매우 질커덕하다 **좌**잘카닥잘카닥하다

질커덕하다: 묽은 반죽이나 진흙 따위가 매우 질컥하다 **좌**잘카닥하다

질컥하다: 묽은 반죽이나 진흙 따위가 거칠게 질다 **센**찔꺽하다 **좌**잘칵하다

질퍼덕질퍼덕하다: 매우 질퍼덕하다 **좌**잘파닥잘파닥하다

질퍼덕하다: 반죽이나 진흙 따위가 매우 질퍽하다 **좌**잘파닥하다

질퍽질퍽하다: 매우 질퍽하다 **여**질벅질벅하다 **좌**잘팍잘팍하다

질퍽하다: 반죽이나 진흙 따위가 매우 부드럽고 질다 **여**질벅하다 **좌**잘팍하다

찔꺽찔꺽하다: 매우 찔꺽하다 **여**질컥질컥하다

찔꺽하다: 묽은 반죽이나 진흙 따위가 매우 질다 **거**질컥하다

차질다: 차지게 질다

초근초근하다: 매우 초근하다 **큰**추근추근하다

촉촉하다: 물기가 있어서 녹녹하다

추근추근하다: 매우 축축하다 **좌**초근초근하다

1.5.17. 시원하다

미량하다(微凉): 조금 서늘하다

사근사근하다: 사글사글하고 시원하다 **큰**서근서근하다

사느랗다: 물체의 온도가 좀 차다 **센**싸느랗다 **큰**서느렇다

사늘하다: 좀 심할 정도로 산산하다 **센**싸늘하다 **큰**서늘하다

산득하다: ① 갑자기 몸에 생기는 느낌이 사느랗다 ② 갑작스레 놀랄 때 마음에

생기는 느낌이 사느랗다 쎈산뜩하다 큰선득하다

산들산들하다: 바람결이 부드럽고 시원하다 비습습하다 큰선들선들하다

산뜩산뜩하다: 매우 산뜩하다 여산득산득하다 큰선뜩선뜩하다

산뜩하다: ① 갑작스럽게 놀라면서 마음에 일어나는 느낌이 싸늘하다 ② 갑자기 싸늘한 느낌이 있다 여산득하다 큰선뜩하다

산산하다: 좀 시원한 느낌이 들 정도로 사늘하다 큰선선하다

살랑살랑하다: 매우 살랑하다 쎈쌀랑쌀랑하다 큰설렁설렁하다

살랑하다: ① 방안 같은 데의 공기가 좀 사늘하다 ② 놀랄 때 사스란 바람이 도는 듯한 느낌이 있다 쎈쌀랑하다 큰설렁하다

상량하다(爽涼): 기분이 좋을 만큼 서늘하다

상명하다(爽明): 시원하고 밝다

상연하다(爽然): 시원스럽다

상크름하다: 좀 서늘한 바람기가 산산하다 큰성크름하다

서느렇다: 온도가 내려서 좀 서늘하다 쎈써느렇다 좌사느렇다

서늘하다: 꽤 시원할 정도로 선선하다 쎈써늘하다 좌사늘하다

선득선득하다: 매우 산득하다 쎈선뜩선뜩하다 좌산득산득하다

선득하다: 갑자기 몸에 생기는 느낌이 서느렇다 쎈선뜩하다 좌산득하다

선들선들하다: 바람결이 부드럽고 시원하다 좌산들산들하다

선뜩선뜩하다: 매우 선뜩하다 여선득선득하다 좌산뜩산뜩하다

선뜩하다: 갑작스레 싸늘한 느낌이 있다 여선득하다 좌산뜩하다

선선하다: 시원할 만큼 서늘하다

성크름하다: 서늘한 바람기가 많아 선선하다 좌상크름하다

시원스럽다: 시원한 느낌이 있다

시원시원하다: 말마다 또는 하는 짓마다 맺고 끊음과 같이 매우 시원스럽다

시원찮다: 마음이 시원하지 아니하다 준션찮다

시원하다: 알맞게 선선하다

환하다: 앞이 넓고 멀리 탁 트이어 시원하다

후련하다: ① 안 좋던 일이 풀리거나 내리거나 하여 시원하다 ② 답답하거나 갑갑하거나 언짢던 것이 풀리어 마음이 시원하다

훤하다: 앞이 넓고 멀리 탁 트여 시원하다 좌환하다

1.5.18. 열·접촉

가칫거리다: 살갗 따위에 자꾸 조금씩 닿아 걸리다
까칫거리다: 매우 가깝게 자꾸 걸리다 예가칫거리다 콘꺼칫거리다
자글자글하다: 병으로 어린이의 몸에 열이 몹시 높다 콘지글지글하다
치열하다(熾熱): 열도가 매우 높다

1.5.19. 춥다

냉랭하다(冷冷): 온도가 매우 낮아서 춥다
냉량하다(冷涼): 매우 서늘하다
냉혹하다(冷酷): 추위가 매섭다 (예) 냉혹한 북방의 겨울
미랭하다(微冷)¹: 조금 찬 듯하다
미랭하다(未冷)²: 채 식지 아니하다
싸느랗다: 물체의 온도가 찰 정도에 가깝다 예사느랗다 콘써느렇다
싸늘하다: 날씨 따위가 좀 추운 정도에 가깝다 예사늘하다 콘써늘하다
쌀쌀하다: 날씨가 아스스하게 차다 콘쓸쓸하다
써느렇다: 물체의 온도나 날씨가 써늘하다 예서느렇다 좍싸느랗다
써늘하다: 추울 정도로 매우 서늘하다 예서늘하다 좍싸늘하다
아슬아슬하다: 몸이 아스스하여 소름이 자꾸 끼치도록 차갑거나 춥다 콘으슬
　　으슬하다
아쓱하다: 춥거나 무섭거나 할 때에 갑자기 몸이 움츠러드는 듯하다 콘어쓱
　　하다
누긋하다: 추위가 좀 눅다
으스스하다: 차고 싫은 기분이 몸에 느껴지도록 좀 춥다
음랭하다(陰冷): 그늘지고 차다
음량하다(陰涼): 그늘지고 서늘하다
오슬오슬하다: 몸이 움츠려지면서 소름이 끼치도록 춥다
으슬으슬하다: 몸이 으스스하여 소름이 끼치도록 차갑거나 춥다 좍아슬아슬
　　하다
율렬하다(栗烈): 호되게 춥다
지랭하다(至冷): 몹시 차거나 춥다
차갑다: 촉감이 서늘하고 썩 찬 느낌이 있다

차겁다: '차갑다'의 잘못, '차갑다'의 북한어
척척하다: 젖은 물건이 살에 닿아서 축축하고 차갑다
천한하다(天寒): 圓춥다
춥다: ① 기후가 차다 ② 추운 느낌이 있다 圓천한하다
한랭하다(寒冷): 몹시 차다
맵다: 몸이 춥다 (예) 맵게 부는 바람
차끈하다: 매우 차가운 느낌이 있다
차끈차끈하다: 잇달아 차끈한 느낌이 있다
차다: 온도가 낮다
차디차다: 몹시 차다
냉습하다(冷濕): 차고 누리다

1.5.20. 포근하다

달콤하다: 편안하고 포근하다 圓감미롭다
포근하다: 감정이나 분위기 또는 자리 따위가 부드럽고 편안한 느낌이 있다
　　圕푸근하다
포근포근하다: 매우 포근하다 圕푸근푸근하다
포시럽다: 통통하게 살이 오르고 느낌에 포근하고 부드럽다
화난하다(和暖): 날씨가 화창하고 따뜻하다
태탕하다(駘蕩): 화창하다

1.5.21. 헐겁다

나슨하다: 잡아맨 끈이나 줄 따위가 조금 늘어져 헐겁다 圕느슨하다
느슨하다: 쥔 것이 헐겁게 좀 풀려 있다
뻑뻑하다: 꽉 끼거나 맞아서 헐겁지 아니하다 쫖빡빡하다
소활하다(疏闊): 헐렁하여 어설프다
할갑다: 깔 물건보다 그 깔 자리가 커서 빡빡하지 아니하다 圕헐겁다
할랑하다: 끼이는 자리가 넓고 끼일 물건이 작아 할갑다 圕헐렁하다
헐겁다: 낄 물건보다 그 낄 자리가 커서 빡빡하지 아니하다 쫖할갑다
헐렁하다: 끼이는 자리는 넓고 끼일 물건은 조금 헐겁다
헹글헹글하다: 입거나 끼우는 물건 따위가 너무 커서 몹시 헐겁다

활하다(滑): 빡빡하지 않고 헐겁다

1.6. 평형감각을 나타내는 형용사

궤란하다(潰亂): 싸움에 패하여 어지럽다

난하다(亂): 모든 것이 헝클어져 어지럽다

대란하다(大亂): 크게 어지럽다

명현하다(瞑眩): 어지럽고 눈앞이 캄캄하다

미란하다(迷亂): 정신이 혼미하여 어지럽다

미현하다(迷眩): 정신이 어지럽고 어수선하다

번란하다(煩亂): 마음이 괴롭고 어지럽다

분란하다(紛亂): 어지럽지 아니하다

분운하다(紛紜): 떠들썩하여 어지럽다

비현하다(憊眩): 피곤하여 어지럽다

빙하다: 갑자기 정신이 어찔하다 **거**핑하다

산란하다(散亂): 어지럽고 어수선하다

산잡하다(散雜): 어지럽고 어수선하다

수선하다: 갈피를 잡을 수 없게 정신이 어지럽다

아뜩하다: 갑자기 정신을 잃어 까무러칠 듯하다 **큰**어뜩하다

아질아질하다: 어질증이 나서 자꾸 정신이 좀 어지럽다 **큰**어질어질하다

어득하다: 너무 멀어서 정신이 어찔어찔하다

어뜩어뜩하다: 자꾸 또는 매우 어뜩하다 **여**어득어득하다 **작**아뜩아뜩하다

어뜩하다: 갑자기 몹시 어지러워 정신을 잃고 까무러칠 듯하다

어리둥절하다: 정신을 차릴 수 없도록 얼떨떨하다

어리벙벙하다: 정신이 어질어질하여 어떻게 해야 좋을지 모르고 있다

어리뼁뼁하다: 어떻게 해야 좋을지 몰라서 정신이 몹시 얼떨떨하다

어수선산란하다(散亂): 어수선하고 산란하다

어수선하다: 사물이 얽히고 뒤섞여 가지런하지 아니하고 마구 헝클어져 있다

어지럽다: ① 물을 가눌 수 없고 정신이 흐리고 얼떨떨하다 ② 마음이 가든그리
지 않고 어수선하다

어질어질하다: 어질증이 나서 자꾸 정신이 어지럽다 **작**아질아질하다

어찔어찔하다: 몹시 어찔하다 **여**어질어질하다 **작**아찔아찔하다

얼떨떨하다: 머리를 세게 부딪어서 골이 울리고 매우 어지럽다

옹송망송하다: 생각이 잘 떠오르지 아니하고 정신이 흐릿하다 🖽옹송옹송하다
요란하다(擾亂): 마음이나 정신이 어지럽다
의현하다(疑眩): 의심스러워서 마음이 어지럽다
인성만성하다: 정신을 차릴 수 없게 어지럽고 흐릿하다
재재하다: 재잘거려 어지럽다
치매하다(癡呆): 뇌에 이상이 생겨 정신적인 정신 능력을 잃어버린 상태
현란하다(眩亂): 정신이 어지럽고 어수선하다
휭하다: 정신을 차리기가 어려울 만큼 머리가 띵하다

1.7. 유기감각과 관련된 형용사

1.7.1. 걱정·근심

다심하다(多心): 근심 걱정이 많다
무려하다(無慮): 걱정할 게 없다
무섭다: 어떤 대상에 대하여 꺼려지거나 무슨 일이 일어날까 겁나는 데가 있다
　　(예) 또 시험에 떨어질까 무섭다
무우하다(無憂): 아무 근심이 없다
밭다: 근심, 걱정 따위로 몹시 안타깝고 조마조마해지다
번하다: 어떤 일의 결과나 상태 따위가 훤하게 들여다보이듯이 분명하다 🖲뻔
　　하다 🖻반하다
상관없다: 근심할 것이 없다
수민하다(愁悶): 걱정스럽고 괴롭다
신청부같다: 근심 걱정이 너무 많아서 사소한 일을 돌아볼 여유가 없다
우분하다(憂憤): 걱정스럽고 분하다
창망하다(悵惘): 근심과 걱정으로 경황이 없다
초창하다(悄愴): 근심스럽고 슬프다
태평스럽다: ① 보기에 걱정 없고 태평한 데가 있다 ② 보기에 걱정 없고 무관
　　심한 데가 있다
태평하다(太平): ① 걱정 없고 편안하다 ② 걱정 없고 무관심하다

1.7.2. 관절

시근하다: 관절 따위가 좀 시다 [거]새큰하다 [작]새근하다
시다: 관절 따위가 삐었을 때처럼 거북하게 저리다
시큰하다: 관절 따위가 매우 시근하다
자르르하다: 관절이나 몸의 일부가 좀 자릿하다 [센]짜르르하다 [큰]지르르하다
자리다: 살이나 관절이 좀 눌리거나 피가 잘 돌지 못하여 놀릴 수 없도록 힘이
    나지 않고 얇은 부위의 느낌이 간지럽고 무디다 [큰]저리다
저리다: 뼈마디나 몸의 일부가 오래 눌려서 피가 잘 통하지 못하여 감각이
    둔하고 아리다
지르르하다: 관절이나 몸의 일부가 좀 저릿하다 [센]찌르르하다 [작]자르르하다
짜르르하다: 관절이나 몸의 일부가 좀 짜릿하다 [여]자르르하다 [큰]찌르르하다
찌르르하다: 관절이나 몸의 일부가 찌릿하다 [여]지르르하다 [작]짜르르하다

1.7.3. 기운

맥없다: 기운이 없다
무기하다(無氣): 기운이 없다
묽다: 사람이 체격에 비해 기운이 너무 없다
방감하다(方酣): 기운이 흥이 바야흐로 무르익어 있다
분연하다(奮然): 떨쳐 일어나는 기운이 세차고 꿋꿋하다
생동생동하다: 본디의 기운이 그대로 남아 있어 생생하다
싱둥싱둥하다: 본디와 다름이 없이 기운이 싱싱하다
애애하다(藹藹): 기운이 온화하고 부드럽다
저함하다(低陷): 기운이 쇠약하여져 숨이나 맥박 따위가 약하다
중탁하다(重濁): 어떤 기운이 무겁고 흐리다
초연하다(悄然): 의기(意氣)가 떨어져서 기운이 없다
함하다(陷): 기운이 빠져 축 늘어져 있다
후리후리하다: 배 속이 빈 것 같고 기운이 없다
휘주근하다: 몹시 지쳐서 기운이 없다

1.7.4. 먹음새

걸신스럽다: 굶주려서 음식에 대하여 몹시 탐욕스럽다
걸쩍지근하다: 음식을 닥치는 대로 먹어서 먹성이 매우 좋다
구쁘다: 뱃속이 허전하여 무엇이 먹고 싶다
궁금하다: 속이 출출하여 무엇이 먹고 싶다
목마르다: 물이 몹시 먹고 싶다
카랑카랑하다: 목이 말라서 물이나 술 따위를 마시고 싶은 생각이 간절하다
칼칼하다: 목이 말라서 물이나 술 따위를 마시고 싶은 생각이 간절하다 **큰**컬컬
    하다
컬컬하다: 목이 몹시 말라서 물이나 술 같은 것을 마시고 싶은 생각이 간절하
    다 **작**칼칼하다
팍팍하다: 음식이 물기나 끈기가 적어 목이 멜 정도로 메마르고 부드럽지 못하
    다 **큰**퍽퍽하다
퍽퍽하다: 음식이 물기나 끈기가 적어 목이 멜 정도로 메마르고 부드럽지 못하
    다 **작**팍팍하다

1.7.5. 배가 부르거나 고픔

든든하다: 배가 불러 허수하지 않다
뜬뜬하다: 배가 몹시 부르다
배고프다: 뱃속이 비어서 음식이 먹고 싶다 **비**시장하다 **반**배부르다
부르다: 많이 먹어서 뱃속이 차서 가둥하다
북통같다: 배가 몹시 불러서 동그랗다
시장하다: **비**배고프다
쌀쌀하다: 뱃속이 쓰리고 아프다 **큰**쓸쓸하다
썰썰하다: 시장한 느낌이 있다
쓰리다: 몹시 시장하여 뱃속이 거북하다
쓸쓸하다: 뱃속이 쓰리고 아프다
징건하다: 먹은 것이 잘 삭지 아니하여 속에 그득한 느낌이 있다
촐촐하다: 시장기가 약간 있다 **큰**출출하다
팽만하다(膨滿): 많이 먹어 배가 몹시 불룩하다
포만하다(飽滿): 좀 편하지 않고 거북할 정도로 뱃속이 그들먹하다

포족하다(飽足): 배가 부르고 만족하다

허줄하다: 배가 좀 고프다 团허출하다

허출하다: 허기지고 출출하다

헛헛하다: 몹시 출출해서 자꾸 먹고 싶다

후출하다: 뱃속이 비어 몹시 출출하다

1.7.6. 생리

마렵다: 오줌이나 똥을 누고 싶은 느낌이 있다

무렵다: 똥이나 오줌을 누고 싶은 느낌이 있다 [비]인변하다

무지근하다: 뒤가 잘 안 나와서 기분이 무겁다 [준]무직하다

무직하다: '무지근하다'의 준말

지리다: 똥이나 오줌을 참지 못하여 조금 싸다

활하다(滑): 똥이 묽어서 누기에 너무 습습하다

후중하다(後重): 〈한의학〉 똥을 눌 적에 시원하게 나오지 않고 뒤가 무지근
하다

1.7.7. 성(性)적 관계

배다르다: 아버지는 같고 어머니는 다르다

에로틱하다(erotic): 성적인 욕망이나 감정을 자극하는 데가 있다

외설하다(猥褻): 사람의 성욕을 함부로 자극하여 난잡하다

외잡하다(猥雜): 외설하고 난잡하다

음미하다(淫靡): 음란하고 사치하다

음방하다(淫放): 음란하고 방탕하다

음염하다(淫艶): 색정을 일으킬 만큼 예쁘다

음탕하다(淫蕩): 음란하고 방탕하다

음하다(淫): 색정에 대하여 지나치게 욕심이 많다

음학하다(淫虐): 음탕하고 잔학하다

정근하다(情近): 정분이 매우 가깝다

정소하다(情疏): 정분에 틈이 생겨 멀어지거나 버성기다

1.7.8. 신체 및 소화기관

내허하다(內虛): 속이 비다
느근하다: 먹은 것이 내려가지 아니하여 속이 느끼하다
느긋하다: 속이 메스껍고 느끼하다
답답하다: 먹은 것이 잘 삭지 아니하여 가슴이 거북하다
더부룩하다: 먹은 것이 잘 삭지 아니하여 뱃속이 그들먹하고 거북하다
몽글하다: 먹은 것이 잘 삭지 아니하여 가슴에 좀 뭉쳐 있는 듯하다 [거]몽클하다 [큰]뭉글하다
몽클하다: 먹은 것이 삭지 않아 가슴에 좀 몹시 뭉쳐 있는 듯하다 [여]몽글하다 [큰]뭉클하다
뭉클하다: 먹은 것이 삭지 않아 가슴에 몹시 뭉쳐 있는 듯하다 [여]뭉글하다 [작]몽클하다
부르다: 속이 꽉 차서 밖으로 퉁퉁하다
빡작지근하다: 조금 빠근한 느낌이 있다 [큰]뻑적지근하다
뻑적지근하다: 조금 뻐근한 느낌이 있다 [작]빡작지근하다
애통하다(哀痛): 슬프고 가슴이 아프다
억색하다(臆塞): 가슴이 막히다
에부수수하다: 물건이 속이 차지 아니한 데가 있다 [거]에푸수수하다 [비]푸수수하다
에푸수수하다: 물건이 속이 차지 아니한 데가 있다 [여]에부수수하다 [비]푸수수하다
징건하다: 먹은 것이 잘 삭지 아니하여 속에 그득한 느낌이 있다
트릿하다: 먹은 물건이 잘 삭지 아니하여 가슴이 거북하다
트적지근하다: 속이 좀 거북하여 불쾌하다
훌쭉하다: 속이 비어서 안으로 우므러져 있다
훌쭉훌쭉하다: 여럿이 다 훌쭉하다

1.7.9. 쾌락·감정

가적하다(佳適): 마음에 들어 매우 즐겁다
가탄하다(可歎): 탄식할 만하다
가통하다(可痛): 통탄할 만하다

더럽다: 못마땅하거나 불쾌하다 (예) 더러워서 못 보아 주겠다

맑다: 산뜻하거나 상쾌하다

매스껍다: 헛구역질이 날 것같이 속이 야릇하게 아니꼽다 **큰**메스껍다

메스껍다: 구역질이 날 것같이 속이 아니꼽다 **작**매스껍다

무료하다(無聊): 하는 일이 없어 지루하고 재미없다

불유쾌하다(不愉快): 유쾌하지 아니하다

상쾌하다(爽快): 느낌이 시원하고 산뜻하다

서럽다: 원통하고 슬프다

아기자기하다: 오순도순 잔재미가 있고 즐겁다

안타깝다: 보기에 딱하여 애타고 갑갑하다

애달프다: 안타깝거나 쓰라리다

유쾌하다(愉快): 즐겁고 상쾌하다

읍읍하다(悒悒): 불쾌하고 답답하다

쥐뿔같다: 아니꼽거나 같잖다

쥐좆같다: 아주 보잘것없다

증하다(憎): 지나치게 크거나 또는 꼴이 이상하여 보기에 징그럽다

지겹다: 진저리가 치도록 싫증이 나고 지루하다

지루하다: ① 시간이 오래 걸리어 진저리나는 느낌이 있다 ② 같은 상태가
　　오래 계속되어 싫증이 나고 따분하다

지질하다: 싫증이 날 만큼 지루하다

징징하다: ⟮=⟯징그럽다

쾌적하다(快適): 몸과 마음에 알맞아 기분이 매우 좋다

통쾌하다: 몹시 즐겁고 시원하다

트릿하다: 끊고 맺는 데가 없이 똑똑하지 않아 아니꼽다

피로하다(疲勞): 지쳐서 괴롭다

허비하다(虛憊): 기운이 허하여 고달프다

환흡하다(歡洽): 즐겁고 흡족하다

흥겹다: 신이 나고 즐겁다

1.7.10. 여러 가지 느낌

가든하다: 마음이 가분하고 상쾌하다 **센**가뜬하다 **큰**거든하다

가쁘다: ① 숨이 몹시 차다 ② 힘에 겹다

간간하다(衎衎): 기쁘고 즐겁다

갑갑하다: ① 답답하게 꽉 막힌 느낌이 있다 ② 너무 늦어지거나 지루하여
　　견디기에 괴롭다

고단하다: 몸이 지쳐서 느른하다

권로하다(倦勞): 싫증이 나고 피곤하다

기곤하다(飢困): 굶주려서 고달프다

기쁘다: 좋은 기색이 드러나도록 마음에 즐거운 느낌이 있다

기약하다(氣弱): ① 원기가 약하다 ② 기백이 약하다

난감하다(難堪): 견디어 내기가 어렵다

답답하다: ① 숨이 막힐 듯하다 ② 병이나 근심 따위로 가슴이 갑갑하다 ③
　　몹시 안타깝다

대근하다: 견디기가 어지간히 힘들고 만만하지 않다 圓고단하다

되알지다: 힘에 벅차서 괴롭다

띵하다: 머리가 아파서 정신이 깨끗하지 아니하다

만만하다(漫漫): 멀고도 지루하다

메스껍다: 구역질이 날 것같이 속이 아니꼽다

메슥메슥하다: 먹은 것이 자꾸 넘어올 듯이 퍽 메스껍다

배리다: 하는 짓이 좀스럽고 구차스러워서 더럽고 아니꼽다 團비리다

배릿배릿하다: 좀스럽거나 구차스러운 짓이 마음에 좀 더럽고 아니꼽다 團비
　　릿비릿하다

배릿하다: 좀스럽거나 구차스러운 짓이 마음에 좀 더럽고 아니꼽다 團비릿
　　하다

번란하다(煩亂): 마음이 괴롭고 어지럽다

번우하다(煩憂): 괴로워하고 근심스러워하다

부르다: 많이 먹어 뱃속이 차서 가득하다

불감하다(不堪): ① 견디어 낼 수 없다 ② '불감당하다'의 준말

비곤하다(憊困): 가쁘고 고달프다

뼈근하다: 매우 힘이 들어서 지친 몸이 매우 거북스럽고 살이 빠개지는 듯하다

숨차다: 숨쉬기가 어렵고 아주 급하다

시시하다: 떨떨하고 아니꼽다

식상하다: 먹은 음식이 잘 소화되지 않아 복통·토사 따위가 나다

아니꼽살스럽다: 지나치게 아니꼬운 데가 있다

애틋하다: 애가 타는 듯하다

약약하다: 싫증이 나서 괴롭고 귀찮다 (예) 속을 썩이며 한 세상을 약약하게 지내
　　려나.
어리둥절하다: 정신을 차릴 수 없도록 얼떨떨하다
엄엄하다(奄奄): 숨이 곧 끊어지려 하거나 매우 약한 상태에 있다
역겹다(逆): ① 역정이 나게 싫다 ② 역한 느낌이 있다
역정스럽다: 역정이 난 듯하다
역하다: 구역날 듯 속이 메슥메슥하다
울도하다(鬱陶): 마음이 답답하고 울적하다
울먹하다: 울 듯하다
울민하다(鬱悶): 답답하고 괴롭다
울분하다(鬱憤): 성이 나고 답답하다
울울하다(鬱鬱): 마음이 매우 답답하다
울적하다(鬱寂): 답답하고 쓸쓸하다
이연하다(怡然): 기쁘고 즐겁다
조민하다(躁悶): 마음이 조급하여 가슴이 답답하다
즐겁다: 사뭇 기쁘거나 흐뭇하다
창적하다(暢適): 마음이 흐뭇하고 즐겁다 🔳창락하다
한량하다(寒凉): 원기가 없고 얼굴이 파리하다
황망하다(慌忙): 바빠서 어리둥절하다
희행하다(喜幸): 기쁘고 다행하다

1.8. 시공감각을 나타내는 형용사

1.8.1. 가까운 거리

가깝다: 거리가 짧다
가직하다: 거리가 좀 가깝다
반하다: 거리가 도렷하게 가깝다 🔳빤하다 🔳번하다
번하다: 거리가 두렷하게 가깝다 🔳뻔하다 🔳반하다
불근하다(不近): 가깝지 아니하다
빤하다: 거리가 가깝게 또렷하다 🔳반하다 🔳뻔하다
뻔하다: 거리가 가깝게 뚜렷하다 🔳번하다 🔳빤하다
절근하다(切近): 매우 가깝다

지근하다(至近): 거리나 정의(情誼) 따위가 더할 수 없이 가깝다
짧다: 두 끝 사이가 가깝다 閂길다
편근하다(便近): 가깝고도 편리하다

1.8.2. 가늘다

가녀리다: ① 긴 물건이 몹시 가늘고 연약하다 ② 소리가 몹시 가늘고 연약하다
가느다랗다: 꽤 가늘다
가느닿다: '가느다랗다'의 준말
가느랗다: '가느다랗다'의 잘못
가느스름하다: 좀 가늘다
가늘다: ① 길이를 가지면서 몸피나 너비가 작다 ② 소리의 울림이 약하다
가늘디가늘다: 매우 가늘다
간지다: 붙은 데가 가늘어 끊어질 듯이 위태롭다
섬교하다(纖巧): 가늘고도 교묘하다
섬세하다(纖細): 곱고 가늘다
세미하다(細微)¹: 썩 가늘고 작다
세미하다(細美)²: 가늘고 곱다
세세하다(細細): 매우 가늘다
세소하다(細小): 세미하다
세장하다(細長): 가늘고 길다
세첨하다(細尖): 가늘고 뾰족하다
잔약하다(孱弱): 가냘프고 약하다
잔열하다(孱劣): 잔약하고 용열하다

1.8.3. 거죽·바닥

거창하다(巨創): 일의 규모나 형태가 매우 크고 넓다
두틀두틀하다: 〈북한어〉 물체의 겉면이 고르지 못하고 매우 울퉁불퉁하다
면바르다(面): 거죽이 반듯하다
오돌오돌하다: 거죽이나 바닥이 고르지 않게 군데군데 도드라져 있다 匣우둘
　　우둘하다
오톨오톨하다: 〈북한어〉 바닥이나 거죽이 여기저기 고르게 도드라져 있는 데

74

가 있다 **[큰]**우툴우툴하다

올통볼통하다: 물체의 거죽이나 면이 고르지 않게 여기저기 나오고 들어간 데가 있다 **[큰]**울퉁불퉁하다

우둘우둘하다: 우둥퉁하고 부드럽다.

우둘투둘하다: 거죽이나 바닥이 고르지 않게 군데군데 두르러져 있다 **[작]**오돌 토돌하다

우툴우툴하다: 〈북한어〉 거죽이 여기저기 고르게 두드러져 있는 상태이다 **[작]** 오톨오톨하다

자르르하다: 거죽에 물기, 기름기, 윤기 따위가 많이 흘러서 반지르르하다 **[센]** 짜르르하다 **[큰]**지르르하다

지르르하다: 거죽에 물기, 기름기, 윤기 따위가 많이 흘러서 번지르르하다 **[센]** 찌르르하다 **[작]**자르르하다

1.8.4. 고부라진 모양

고부랑고부랑하다: 여러 군데가 다 고부랑하다 **[센]**꼬부랑꼬부랑하다 **[큰]**구부렁 구부렁하다

고부랑하다: 안으로 휘어들어 곱다 **[센]**꼬부랑하다 **[큰]**구부렁하다

고부스름하다: 곱은 듯하다 **[센]**꼬부스름하다 **[큰]**구부스름하다

고부슴하다: 고부스름하다 **[센]**꼬부슴하다 **[큰]**구부슴하다

고불고불하다: 요리조리 고부라져 있다 **[센]**꼬불꼬불하다 **[큰]**구불구불하다

고불탕고불탕하다: 여러 군데가 다 고불탕하다 **[센]**꼬불탕꼬불탕하다

고불탕하다: 느슨하게 곱다 **[센]**꼬불탕하다

고붓고붓하다: 여러 군데가 다 고붓하다 **[센]**꼬붓꼬붓하다 **[큰]**구붓구붓하다

고붓하다: 조금 고분 듯하다 **[센]**꼬붓하다 **[큰]**구붓하다

곱다: 비교적 짧은 물체가 곧지 아니하고 한 쪽으로 휘어 있다

구깃구깃하다: 구김살이 많이 잡혀 있다 **[작]**고깃고깃하다

구부렁구부렁하다: 여러 군데가 다 구부렁하다 **[센]**꾸부렁꾸부렁하다 **[작]**고부랑 고부랑하다

구부렁하다: 안으로 휘어들어 굽다 **[센]**꾸부렁하다 **[작]**고부랑하다

구부스름하다: 굽은 듯하다 **[센]**꾸부스름하다 **[작]**고부스름하다

구부슴하다: 아주 구부스름하다 **[센]**꾸부슴하다 **[작]**고부슴하다

구부정구부정하다: 여러 군데가 다 구부정하다 **[작]**고부장고부장하다

구부정하다: 조금 구부러져 있다 센꾸부정하다 작고부장하다

구불텅구불텅하다: 여러 군데가 다 구불텅하다 센꾸불텅꾸불텅하다 작고불탕
　고불탕하다

구불텅하다: 느슨하게 굽다 센꾸불텅하다 작고불탕하다

구붓구붓하다: 여러 군데가 다 구붓하다 센꾸붓꾸붓하다 작고붓고붓하다

구붓하다: 조금 굽은 듯하다 센꾸붓하다 작고붓하다

꼬부랑하다: 안으로 휘어들어 곱다 여고부랑하다 큰꾸부렁하다

꼬부스름하다: 매우 꼬부스름하다 여고부스름하다 큰꾸부스름하다

꼬부슴하다: 매우 고부슴하다 여고부슴하다 큰꾸부슴하다

꼬부장꼬부장하다: 여러 군데가 다 꼬부장하다 여고부장고부장하다 큰꾸부정
　꾸부정하다

꼬부장하다: 매우 고부라져 있다 여고부장하다 큰꾸부정하다

꼬불꼬불하다: 요리조리 꼬부라져 있다 여고불고불하다 큰꾸불구불하다

꼬불탕꼬불탕하다: 여러 군데가 다 꼬불탕하다 여고불탕고불탕하다 큰꾸불텅
　구불텅하다

꼬불탕하다: 느슨하게 고부라져 있다 여고불탕하다 큰꾸불텅하다

꾸불꾸불하다: 이리저리 꾸부러져 있다 여구불구불하다 작꼬불꼬불하다

1.8.5. 고불고불한 모양

곱슬곱슬하다: 털이나 실 따위가 고불고불하게 말려 있다 큰굽슬굽슬하다

굽슬굽슬하다: 털이나 실 따위가 구불구불하게 말려 있다 작곱슬곱슬하다

꼬붓꼬붓하다: 여러 군데가 다 꼬붓하다 여고붓고붓하다 큰꾸붓꾸붓하다

꼬붓하다: 약간 곱은 듯하다 여고붓하다 큰꾸붓하다

꼽슬꼽슬하다: 매우 곱슬곱슬하다 여곱슬곱슬하다 큰꿉슬꿉슬하다

꾸부렁꾸부렁하다: 여러 군데가 다 꾸부렁하다 여구부렁구부렁하다 큰꼬부랑
　꼬부랑하다

꾸부렁하다: 매우 안으로 휘어들어 굽다 여구부렁하다 큰꼬부랑하다

꾸부스름하다: 매우 구부스름하다 여구부스름하다 큰꼬부스름하다

꾸부슴하다: 아주 꾸부스름하다 여구부슴하다 큰꼬부슴하다

꾸부정꾸부정하다: 여러 군데가 다 꾸부정하다 여구부정구부정하다 큰꼬부장
　꼬부장하다

꾸부정하다: 매우 구부정하다 여구부정하다 큰꼬부장하다

꾸불텅꾸불텅하다: 여러 군데가 다 꾸불텅하다 ⟨여⟩구불텅구불텅하다 ⟨작⟩꼬불탕꼬불탕하다

꾸불텅하다: 매우 느슨하게 구부러져 있다 ⟨여⟩구불텅하다 ⟨작⟩꼬불탕하다

꾸붓꾸붓하다: 여러 군데가 다 꾸붓하다 ⟨여⟩구붓구붓하다 ⟨작⟩꼬붓꼬붓하다

꾸붓하다: 매우 구붓하다 ⟨여⟩구붓하다 ⟨작⟩꼬붓하다

꼽슬꼽슬하다: 매우 굽슬굽슬하다 ⟨여⟩굽슬굽슬하다 ⟨작⟩꼽슬꼽슬하다

배뚤배뚤하다: 물체가 곧지 못하고 요리조리 고부라져 있다 ⟨센⟩빼뚤빼뚤하다 ⟨큰⟩삐뚤삐뚤하다

빼뚤빼뚤하다: 물체가 곧지 못하고 자꾸 요리조리 고부라지다 ⟨여⟩배뚤배뚤하다 ⟨큰⟩삐뚤삐뚤하다

완연하다(蜿蜒): 벌레 따위가 굼틀거리듯이 구불구불하다

완완하다(婉婉): 깃발 따위가 펄럭거리는 것처럼 구불구불하다

우곡하다(紆曲): 구불구불 구부러져 있다

1.8.6. 고운 모습

곱다: 사랑스럽고 귀하다

곱다랗다: 꽤 곱다

곱닿다: '곱다랗다'의 준말

곱디곱다: 몹시 곱다

곱살스럽다: 보기에 곱살하다

곱살하다: 얼굴 생김새나 성미가 곱고 예쁘장하다

기려하다(綺麗): 곱고 아름답다

냉염하다(冷艶): 쌀쌀하면서 곱다 (예) 달빛에 비치는 배꽃의 냉염한 자태

살살하다: 곱고 가냘프다

선묘하다(鮮妙): 곱고 묘하다 (예) 선묘한 팔경

섬세하다(纖細): 곱고 가늘다

여염하다(麗艶): 곱고 예쁘다

염야하다(艶冶): 곱고 아름답다

1.8.7. 곧은 모습

곧다: 끝과 끝이 중간에서 곱지 않고 한 길이로 똑바르게 잇달아 있다

곧이곧다: 조금도 거짓 없이 바르다

꼿꼿하다: 마음 곧고 굳세다

꿋꿋하다: 마음 곧고 굳세다

낫낫하다: 그다지 굵지 않은 나뭇가지가 좀 길고 곧다 (예) 낫낫한 막대기〈평북〉

바르다: 겉으로 보기에 비뚤어지거나 굽은 데가 없다

올바르다: 곧고 바르다

장하다(長): 곧고도 길다

지강하다(至剛): 지극히 강직하다

1.8.8. 구멍이나 틈 모양

발록발록하다: 구멍이나 틈이 여럿이 다 작게 바라져 있다 〔큰〕벌룩벌룩하다

발록하다: 구멍이나 틈이 조금 바라져 있다 〔큰〕벌룩하다

벌룩벌룩하다: 틈이나 구멍이 여럿이 다 좀 크게 벌어져 있다 〔작〕발록발록하다

벌룩하다: 구멍이나 틈이 벌어져 있다 〔작〕발록하다

빠끔빠끔하다: 작은 구멍이나 틈 따위가 여기저기 깊고 또렷하게 나 있다 〔큰〕뻐
끔뻐끔하다

빠끔하다: 작은 구멍이나 틈이 길고 또렷하게 벌어져 있다 〔큰〕뻐끔하다

뻐끔뻐끔하다: 여러 군데가 다 뻐끔하다 〔작〕빠끔빠끔하다

뻐끔하다: 큰 구멍이나 틈이 깊고 또렷하게 벌어져 있다 〔작〕빠끔하다

삑삑하다: 구멍이 비좁게 막혀서 답답하다 〔작〕빽빽하다

송송하다: 작은 구멍이나 자국이 배고 또렷하다 〔큰〕숭숭하다

숭숭하다: 구멍이나 자국이 배고 뚜렷하다 〔작〕송송하다

어웅하다: 굴이나 구멍 따위가 속이 비어서 침침하다

중중첩첩하다(重重疊疊): 겹겹으로 포개져 있다 〔준〕첩첩하다

첩첩하다(疊疊): ① 여러 겹으로 겹쳐 있다 ② 여러 겹으로 쌓여 있다

홀랑하다: 단번에 쉽사리 들어갈 정도로 구멍이나 자리가 헐겁다 〔큰〕훌렁하다

홀랑홀랑하다: 여럿이 다 홀랑하다 〔큰〕훌렁훌렁하다

휑하다: ① 막힌 데 없이 시원스럽게 뚫려 있다 〔큰〕휭하다 ② 〔비〕휑댕그렇하다

훌렁하다: 거침없이 쑥 들어갈 정도로 구멍이나 자리가 헐겁다

훌렁훌렁하다: 거침없이 쑥 들어갈 정도로 구멍이나 자리가 헐겁다 〔작〕홀랑홀
랑하다

1.8.9. 굵다

굵다랗다: 꽤 길다 伵가느다랗다
굵디굵다: 매우 굵다
굵직굵직하다: 여럿이 다 굵직하다
굵직하다: 꽤 굵다
대그르르하다: 가늘거나 작은 물건의 여러 개 가운데서 드러나게 좀 굵다 센때
　　그르르하다 큰디그르르하다
대글대글하다: 가늘거나 작은 물건들 가운데 몇몇이 좀 굵다 센때글때글하다
　　큰디글디글하다
디그르르하다: 가늘거나 작은 물건의 여러 가지 가운데서 하나가 드러나게
　　굵다 센띠그르르하다 좌대그르르하다
디글디글하다: 가늘거나 작은 물건들 가운데서 몇몇이 드러나게 굵다 센띠글
　　띠글하다 좌대글대글하다
때굴때굴하다: 가늘거나 작은 물건들 가운데서 몇몇이 매우 굵다 여대글대글
　　하다 큰띠글띠글하다
떼그르르하다: 눈에 잘 띌 정도로 조금 크고 둥그스름하다 큰띠그르르하다
띠그르르하다: 가늘거나 작은 물건의 여러 개 가운데서 매우 드러나게 굵다
　　여디그르르하다 좌때그르르하다
석대하다(碩大): 몸집이 굵고 크다

1.8.10. 기운 모양

갸우뚱하다: 물체가 한쪽으로 약간 갸울어져 있다 센꺄우뚱하다 큰기우뚱하다
갸울다: 조금 비스듬하여 한쪽이 낮다 센꺄울다 큰기울다
갸웃갸웃하다: 여럿이 다 갸웃하다 센꺄웃꺄웃하다 큰기웃기웃하다
갸웃하다: 한쪽으로 조금 갸울어져 있다 센꺄웃하다 큰기웃하다
거우듬하다: 조금 거울어진 듯하다
기우듬하다: 조금 기운 듯하다 센끼우듬하다 좌갸우듬하다
기울다: 비스듬하여 한쪽이 낮다 센끼울다 좌갸울다
기웃하다: 조금 기울다 센끼웃하다 좌갸웃하다
꺄우듬하다: 조금 기운 듯하다 여갸우듬하다 큰끼우듬하다
꺄울다: 매우 기울다 여갸울다 큰끼울다

꺄웃하다: 조금 꺄울다 예갸웃하다 큰끼웃하다

끼우듬하다: 좀 끼운 듯하다 예기우듬하다 작꺄우듬하다

끼울다: 매우 기울다 예기울다 작꺄울다

끼웃하다: 조금 기울다 예기웃하다 작꺄웃하다

배듬하다: 한쪽으로 아주 조금 기운 듯하다

배딱배딱하다: 물체가 여럿이 다 배스듬하게 기울어져 있다 큰빼딱빼딱하다

배딱하다: 물체가 한쪽으로 배스듬하게 갸울다 센빼딱하다 큰비딱하다

배스듬하다: 수평이나 수직이 되지 아니하고 한쪽으로 조금 기운 듯하다

비듬하다: 한쪽으로 얼마쯤 기운 듯하다

비딱비딱하다: 물체가 여럿이 다 비스듬하게 기울어져 있다 센삐딱삐딱하다

비딱하다: 물체가 한쪽으로 비스듬하게 기울다

비스듬하다: 한쪽으로 제법 기운 듯하다 작배스듬하다

비슷하다: 한쪽으로 조금 기울어져 있다

비탈지다: 땅이 몹시 가파르게 기울어져 있다

빼딱빼딱하다: 여럿이 다 빼딱하다 예비딱비딱하다 작배딱배딱하다

빼딱하다: 물체가 한쪽으로 비스듬히 끼울다 예비딱하다 작배딱하다

살긋하다: 한쪽으로 약간 가볍게 샐그러져 있다

샐기죽하다: 물건이 한쪽으로 좀 샐그러져 있다 센쌜기죽하다 큰실기죽하다

실기죽하다: 물체가 한쪽으로 약간 기울어지거나 비뚤어져 있다 작샐기죽하다

쌜기죽하다: 물체가 한쪽으로 약간 기울어지거나 배뚤어져 있다 예샐기죽하다

쓰레하다: 쓰러질 듯이 한쪽으로 기울어져 있다

어슷비슷하다: 서로 어슷하고 비스듬하다

잦바듬하다: 뒤로 넘어질 듯이 비스듬하다 큰젖버듬하다

젖버듬하다: 자빠질 듯이 뒤로 기우듬하다 작잦바듬하다

1.8.11. 길다

갸름갸름하다: 여럿이 다 갸름하다

갸름하다: 알맞게 좀 긴 듯하다

걀쭉걀쭉하다: 여럿이 다 걀쭉하다 큰길쭉길쭉하다

걀쭉스름하다: 좀 걀쭉하다 큰길쭉스름하다

걀쭉하다: 알맞게 좀 길다 큰길쭉하다

걀쯔막하다: 꽤 걀찍하다 큰길쯔막하다

걀쯤걀쯤하다: 여럿이 다 걀쯤하다

걀쯤하다: 꽤 갸름하다 █큰█길쯤하다

걀찍걀찍하다: 여럿이 다 걀찍하다 █큰█길쭉길쭉하다

걀찍하다: 길이가 알맞게 긴 듯하다 █큰█길쭉하다

기다랗다: 꽤 길다

기다마하다: 기다랗다

기닿다: '기다랗다'의 준말

기름기름하다: 여럿이 다 기름하다 █작█갸름갸름하다

기름하다: 좀 긴 듯하다 █작█갸름하다

길다: ① 두 끝이 서로 멀다 ② 동안이 뜨다 █반█짧다

길동그랗다: 기름하게 동그랗다 █큰█길둥그렇다

길동글다: 기름하게 동글다 █큰█길둥글다

길둥그렇다: 기름하게 둥그렇다 █작█길동그랗다

길둥글다: 기름하게 둥글다 █작█길동글다

길디길다: 매우 길다

길쭉길쭉하다: 여럿이 다 길쭉하다 █작█걀쭉걀쭉하다

길쭉스름하다: 조금 길쭉하다 █작█걀쭉스름하다

길쭉하다: 좀 길다 █작█걀쭉하다

길쯔막하다: 조금 걀찍하다 █작█걀쯔막하다

길쯤길쯤하다: 여럿이 다 길쯤하다 █작█걀쯤걀쯤하다

길쯤하다: 꽤 길쭉하다 █작█걀찍하다

길차다: 아주 알차게 길다

깊다: 위에서 밑바닥까지 길이가 길다 █반█얕다

날씬하다: 매끈하고 길다 █큰█늘씬하다

상큼하다: 아랫도리가 윗도리보다 어울리지 아니하게 길쭉하다

유구하다(悠久): 길고도 오래다

장대하다(長大): 길고 크다

칠칠하다: 나무, 풀, 머리털 따위가 잘 자라서 알차고 길다

훤칠하다: 길고 미끈하다

1.8.12. 길

감가하다(坎坷): 길이 험하여 다니기가 힘들다

순탄하다(順坦): ① 길이 험하지 아니하고 평탄하다 ② 까다롭지 아니하다
조험하다(阻險): 길이 막히고 험난하다
창창하다(倀倀): 갈 길이 아득하여 갈팡질팡하다
탄탄하다: 길 같은 것이 편편하고 넓다
팔달하다(八達): 길이 팔방으로 통하여 있다
험악하다(險惡): 길, 기세, 천기, 형세 따위가 험악하게 보이다
회똘회똘하다: 길이 고불탕고불탕하게 고부라져 있다 █큰█휘뚤휘뚤하다
휘뚤휘뚤하다: 길이 구불텅구불텅하게 구부러져 있다 █작█회똘회똘하다

1.8.13. 깊은 모습

깊다랗다: 꽤 깊다
깊디깊다: 매우 깊다
깊숙하다: 깊고 으슥하다
심대하다(深大): 깊고도 크다
심수하다(深邃): 깊숙하고 그윽하다
심심하다(深深)[1]: 깊고도 깊다
심심하다(甚深)[2]: 매우 깊다
심원하다(深遠): 심장(深長)하고 원대하다
심장하다(深長): 깊고 길다
심절하다(深切): 깊고 절실하다
심험하다(深險): 깊고 험하다
심활하다(深豁): 깊고 넓다
심후하다(深厚): 깊고 두텁다
암암하다(暗暗): 깊숙하고 고요하다
연원하다(淵源): 깊고 멀다
원원하다(源源): 근원이 깊어서 끊임이 없다
유적하다(幽寂): 깊숙하고 고요하다
으늑하다: 깊숙하고 안온하다 █작█아늑하다 █반█바라지다
으슥하다: 무서운 느낌이 들 만큼 깊숙하고 후미지다
지심하다(至深): 아주 깊다
천야만야하다(千耶萬耶): 썩 높거나 깊어서 천길이나 만길이나 되는 듯하다

1.8.14. 나무의 모습

거하다: ① 산 따위가 크고 웅장하다 ② 나무나 풀 따위가 우거지다 ③ 지형이
 깊어 으슥하다
길차다: 나무가 우거져 깊숙하다 (예) 길찬 갈대
낙락하다(落落): 큰 나무의 가지가 아래로 축축 늘어져 잇다
다보록다보록하다: 모두 다보록하다 <u>큰</u>더부룩더부룩하다
다보록하다: 풀이나 나무 따위가 탐스럽게 소복하다
다복다복하다: 풀이나 나무 따위가 곳곳에 매우 다보록하다 <u>큰</u>더북더북하다
다복하다: 풀이나 나무 따위가 아주 탐스럽게 소복하다
삼라하다(森羅): 벌여 있는 현상이 숲의 나무처럼 많다
소삼하다(蕭森): 나무가 빽빽하다
울밀하다(鬱密): 나무 따위가 우거져 빽빽하다
울연하다(鬱然): 나무 따위가 무성하게 우거지다
울울창창하다(鬱鬱蒼蒼): 큰 나무들이 빽빽하게 우거져 푸르다 <u>비</u>울창하다 <u>비</u>
 창창울울하다
울울하다(鬱鬱): 나무가 매우 무성하다
울창하다: <u>=</u>울울창창하다
정정하다(亭亭): 나무 같은 것이 우뚝하게 높이 솟아 있다
창창울울하다(蒼蒼鬱鬱): <u>=</u>울울창창하다
창취하다(蒼翠): 나무 따위가 싱싱하게 푸르다
총총하다(蔥蔥): 배게 들어선 나무가 무성하다

1.8.15. 날씨

경청하다(輕淸): 날씨나 빛깔 따위가 맑고 산뜻하다
구장구질하다: 날씨가 비나 눈이 와서 지저분하다
궂다: 비나 눈이 와서 날씨가 좋지 못하다
그무레하다: 날이 좀 흐리고 어둠침침하다 <u>센</u>끄무레하다
깔맵다: ① 성질이 깔끔하고 매섭게 독하거나 사납다 ② (성질 또는 처리하는
 솜씨가) 깔끔하고 매섭다
끄느름하다: ① 날이 흐리어 침침하다 ② 문근하다
끄무레하다: 날이 흐리고 침침하다 <u>여</u>그무레하다

단촉하다(短促): 시일이 촉박하다

맑다: 구름이나 안개가 끼지 아니하여 날씨가 좋다

부조하다(不調): 날씨 따위가 고르지 아니하다

새무룩하다: 날씨가 좀 흐려 있다

쓸쓸하다: 날씨가 으스스하게 차다

아늑하다: 날씨가 훈훈하고 따뜻하다

안온하다(安穩): 날씨가 바람이 없고 따뜻하다

여상하다(如常): 평도와 다름이 없다

온화하다(溫和): 날씨가 맑고 따뜻하여 바람이 부드럽다

우중충하다: 날씨가 좀 습하고 어두컴컴하다

울도하다(鬱陶): 날씨가 무덥다

음산하다(陰散): 날이 흐리고 쓸쓸하다

음음하다(陰陰): 날이 흐리고 어둡다

음침하다: 날씨가 흐리고 컴컴하다

음하다(陰): 날씨가 흐리다

이슥하다: 밤이 꽤 깊다

잠포록하다: 날이 흐리고 바람기가 없다

저뭇하다: 날이 저물어 어둑어둑하다

지격하다(至隔): 기일이 바싹 닥치다

찌뿌드드하다: 비나 눈이 올 것같이 날씨가 매우 흐리다 준뿌드드하다

창연하다(蒼然): 날이 저물어 어둑어둑하다

철겹다: 제철에 뒤져 맞지 않다 (예) 철겨운 비

청명하다(淸明): 날씨 따위가 맑고 밝다

카랑카랑하다: 하늘이 맑고 밝으며 날씨가 몹시 차다

쾌청하다(快晴): 날씨가 상쾌하게 맑다

타분하다: 날씨가 기분 마음 따위가 시원하지 아니하고 답답하다 큰터분하다
　　센따분하다

포근포근하다: 매우 포근하다 큰푸근푸근하다

포근하다: 겨울날 바람이 없고 따뜻하다 큰푸근하다

푹하다: 겨울 날씨가 썩 따뜻하다

화창하다(和暢): 날씨가 바람이 온화하고 맑다

화하다(和): 날씨가 마음, 태도 따위가 아늑하게 따뜻하거나 부드럽다

흐리다: 날씨나 햇빛 따위가 훤하지 못하다

84

희붐하다: 날이 새려고 빛이 희미하게 돌아 약간 밝은 듯하다

1.8.16. 납작하다

간동하다: 흐트러짐이 없이 잘 정돈되어 짤막하고 단출하다 센간동하다 큰건
　　둥하다
건둥하다: 흐트러짐이 없이 정돈되어 시원스럽게 횡하다 센껀둥하다 작간동
　　하다
나부랑납작하다: 평평히 퍼진 듯이 납작하다 큰너부렁넓적하다
납작납작하다: 여럿이 다 납작하다 큰넓적넓적하다
납작하다: 판판하고 얇으면서 좀 넓다
납죽납죽하다: 여럿이 다 납죽하다 큰넓죽넓죽하다
납죽하다: 길쭉하고 좀 넓다 큰넓죽하다
넓적넓적하다: 여럿이 다 넓적하다 작납작납작하다
넓적하다: 편편하고 넓으면서 좀 넓다 작납작하다
넓죽넓죽하다: 여럿이 다 넓죽하다 작납죽납죽하다
넓죽하다: 길쭉하고 넓다 작납죽하다

1.8.17. 낮은 모습

나지막하다: 꽤 나직하다 반높지막하다
나직나직하다: 여럿이 다 나직하다 반높직높직하다
나직하다: 좀 낮다 반높직하다
낮다: ① 아래에서 위까지의 높이가 기준이 되는 대상이나 보통 정도에 미치지
　　못하는 상태에 있다 ② 품위, 능력, 품질 따위가 바라는 기준보다 못하거나
　　보통 정도에 미치지 못하는 상태에 있다 반높다
열등하다(劣等): 보통의 수준이나 등급보다 낮다

1.8.18. 높은 모습

높다랗다: 꽤 높다
높디높다: 더할 수 없을 정도로 높다
높지막하다: 꽤 높직하다 작나지막하다

높직높직하다: 여럿이 다 높직하다 [좌]나직나직하다
높푸르다: 높고 푸르다
드높다: 몹시 높다 [비]태고하다
존엄하다(尊嚴): 높고 엄숙하다
준초하다(峻峭): 높고 깎아지른 듯하다
지고하다(至高): 더할 수 없이 높다
태고하다(太高): 매우 높다 [비]드높다

1.8.19. 느슨하다

사부랑사부랑하다: 여럿이 다 사부랑하다 [큰]서부렁서부렁하다
사부랑하다: 묶거나 쌓은 것이 꼭 다 붙지 아니하고 좀 느슨하다 [큰]서부렁하다
서부렁서부렁하다: 여럿이 다 서부렁하다 [좌]사부랑사부랑하다
서부렁하다: 묶거나 쌓은 것이 든든하게 다 붙지 아니하고 느슨하다 [좌]사부랑
　　하다
서분하다: 좀 서부렁하다 [좌]사분하다
청처짐하다: 동작이나 상태가 바싹 조이는 맛이 없이 조금 느슨하다
허수하다: 짜임새나 단정함이 없이 느슨하다
허순하다: '느슨하다'의 잘못
허전하다: 느즈러져 안정감이 없다

1.8.20. 덩그런 모습

당실하다: 맵시 있게 덩그렇다 [큰]덩실하다
덩덩그렇다: 매우 덩그렇다
덩두렷하다: 아주 두렷하다 (예) 덩두렷하게 중천에 솟아 있는 보름달
덩실하다: 미끈하고 시원스럽게 덩그렇다 (예) 기와집을 덩실하게 지었다 [좌]당실
　　하다

1.8.21. 두껍다

도도록도도록하다: 낱낱이 다 도도록하다 [큰]두두룩두두룩하다
도도록하다: 가운데가 조금 볼록하다 [큰]두두룩하다

도독도독하다: 여럿이 다 도독하다 <큰>두둑두둑하다

도독하다: 조금 두껍다

도톰하다: 조금 두껍다 <큰>두툼하다

돈독하다(敦篤): 도탑다 (예) 돈독한 마음

두껍다: 두께가 크다

두껍다랗다: 꽤 두껍다

두껍디두껍다: 몹시 두껍다

두두룩두두룩하다: 낱낱이 다 두두룩하다 <좌>도도록도도록하다

두두룩하다: 가운데가 솟아서 불룩하다 <좌>도도록하다

두둑두둑하다: 여럿이 다 두둑하다 <좌>도독도독하다

두둑하다: 매우 두껍다

두텁다: 서로 맺고 있는 관계가 굳고 깊다 <좌>도탑다

두툼하다: 꽤 두껍다 <좌>도톰하다

톡톡하다: 피륙 따위의 바탕이 두껍거나 도톰하다

투깔스럽다: 투박스럽고 거칠다

투박스럽다: 보기에 투박한 데가 있다

투박하다: 생김새가 맵시 없이 거칠고 두툼하다

툭툭하다: 피륙 따위의 바탕이 두껍다

툽상스럽다: 투박하고 상스럽다

1.8.22. 둥글다

길동그랗다: 기름하게 동그랗다 <큰>길둥그렇다

길동글다: 기름하게 동글다 <큰>길둥글다

길둥그렇다: 기름하고 둥글다 <좌>길동그랗다

길둥글다: 기름하게 둥글다 <좌>길동글다

당실하다: 귀엽고 동그랗다

동그랗다: 분명하게 동글다

동그스름하다: 보기에 동글다

동글납대대하다: 생김생김이 동글고 납작스름하다

동글다: 작은 것이 원이나 공과 모양이 같거나 비슷하다 <큰>둥글다

동글동글하다: 여럿이 다 동글다 <큰>둥글둥글하다 <센>똥글똥글하다

동긋하다: 약간 동글다

두루뭉술하다: ① 모나거나 튀지 않고 둥그스름하다 ② 말이나 행동 따위가
　　철저하거나 분명하지 아니하다
두루뭉실하다: '두루뭉술하다'의 잘못
둥그스름하다: 보기에 둥글다 狂동그스름하다 쎈뚱그스름하다
둥글다: 동그랗다 狂동글다
둥글둥글하다: 여럿이 다 둥글다 쎈뚱글뚱글하다 狂동글동글하다
둥글뭉수레하다: 끝이 둥글고 뭉툭하다
둥긋하다: 약간 둥글다 狂동긋하다
둥실둥실하다: 둥그스름하고 투실투실하다
둥실하다: 무엇이 둥그스름하다
똥그랗다: 아주 동그랗다 예동그랗다 큰뚱그렇다
똥글똥글하다: 여럿이 다 뚜렷하게 동글다 예동글동글하다 큰뚱글뚱글하다
똥그렇다: 아주 둥그렇다
뚱그스름하다: 매우 동그스름하다 예동그스름하다 큰뚱그스름하다
뚱글뚱글하다: 여럿이 다 뚜렷하게 둥글다 예둥글둥글하다 狂똥글똥글하다
펑퍼두름하다: '펑퍼짐하다'의 평북 방언
펑퍼지다: 옆으로 퍼진 모양이 둥그스름하다
펑퍼짐하다: 둥그스름하고 편편하게 옆으로 퍼져 있다

1.8.23. 뒤섞이다

알기살기하다: 가는 것이 요리조리 뒤섞여 얽혀 있다 큰얼기설기하다
얼기설기하다: 이리저리 뒤섞여 있다
우둥부둥하다: 몸이나 얼굴이 살져 통통하고 매우 부드럽다 게우둥푸둥하다
　　狂오동보동하다
천박하다(舛駁): 뒤섞여 고르지 못하거나 어수선하여 바르지 못하다

1.8.24. 땅 모습

만지하다(滿地): 땅에 가득하다
메마르다: 땅이 축축한 기운이 없고 기름지지 아니하다
저습하다(低濕): 땅이 낮고 축축하다
조강하다(燥强): 땅이 물기가 없어서 흙이 마르고 단단하다

지광하다(地廣): 땅이 넓다

지질펀펀하다: 땅이 약간 질고 넓다

토박하다(土薄): 땅이 메마르다

토옥하다(土沃): 땅이 기름지다

토척하다(土瘠): 〓토박하다

편소하다(褊小): 땅이나 장소 따위가 작고 좁다

풍옥하다(豊沃): 땅이 걸다

하습하다(下濕): 땅이 낮고 습기가 많다

함하다(陷): 땅바닥이 우묵하다

협박하다(狹薄): 땅이 좁고 메마르다

황척하다(荒瘠): 땅이 거칠고 메마르다

1.8.25. 떠들려 있거나 비주룩한 모습

강만하다(彌滿): 널리 퍼지거나 가득하다

꼴랑하다: 착 달라붙지 아니하고 들떠서 부풀어 있다

네모지다: 네 개의 모가 있다 [비]네모나다

늘컹늘컹하다: 매우 물러서 늘어져 처지게 될 듯하다 [작]날캉날캉하다

달싹하다: 붙어 있던 것이 조금 떠들려 있다 [큰]들썩하다

당실당실하다: 여럿이 다 당실하다 [큰]덩실덩실하다

당실하다: 맵시 있게 덩그렇다

덩실덩실하다: 여럿이 다 덩실하다 [작]당실당실하다

덩실하다: 미끈하고 시원스럽고 덩그렇다

들썩하다: 붙어 있던 것이 무겁게 떠들린 듯하다

따들싹하다: 잘 덮어지거나 가려지지 아니하여 한 부분이 조금 떠들려 있다
    [큰]떠들썩하다

떠들썩하다: 잘 덮어지거나 가려지지 아니하여 한 부분이 떠들려 있다 [작]따들
    싹하다

뜰썩뜰썩하다: 매우 뜰썩하다

비주룩비주룩하다: 여러 개가 다 비주룩하다

비주룩하다: 솟아나온 물체의 끝이 좀 길게 내밀려 있다 [센]삐주룩하다 [작]배주
    룩하다

비죽하다: 물체의 끝이 좀 길게 쑥 내밀려 있다

빨쭉하다: 〈북한어〉좁고 길게 약간 바라져서 쳐들려 있다

뻘쭉하다: 제법 넓고 길게 벌어져서 들여 있다 예벌쭉하다 좌빨쭉하다

삐죽하다: 불쑥 내밀려 있다

콜랑콜랑하다: 착착 달라붙지 않고 매우 들떠서 부풀어 있다 센꼴랑꼴랑하다
　　큰쿨렁쿨렁하다

콜랑하다: 착 달라붙지 않고 들떠서 부풀어 있다 센꼴랑하다 큰쿨렁하다

쿨렁쿨렁하다: 척척 들러붙지 않고 들떠서 부풀어 있다 센꿀렁꿀렁하다 좌콜
　　랑콜랑하다

쿨렁하다: 착 달라붙지 않고 들떠서 부풀어 있다 센꿀렁하다 좌콜랑하다

1.8.26. 먼 거리

가마득하다: '가마아득하다'의 준말

가마아득하다: 거리가 가맣게 멀어서 아득하다

감감하다: 아주 멀어서 아득하다

격원하다(隔遠): 동떨어지게 멀다

공막하다: 아득하다

굉원하다(宏遠): ① 굉장히 멀다 ② 너르고 멀다

까마득하다: 거리가 까맣게 멀어서 아득하다 예가마득하다

까마아득하다: '까마득하다'의 본말 예가마아득하다

까맣다: 거리가 동안이 매우 아득하다 예가맣다

낙낙하다: 여기 저기 떨어져 있다

돈연하다(頓然): 소식 따위가 끊어져 감감하다

뜨다: 공간적으로 거리가 있다

막막하다: 넓거나 멀어 아득하다

막연하다: 가늠할 수 없이 아득하다

망연하다(茫然): 넓고 멀어 아득하다

머나멀다: 몹시 멀다

머다랗다: 생각보다 썩 지나치기 멀다

멀고멀다: 매우 멀다

멀다: 거리가 많이 떨어져 있다

멀찌막하다: 꽤 멀찍하다

멀찍하다: 꽤 멀다 반가직하다

명명하다(冥冥): 아득하고 그윽하다

묘묘하다(杳杳): 멀어서 아득하다

묘연하다(杳然): 앞길이 없이 가마아득하다

묘원하다(渺遠): 까마아득하게 멀다

무극하다(無極): 끝이 없다

무변하다(無邊): ① 끝이 닿는 때가 없다 ② '무변리하다'의 준말

무제하다(無際): 넓고 멀어서 끝이 없다 비무애(無涯)하다

새까맣다: 거리가 동안이 너무 멀고 아득하다 게새카맣다

아득아득하다: 몹시 아득하다

아득하다: ① 가물가물할 정도로 매우 멀다 비공막하다 비요요하다 ② 소리가
　　들릴 듯 말 듯 멀다 큰어득하다

아스라하다: 아슬아슬하게 높거나 까마아득하게 멀다 준아스랗다

아스랗다: '아스라하다'의 준말

어득어득하다: 몹시 어득하다 센어뜩어뜩하다 좌아득아득하다

어득하다: ① 거물거물할 정도로 매우 멀다 ② 소리가 들릴 듯 말 듯 매우
　　멀다 좌아득하다

염염하다(冉冉): 점점 멀어서 아득하다

외딸다: 외따로 떨어져 있다

요요하다(遙遙): 매우 멀고 아득하다

요원하다(遼遠): 매우 멀다

우원하다(迂遠): 길이 돌아서 아득히 멀다

유원하다(悠遠): 아득히 멀다

유유하다(悠悠): 아득하게 멀거나 오래 되다

장하다(長): 거리가 꽤 멀다

절원하다: 격원하다

창망하다(滄茫): 너르고 멀어서 아득하다

초원하다(稍遠): 조금 멀다 비초간하다

탁원하다(逴遠): 아주 멀다

현격하다(懸隔): 썩 동떨어지다

1.8.27. 멍울

망울망울하다: 작고 둥근 망울들이 한데 엉기거나 뭉쳐서 동글동글하다 큰멍

울멍울하다

멍울멍울하다: 크고 둥근 멍울들이 한데 뭉치거나 엉켜서 둥글둥글하다 쫜망
울망울하다

멍털멍털하다: 매우 칙칙하게 멍울멍울하다

1.8.28. 몇 가지 사물

느슨하다: 잡아맨 줄 따위가 늘어져 헐겁다

박악하다(薄惡): 토지가 메마르다

야긋야긋하다: 톱날같이 어슷비슷하다

짜글짜글하다: 물체가 쪼그라들어 잔주름이 많다 쿤찌글찌글하다

짜긋하다: 한쪽 눈이 약간 짜그라진 듯하다

째긋하다: 한쪽 눈이 짜그라진 듯하다 쿤찌긋하다

찌글찌글하다: 물체가 찌그러져 주름이 많다 쫜짜글짜글하다

찌긋하다: 한쪽 눈이 약간 찌그러진 듯하다 쫜째긋하다

천험하다(天險): 땅의 형세(形勢)가 천연적으로 험하다

팽팽하다: 줄 따위가 늘어지지 않고 힘 있게 곧게 펴져서 튀기는 힘이 있다
쿤핑핑하다

핑핑하다: 줄 따위가 잔뜩 켕기어 튀기는 힘이 있다 쫜팽팽하다

1.8.29. 모양이나 규모

각양하다(各樣): 모양이나 형식 따위가 여러 가지로 다르다

맵자다: '맵자하다'의 잘못

맵자하다: 모양이 제격에 어울려서 맞다

무상하다(無狀): 일정하게 정해진 모양이 없다

부석부석하다: 보송보송하여 부스러지기 쉽다 겨푸석푸석하다 쫜보삭보삭
하다

부석하다: 거칠고 부피만 있어서 부스러지기 쉽다 겨푸석하다 쫜보삭하다

으리으리하다: 모양이나 규모가 압도될 만큼 굉장하다

장대하다(張大): 규모가 넓고 크다

존절하다(撙節): 아끼어 쓰는 것이 규모가 있다

졸딱졸딱하다: 분량이나 규모 따위가 매우 작고 옹졸하다 쎈쫄딱쫄딱하다

좀스럽다: 규모가 보잘것없이 작다

쫄딱쫄딱하다: 분량이나 규모 따위가 매우 작고 옹졸하다

파사하다: ① 춤추는 소매의 날림이 가볍다 ② 몸이 가냘프다 ③ 세력이나 형세 따위가 쇠하여 약하다

파삭파삭하다: 매우 파삭하다 ㈜퍼석퍼석하다

파삭하다: 메말라 바스러지기 쉽게 보송보송하다 ㈜퍼석하다

파슬파슬하다: 물기가 없어 바스라지기 쉽다

팡파지다: 옆으로 퍼진 모양이 동그스름하게 넓적하거나 평평하게 널찍하다 ㈜펑퍼지다

팡파짐하다: 옆으로 퍼진 모양이 동그스름하게 꽤 넓적하거나 평평하게 꽤 널찍하다 ㈜펑퍼짐하다

퍼석퍼석하다: 매우 퍼석하다 ㈜파삭파삭하다

퍼석하다: 가볍게 부스러질 정도로 연하고 메마른 것이 부숭부숭하다 ㈜파삭하다

퍼슬퍼슬하다: 물기가 적어 매우 부스러지기 쉽다 ㈜버슬버슬하다 ㈜파슬파슬하다

포삭포삭하다: 바탕이 거칠고 부피만 있어 매우 바스라지기 쉽다 ㈜보삭보삭하다 ㈜푸석푸석하다

포삭하다: 거칠고 부피만 있어 바스라지기 쉽다 ㈜보삭하다 ㈜푸석하다

포슬포슬하다: 매우 잘게 바스라지기 쉽거나 물기가 매우 적어 엉기지 않고 흐트러지기 쉽다 ㈜보슬보슬하다 ㈜푸슬푸슬하다

표연하다(飄然): 훌쩍 떠나는 모양이 흥하고 괴상하게 보이다

푸석푸석하다: 바탕이 거칠고 부피만 커서 매우 부스러지기 쉽다 ㈜부석부석하다 ㈜포삭포삭하다

푸석하다: 거칠고 부피만 커서 부스러지기 쉽다 ㈜부석하다 ㈜포삭하다

푸슬푸슬하다: 매우 잘게 부스러지기 쉽거나 물기가 매우 적어서 잘 엉기지 않고 흐트러지기 쉽다 ㈜부슬부슬하다 ㈜포슬포슬하다

함초롬하다: 담뿍 젖거나 서리어 있는 모양이 차분하다

흉물스럽다: 모양이 흥하고 괴상하다

흉악하다(凶惡): 모양 따위가 험상궂고 고약하다

흐슬부슬하다: 차진 기가 없고 부스러져 헤어질 듯하다

1.8.30. 무딘 모양

몽똑몽똑하다: 낱낱이 다 몽똑하다 [거]몽톡몽톡하다 [큰]뭉뚝뭉뚝하다
몽똑하다: 가는 물건의 끝이 끊어 놓은 것처럼 무디다 [거]몽톡하다 [큰]뭉뚝하다
무디다: 칼이나 송곳 따위의 끝이나 날이 날카롭지 못하다
뭉뚝뭉뚝하다: 낱낱이 다 뭉뚝하다 [거]뭉툭뭉툭하다 [작]몽똑몽똑하다
뭉뚝하다: 굵은 물건의 끝이 끊어 놓은 것처럼 무디다 [거]뭉툭하다 [작]몽똑하다
뭉텅뭉텅하다: 낱낱이 다 뭉텅하다 [센]뭉떵뭉떵하다 [작]몽탕몽탕하다
뭉텅하다: 끊어서 뭉쳐 놓은 것처럼 짤막하다 [센]뭉떵하다 [작]몽탕하다
뭉툭뭉툭하다: 낱낱이 다 뭉툭하다 [센]뭉뚝뭉뚝하다 [작]몽톡몽톡하다
뭉툭하다: 굵은 물건의 끝이 끊긴 듯이 매우 무디다 [센]뭉뚝하다 [작]몽톡하다

1.8.31. 물건·물체 모습

경직하다(硬直): 굳어서 꼿꼿하다
꺼물꺼물하다: 멀리 있는 물건이 몹시 희미하여 보일 듯 말 듯하다 [여]거물거물하다
    [작]까물까물하다
꾸정꾸정하다: 긴 물건이 곧고 깨끗하다
날카롭다: 날이 서 있거나 끝이 뾰족하다
낡다: 물건이 오래되어서 헐고 삭다
도톨도톨하다: 물건의 면이 울퉁불퉁하여 고르지 못하다 [큰]두툴두툴하다
두둘두둘하다: 물체의 겉에 두두룩한 것들이 내밀거나 붙어 있어 고르지 못하
    다 [거]두툴두툴하다
두툴두툴하다: 물체의 겉에 불룩한 것들이 솟아 나오거나 붙어 있어 고르지
    아니하다 [작]도톨도톨하다
뒤숭숭하다: 일이나 물건이 갈피를 잡을 수 없이 흩어지고 얽혀 있다
드레드레하다: 큰 물건들이 많이 매달려 있거나 늘어져 있다 [작]다래다래하다
든직하다: 물건이 제법 번듯하고 그럴 듯하다 (예) 후미진 골짜기 든직한 바위
    옆에다 집을 지었다
들썩하다: 붙어 있던 것이 떠들려 있다 [센]뜰썩하다 [작]달싹하다
마디지다: 마디가 있다 (예) 마디진 굵은 손가락
몽글몽글하다: 작게 덩어리진 물건들이 말랑말랑하고 미끄럽다 [거]몽클몽클하
    다 [큰]뭉글뭉글하다

몽글하다: 작게 덩어리진 물건이 겉으로 무르고 보드랍다 [거]몽클하다 [큰]뭉글하다

몽클몽클하다: 작게 덩어리진 물건들이 겉으로 몹시 무르고 보드랍다 [여]몽글몽클하다 [큰]뭉클뭉클하다

몽클하다: 작게 덩어리진 물건들이 겉으로 몹시 무르고 보드랍다 [여]몽글하다 [큰]뭉클하다

무물부존하다(無物不存): 없는 물건이 없다

물풍하다(物豊): 물건이 풍부하다

바드름하다: 작은 물체 따위가 밖으로 약간 벋은 듯하다 [준]바듬하다

바듬하다: '바드름하다'의 준말 [센]빠듬하다 [큰]버듬하다

박하다: 물건의 품질이나 맛이 번연하지 못하다

반듯반듯하다: 여럿이 다 반듯하다 [큰]번듯번듯하다

반듯하다: ① 작은 물체의 어디가 커가 나거나 굽거나 울퉁불퉁하지 않고 빠르다 ② 작은 물건의 놓여 있는 모양새가 기울거나 비뚤거나 하지 않고 바르다 [센]빤듯하다 [큰]번듯하다

반뜻반뜻하다: 여럿이 다 반뜻하다 [여]반듯반듯하다

반뜻하다: 작은 물체, 또는 생각이나 행동 따위가 비뚤거나 기울거나 굽지 아니하고 바르다 [여]반듯하다 [큰]번뜻하다

반반하다: 물건이 쓸 만하게 좋다

발름발름하다: 여럿이 다 발름하다 [큰]벌름벌름하다

발름하다: 물체가 보드랍고 넓게 바라져 있다 [큰]벌름하다

방긋방긋하다: 여럿이 다 방긋하다

방긋하다: 입이나 문 따위의 틈새가 약간 벌어져 있다

반미주룩하다: 어떤 물체의 밋밋한 끝이 조금 내밀어져 있다 [큰]번미주룩하다

번번하다: 물건이 제법 쓸 만하게 좋다

볼통볼통하다: 여러 군데가 다 볼통하다 [큰]불퉁불퉁하다

볼통하다: 물체의 거죽이 작고 동그스름하게 볼가져 있다 [큰]불퉁하다

부르다: 물건의 모양이 밖으로 퉁퉁하다

부풀부풀하다: 물체가 매우 부풀어 부피가 크가

불퉁불퉁하다: 여러 군데가 다 불퉁하다 [작]볼통볼통하다

불퉁하다: 물체의 거죽이 크고 둥그스름하게 불거져 있다 [작]볼통하다

불티같다: 나누어 주거나 파는 물건이 내놓기가 무섭게 없어지는 모양을 이르는 말

비죽배죽하다: 여럿이 다 끝이 고르지 아니하게 조금씩 내밀려 있다 (예) 구멍
　　사이로 비죽배죽하여 드러난 고기
비죽비죽하다: 여럿이 다 비죽하다 [센]삐쭉삐쭉하다 [작]배죽배죽하다
비죽하다: 물체의 끝이 좀 길게 쑥 내밀려 있다 [센]삐쭉하다 [작]배죽하다
비쭉배쭉하다: 비쭉비쭉하고 배쭉배쭉하다
비쭉비쭉하다: 여럿이 다 끝이 조금 길게 내밀려 있다 [작]배쭉배쭉하다
비쭉하다: 물체의 끝이 쑥 나오게 내밀려 있다 [작]배쭉하다
빈미주룩하다: 어떤 물체의 밋밋한 끝이 조금 길게 내밀어져 있다
빠듬하다: 작은 물건의 짜인 모양이 밖으로 조금 뻗어 있다 [여]바듬하다 [큰]뻐듬
　　하다
빨다: 끝이 차차 가늘어져 뾰족하다 (예) 하관이 빤 사람
빵긋빵긋하다: 여럿이 다 빵긋하다 [큰]뻥긋뻥긋하다
빵긋하다: 닫혀 있는 문 따위가 아주 가볍게 조금 열려 있다 [큰]뻥긋하다
빵끗빵끗하다: 여럿이 다 빵끗하다 [여]방긋방긋하다 [큰]뻥끗뻥끗하다
빵끗하다: 닫혀 있는 문 따위가 매우 가볍게 조금 열려 있다 [여]방긋하다 [큰]뻥
　　끗하다
빼주룩빼주룩하다: '빼죽빼죽하다'의 본말 [큰]삐주룩삐주룩하다
빼주룩하다: '빼죽하다'의 본말 [큰]삐주룩하다
빼주름하다: 작은 물체의 끝이 빼주룩한 느낌이 있다
빼죽빼죽하다: 여럿이 다 빼죽하다 [큰]삐죽삐죽하다
빼죽하다: 물체의 끝이 조금 내밀려 있다 [큰]삐죽하다
빼쪽빼쪽하다: 여럿이 다 끝이 날카롭다 [여]빼족빼족하다 [큰]삐쭉삐쭉하다
빼쪽하다: 물건의 끝이 뾰족하게 쑥 내밀려 있다 [여]빼족하다 [큰]삐쭉하다
빼쭉빼쭉하다: 물체의 끝이 다 빼쭉하다 [큰]삐쭉삐쭉하다
빼쭉하다: 물건의 끝이 뾰족하게 쑥 내밀려 있다 [여]배죽하다 [큰]삐쭉하다
뻐드름하다: 조금 큰 물체 따위가 밖으로 약간 벋은 듯하다
뻐듬하다: '뻐드름하다'의 준말
뻣뻣하다: 물체가 굳고 꿋꿋하다 [작]빳빳하다
뻥긋뻥긋하다: 여럿이 다 뻥긋하다
뻥긋하다: 닫혀 있는 문 따위가 아주 거볍게 좀 열려 있다 [작]빵긋하다
뽀조록하다: 뾰족한 끝이 조금 내밀려 있다.
뽀족뽀족하다: 여럿이 다 뽀족하다 [센]뾰쪽뾰쪽하다
뽀족하다: 물체의 끝이 점차 가늘어져서 날카롭다

뾰쪽뾰쪽하다: 여럿이 다 뾰쪽하다 여 뾰족뾰족하다

뾰쪽하다: 물체의 끝이 점차 가늘어져서 날카롭다 여 뾰족하다

뿌주룩하다: '뿌죽하다'의 본말 좌 뽀조록하다

뿌죽뿌죽하다: 여럿이 다 뿌죽하다 좌 뾰족뾰족하다

뿌죽하다: 물체의 끝이 점차 가늘어져서 매우 날카롭다 좌 뾰족하다

뿌쭉뿌쭉하다: 여럿이 다 뿌쭉하다 여 뿌죽뿌죽하다 좌 뾰쪽뾰쪽하다

뿌쭉하다: 물체의 끝이 점차 가늘어져서 매우 날카롭다 여 뿌죽하다 좌 뾰쪽
하다

삐주룩삐주룩하다: 여럿이 다 삐주룩하다 좌 빼주룩빼주룩하다

삐주룩하다: '삐죽하다'의 본말 좌 빼주룩하다

삐죽삐죽하다: 여럿이 다 삐죽하다

삐죽하다: 물체의 끝이 조금 길게 내밀려 있다 여 비죽하다 좌 빼죽하다

삐쭉빼쭉하다: 삐쭉삐쭉하고 빼쭉빼쭉하다 여 비죽배죽하다

삐쭉삐쭉하다: 물체의 끝이 다 삐쭉하다 여 비죽비죽하다 좌 빼쪽빼쪽하다

삐쭉하다: 물체의 끝이 조금 길게 내밀려 있다 여 비죽하다 좌 빼쪽하다

소복소복하다: 여럿이 다 소복하다 큰 수북수북하다

소복하다: 쌓이거나 담겨 있는 물건들이 볼록하게 많다 큰 수북하다

속소그레하다: 조금 작은 여러 개의 물건이 크기가 거의 고르다

수수하다: 물건의 품질이 썩 좋지는 아니하고 흉하지도 아니하다

숙수그레하다: 조금 굵은 여러 개의 물건이 크기가 거의 고르다 센 쑥수그레하
다 좌 속소그레하다

쌜기죽하다: 물체가 한쪽으로 약간 기울어지거나 배뚤어져 있다 여 샐기죽하
다 센 씰기죽하다

쏙소그레하다: 별로 크지도 작지도 아니하고 거의 고를 물건이 많다 큰 쑥수그
레하다

쑥수그레하다: 별로 크지도 않고 작지도 아니하고 거의 고를 물건이 많다 좌 쏙
소그레하다

씰긋하다: 물건이 한쪽으로 거볍게 씰그러져 있다

아렴풋하다: 물체가 환하게 보이지 아니하고 흐릿하다 큰 어렴풋하다

야리다: 물건이 보드랍고 약하다

어렴풋하다: 물건이 흰하게 보이지 아니하고 흐릿하다 좌 아렴풋하다

얼멍얼멍하다: 실이나 총으로 짠 물건의 바닥이 존존하지 않고 거칠다

여리다: 물건이 부드럽고 약하다 좌 야리다

우망하다: 물체의 면이 좀 우묵하다 ㉯오망하다

우묵우묵하다: 여러 군데가 다 우묵하다 ㉯오목오목하다 ㉠불룩불룩하다

우묵주묵하다: 고르지 않게 우묵우묵하다 ㉯오목조목하다

우묵하다: 가운데가 둥그스름하게 깊숙하다 ㉯오목하다 ㉠불룩하다

웅숭깊다: 물건이 되바라지지 아니하고 깊숙하다

자란자란하다: 작은 물건의 한쪽이 물체에 가볍게 좀 스칠 듯 말 듯하다 ㉣차
　라차란하다 ㉤지런지런하다

잘생기다: 물건의 모양이 잘 빠지어 보기에 좋다

재다: 물건이 온도에 대한 반응에 예민하다

조뼛하다: 물건의 끝이 뾰쪽하게 배죽 솟아 있다 ㉤주뼛하다

조야하다(粗野): 물건 따위가 거칠고 막되다

졸막졸막하다: 여러 개의 작은 물건이 뒤섞여 있어 고르지 아니하다 ㉤줄먹줄
　먹하다

졸망졸망하다: 여러 개의 고르지 않은 작은 물건이 뒤섞여 있어 사랑스럽다
　㉭쫄망쫄망하다 ㉤줄멍줄멍하다

줄먹줄먹하다: 여러 개의 큰 물건이 뒤섞여 있어 고르지 아니하다 ㉯졸막졸막
　하다

줄멍줄멍하다: 여러 개의 고르지 않은 큰 물건이 뒤섞여 있다 ㉭쭐멍쭐멍하다
　㉯졸망졸망하다

지런지런하다: 물체의 한 끝이 다른 물체에 좀 거볍게 스칠 듯 말 듯하다 ㉣치
　런치런하다 ㉯자란자란하다

짜글짜글하다: 물체의 거죽이 찌그러져서 주름이 많다 ㉤찌글찌글하다

짜득짜득하다: 물체가 잘 베어지거나 쪼개지지 않을 정도로 검질기다 ㉤찌득
　찌득하다

짭짤하다: 물체가 실속 있고 값지다

쪼글쪼글하다: 물체가 쪼그라져서 잔주름들이 매우 많다 ㉪조글조글하다 ㉤
　쭈글쭈글하다

쫄망쫄망하다: 여러 개의 고르지 않은 작은 물건들이 뒤섞여 있어 매우 사랑스
　럽다 (예) 망망한 대해에 쫄망쫄망한 섬들이 대여섯 개씩 머리를 뾰족뾰족 내밀고
　있다

쭐멍쭐멍하다: 여러 개의 고르지 않은 큰 물건들이 뒤섞여 있어 매우 사랑스럽
　다 ㉪줄멍줄멍하다 ㉯쫄망쫄망하다

찌득찌득하다: 물체가 잘 끊어지지 않을 정도로 매우 검질기다

차란차란하다: 물건의 한쪽 끝이 다른 물체에 가볍게 스칠 듯 말 듯 하다

차랑차랑하다: 좀 길게 드리운 물건이 바닥에 닿을 만큼 보드랍게 늘어져 있다 阊치렁치렁하다

차랑하다: 좀 길게 드리운 물건이 바닥에 닿을 만큼 보드랍게 늘어져 있다. 阊치렁하다

찹찹하다: 포개어 쌓은 물건이 엉성하지 아니하고 차곡차곡 가지런하게 가라앉아 있다

천하다: 물체가 흔하여 귀하지 아니하다 阊귀하다

첨예하다(尖銳): 날카롭고 뾰족하다

첨원하다(尖圓): 끝이 뾰족하고 둥글다

치런치런하다: 물체의 한쪽 끝이 다른 물체에 아주 가볍게 스칠 듯 말 듯하다 阊지런지런하다 阊차란차란하다

치렁치렁하다: 길게 드리운 물건이 부드럽게 늘어져 있다 阊차랑차랑하다 阊남삼하다

치렁하다: 길게 드리운 물건이 길차게 늘어져 있다 阊차랑하다

통통하다: 물체의 한 부분이 터질 듯이 부풀거나 도드라지거나 하여 몹시 불룩하다 阊똥똥하다 阊퉁퉁하다

퉁퉁하다: 물체의 한 부분이 터질 듯 부풀거나 두드러지거나 하여 몹시 볼록하다 阊뚱뚱하다 阊통통하다

훌륭하다: 물건의 성능이나 쓰임새가 아주 좋다

흐늘흐늘하다: 드리우거나 늘어진 물건이 느른하고 부드럽다 阊하늘하늘하다

1.8.32. 바닥 모양

반반하다: 바닥이 고르고 반듯하다 阊번번하다

번번하다: 바닥이 편편하고 번듯하다 阊반반하다

빤빤하다: 바닥이 매우 반반하다 阊뻔뻔하다

뻔뻔하다: 바닥이 매우 번번하다 阊빤빤하다

언틀먼틀하다: 바닥이 고르지 못하여 울퉁불퉁하다

올톡볼톡하다: 바닥이 거죽이 사납게 여기저기 볼가져 고르지 못하다 阊울툭불툭하다

울툭불툭하다: 바닥이 거죽이 고르지 않게 불퉁불퉁하다 阊올톡볼톡하다

저함하다(低陷): 바닥이 가라앉아 낮고 우묵하다

테석테석하다: 거죽이나 면이 매우 거칠게 일어나 반지랍지 못하다 團티석티
　　석하다
티석티석하다: 거죽이나 면이 매우 거칠게 일어나 번지럽지 못하다 團테석테
　　석하다
평평하다(平平): 바닥이 고르고 판판하다

1.8.33. 버드름하다

바드름하다: 작은 물체 따위가 밖으로 약간 벋은 듯하다 團버드름하다
버드름하다: 조금 큰 물체 따위가 밖으로 약간 벋은 듯하다 團뻐드름하다 團바
　　드름하다
버듬하다: 큰 물건이 날카롭거나 곧지 않게 밖으로 조금 벌어지거나 벋어 있다
벋버듬하다: 두 끝이 버드러져 나가 사이가 뜨다
벌버스름하다: 좀 벋버듬하다
빠드름하다: 빠듬한 듯하다 團바드름하다 團빠듬하다
빠듬하다: '빠드름하다'의 준말
뻐드름하다: 큰 물건이 날카롭거나 곧게 밖으로 아주 조금 벌어지거나 뻗어
　　　있다 團버드름하다 團빠드름하다 團뻐듬하다
뻐듬하다: '뻐드름하다'의 준말

1.8.34. 벌어지다

발록발록하다: 구멍이나 틈이 여럿이 다 작게 바라져 있다 團벌룩벌룩하다
발쪽발쪽하다: 여러 물체가 다 발쪽하다 團빨쪽빨쪽하다 團벌쭉벌쭉하다
발쪽하다: 좁고 길게 바라져서 쳐들려 있다 團빨쪽하다 團벌쭉하다
벌쭉벌쭉하다: 여러 물체가 다 벌쭉하다 團뻘쭉뻘쭉하다 團발쪽발쪽하다
벌쭉하다: 제법 넓고 길게 벌어져서 쳐들려 있다 團뻘쭉하다 團발쪽하다
아근바근하다: ① 목제 가구나 문틀 따위의 짝 맞춘 자리가 조금씩 벌어지다
　　　② 서로 마음이 맞지 아니하여 사이가 벌어지다 團어근버근하다
아긋아긋하다: 여러 군데가 다 아긋하다 團어긋어긋하다
아긋하다: ① 물건의 각 조각이 이가 맞지 않아 끝이 조금씩 어긋나 있다 ②
　　　무게나 부피, 길이 따위가 어떤 기준에 조금 어그러져 있다 團어긋하다
아기뚱하다: 조금 틈이 나 있다 團어기뚱하다

어근버근하다: ① 목제 가구나 문틀 따위의 짝 맞춘 자리가 약간씩 벌어져
  있는 상태이다 ② 서로 마음이 맞지 아니하여 사이가 꽤 벌어져 있다 **좌**아
  근바근하다
어긋어긋하다: 여러 군데가 다 어긋하다 **좌**아긋아긋하다
어긋하다: ① 물건의 각 조각이 이가 맞지 아니하여 끝이 약간씩 어긋나 있다
  ② 무게나 부피, 길이 따위가 어떤 기준에 어그러져 있다 **좌**아긋하다

1.8.35. 부풀어 있는 모양

꼴랑꼴랑하다: 짝짝 들러붙지 않고 들떠서 부풀어 있다 **거**콜랑콜랑하다 **큰**꿀
  렁꿀렁하다
꿀렁꿀렁하다: 쩍쩍 둘러붙지 않고 들떠서 부풀어 있다 **거**쿨렁쿨렁하다 **좌**꼴
  랑꼴랑하다
꿀렁하다: 척 들러붙지 않고 크게 부풀어 있다 **거**쿨렁하다
콜랑콜랑하다: 착착 달라붙지 않고 매우 들떠서 부풀어 있다 **센**꼴랑꼴랑하다
  큰쿨렁쿨렁하다
콜랑하다: 착 달라붙지 아니하고 들떠서 부풀어 있다 **큰**쿨렁하다
쿨렁쿨렁하다: 척척 들러붙지 않고 매우 들떠서 부풀어 있다 **센**꿀렁꿀렁하다
  좌콜랑콜랑하다
쿨렁하다: 척 들러붙지 않고 매우 부풀어서 들썩하다 **센**꿀렁하다 **좌**콜랑하다
팽만하다(膨滿): 부풀어 올라 터질 듯하다

1.8.36. 부피·부위·배·벽

딩딩하다: ① 살이 몹시 찌거나 붓거나 하여 아주 팽팽하다 ② 누를 수 없을
  정도로 몹시 굳고 단단하다
만벽하다(滿壁): 벽에 가득하다
만선하다(滿船): 배에 가득하다
팅팅하다: ① 살이 몹시 찌거나 붓거나 하여 아주 팽팽하다 ② 누를 수 없을
  정도로 몹시 굳고 단단하다 **여**딩딩하다

1.8.37. 불거지다

불근불근하다: 여기저기서 불거져서 좀 두두룩하다 <small>[작]</small>볼근볼근하다
뽈똑뽈똑하다: 여러 군데가 다 뽈똑하다 <small>[여]</small>볼똑볼똑하다 <small>[큰]</small>뿔뚝뿔뚝하다
뽈똑하다: 작은 물체가 뽈록 볼가져 있다 <small>[여]</small>볼똑하다 <small>[큰]</small>뿔뚝하다
뿔뚝뿔뚝하다: 여러 군데가 다 뿔뚝하다 <small>[여]</small>불뚝불뚝하다 <small>[작]</small>뽈똑뽈똑하다
뿔뚝하다: 큰 물체가 뿔룩 불거져 있다 <small>[여]</small>불뚝하다 <small>[작]</small>뽈똑하다
옹긋옹긋하다: 여러 군데가 고르게 쏙쏙 볼가지거나 톡톡 비어져 있다 <small>[큰]</small>웅긋
　　웅긋하다
옹긋쫑긋하다: 여러 군데가 쏙쏙 볼가지거나 톡톡 비어져 있다 <small>[큰]</small>웅긋쭝긋
　　하다
웅긋쭝긋하다: 여러 군데가 쑥쑥 불거지거나 툭툭 비어져 있다 <small>[작]</small>옹긋쫑긋
　　하다
웅긋웅긋하다: 여러 군데가 고르게 쑥쑥 불거지거나 툭툭 비어져 있다 <small>[작]</small>옹긋
　　옹긋하다

1.8.38. 불룩하다

담뿍담뿍하다: 여럿이 다 담뿍하다 <small>[큰]</small>듬뿍듬뿍하다
담뿍하다: 매우 소복하다 <small>[큰]</small>듬뿍하다
도도록도도록하다: 낱낱이 다 도도록하다 <small>[큰]</small>두두룩두두룩하다
도도록하다: 가운데가 조금 솟아 불록하다 <small>[큰]</small>두두룩하다
도독도독하다: 여럿이 다 도독하다 <small>[큰]</small>두둑두둑하다
도독하다: 가운데가 좀 블록하다 <small>[큰]</small>두둑하다
도돌도돌하다: 물체의 겉에 작은 것들이 도도록하게 나오거나 붙어 있어 고르
　　지 못하다
도드라지다: 가운데가 볼록하게 쏙 내밀다 <small>[큰]</small>두드러지다
두두룩두두룩하다: 낱낱이 다 두두룩하다 <small>[작]</small>도도록도도록하다
두두룩하다: 가운데가 솟아서 불룩하다 <small>[작]</small>도도록하다
두드러지다: 쑥 내밀어서 두두룩하다 <small>[작]</small>도드라지다
두틀두틀하다: 〈북한어〉 물건의 면이 울퉁불퉁하여 고르지 못하다
똥똥하다: 물체의 한 부분이 붓거나 부풀어서 도드라지게 볼록하다 <small>[거]</small>통통하
　　다 <small>[큰]</small>뚱뚱하다

뚱뚱하다: 물체의 한 부분이 붓거나 부풀어서 두드러지게 불룩하다 [거]퉁퉁하다 [작]똥똥하다

보로통하다: 부풀거나 부어올라서 볼록하다 [센]뽀로통하다 [큰]부루퉁하다

볼근볼근하다: 여기저기 불거져서 좀 도도록하다 [큰]불근불근하다

볼록하다: 물체의 거죽이 조금 도드라지거나 쏙 내밀려 있다 [반]오목하다 [센]뽈록하다 [큰]불룩하다

볼쏙볼쏙하다: 여러 군데가 다 볼쏙하다 [큰]불쑥불쑥하다

볼쏙하다: 볼록하게 쏙 나오거나 내밀려 있다 [큰]불쑥하다

봉곳봉곳하다: 군데군데 여러 곳이 다 봉곳하다

봉곳하다: 약간 소복하게 높다

부루퉁하다: 부풀거나 부어올라서 불룩하다 [센]뿌루퉁하다 [작]보로통하다

불룩하다: 물체의 거죽이 크게 두드러지거나 쑥 내밀려 있다

불쑥불쑥하다: 여러 군데가 다 불쑥하다 [작]볼쏙볼쏙하다

불쑥하다: 불룩하게 쑥 나오거나 내밀려 있다 [작]볼쏙하다

붕긋붕긋하다: 군데군데 여러 곳이 붕긋하다 [작]봉곳봉곳하다

붕긋하다: 좀 소복하게 높다 [작]봉긋하다

뽀로통하다: 부풀거나 부어올라서 뽈록하다 [큰]뿌루퉁하다

뽈록뽈록하다: 여러 군데가 다 뽈록하다 [여]볼록볼록하다 [큰]뿔룩뿔룩하다

뽈록하다: 물체의 거죽이 도드라지거나 매우 쏙 내밀려 있다 [여]볼록하다 [큰]뿔룩하다

뿌루퉁하다: 부풀거나 부어올라서 뿔룩하다 [여]부루퉁하다 [큰]뽀로통하다

뿔룩뿔룩하다: 여러 군데가 다 뿔룩하다 [여]불룩불룩하다 [작]뽈록뽈록하다

뿔룩하다: 물체의 거죽이 크게 두드러지거나 쑥 내밀려 있다. '불룩하다'보다 센 느낌을 준다 [여]불룩하다 [작]뽈록하다

소복하다: ① 쌓이거나 담긴 물건이 볼록하게 많다 ② 살이 찌거나 부어 볼록하게 도드라져 있다 [큰]수북하다

수북하다: 부어오를 데가 불룩하다 [작]소복하다

앙바틈하다: 짤막하고 딱 바라지다 [큰]엉버틈하다

엉버틈하다: 커다랗게 떡 벌어져 있다 [작]앙바틈하다

올록볼록하다: 고르지 않게 볼록볼록하다 [큰]울룩불룩하다

올쏙볼쏙하다: 조그마한 모가 고르지 아니하게 여기저기 솟은 데가 있다 [큰]울쑥불쑥하다

울룩불룩하다: 고르지 않게 불룩불룩하다 [작]올록볼록하다

울쑥불쑥하다: 고르지 않게 여기저기 높이 솟은 데가 있다 쫀올쏙볼쏙하다
푸하다: 속이 꽉 차지 아니하고 불룩하게 부풀어 있다

1.8.39. 비뚤어지다

비뚜름하다: 좀 비뚤다 쫀빼뚜름하다
비뚤다: 바르지 못하고 한쪽으로 기울어졌거나 쏠려 있다 쫀빼뚤다
비뚤배뚤하다: 비뚤비뚤하고 배뚤배뚤하다
빼뚜름하다: 좀 빼뚤다 여배뚜름하다 큰삐뚜름하다
삐뚜름하다: 좀 빼뚤다 여비뚜름하다 쫀빼뚜름하다
삐뚤다: 바르지 못하고 한쪽으로 기울어지거나 매우 쏠려 있다 여비뚤다 쫀빼
　　뚤다
삐뚤빼뚤하다: 삐뚤삐뚤하고 빼뚤빼뚤하다 여비뚤배뚤하다
삐뚤삐뚤하다: 물체가 곧지 못하고 이리저리 구부러져 있다 여비뚤배뚤하다
　　쫀빼뚤빼뚤하다
샐긋샐긋하다: 물건들이 다 샐긋하다 센쌜긋쌜긋하다 큰실긋실긋하다
샐긋하다: 물체가 한쪽으로 조금 배뚤어지거나 기울어져 있다 센쌜긋하다 큰
　　실긋하다
어슷하다: 한쪽으로 조금 비뚤다
엇비뚜름하다: 서로 조금 비뚜름하다
왜뚤삐뚤하다: 이리저리 비뚤어진 데가 있다
일긋일긋하다: 여럿이 다 일긋하거나 매우 일긋하다 쫀얄긋얄긋하다
일긋하다: 한쪽으로 조금 쏠리어 비뚤어져 있다 쫀얄긋하다

1.8.40. 비스듬하다

갸우뚱하다: 물체가 한쪽으로 약간 갸울어져 있다
뭉긋하다: 약간 기울어지거나 굽어서 휘우듬하다
배딱하다: 물체가 한쪽으로 배스듬하게 기울다 센빼딱하다 큰비딱하다
배뚜름하다: 좀 배뚤다 센빼뚜름하다 큰비뚜름하다
배슥하다: ① 힘없이 한쪽으로 배스듬하다 큰비슥하다 ② '배슷하다'의 방언
　　(강원, 경기, 전북, 충청, 함북)
비슥하다: ① 힘없이 한쪽으로 비스듬하다 쫀배슥하다 ② '비슷하다'의 방언

(강원, 경기, 전북, 충청, 함북)

엇비슷하다: 조금 비스듬하다

완완하다(緩緩): 비탈 따위의 기울기가 비스듬하고 민틋하다

잦바듬하다: 자빠질 듯이 뒤로 비스듬하다 囝젖버듬하다

젖버듬하다: 자빠질 듯이 뒤로 조금 기운 듯하다 작잦바듬하다

1.8.41. 비주룩하다

배주룩배주룩하다: 여러 개가 다 배주룩하다 쎈삐쭈룩삐쭈룩하다 큰비주룩비
주룩하다

배주룩하다: 솟아 나온 물건의 끝이 조금 내밀려 있다 쎈삐쭈룩하다 큰비주룩
하다

배죽배죽하다: 여럿이 다 배죽하다 쎈빼쭉빼쭉하다 큰비죽비죽하다

배죽하다: 물체의 끝이 쑥 내밀려 있다 쎈빼쭉하다 큰비죽하다

배쭉배쭉하다: 여럿이 다 배쭉하다 큰비쭉비쭉하다

배쭉하다: 물체의 끝이 다 나오게 내밀려 있다 큰비쭉하다

비주룩비주룩하다: 여러 개가 다 비주룩하다 쎈삐쭈룩삐쭈룩하다 작배주룩배
주룩하다

비주룩하다: 솟아나온 물건의 끝이 조금 길게 내밀려 있다 쎈삐쭈룩하다 작배
주룩하다

비죽비죽하다: 여럿이 다 비죽하다 쎈삐쭉삐쭉하다 작배죽배죽하다

비죽하다: 물체의 끝이 좀 길게 쑥 내밀려 있다 쎈삐쭉하다 작배죽하다

비쭉배쭉하다: 비쭉비쭉하고 배쭉배쭉하다 쎈삐쭉빼쭉하다

비쭉비쭉하다: 여럿이 다 비쭉하다 작배쭉배쭉하다

비쭉하다: 물체의 끝이 쑥 나오게 내밀려 있다 작배쭉하다

빼주룩빼주룩하다: 여럿이 다 빼주룩하다 큰삐주룩삐주룩하다

빼주룩하다: 솟아나온 물체의 끝이 뾰조록이 내밀려 있다 큰삐주룩하다

빼주름하다: 물체의 끝이 빼주룩한 듯하다 큰삐주름하다

빼죽빼죽하다: 여럿이 다 빼죽하다 큰삐죽삐죽하다

빼쭉빼쭉하다: 물체의 끝이 다 빼쭉하다 여배죽배죽하다 큰삐쭉삐쭉하다

빼쭉하다: 물체의 끝이 뾰족하게 쑥 내밀려 있다 여배쭉하다 큰삐쭉하다

삐주룩삐주룩하다: 여럿이 다 삐주룩하다 작빼주룩빼주룩하다

삐주룩하다: 솟아나온 물체의 끝이 뾰주룩이 내밀려 있다 작빼주룩하다

삐죽삐죽하다: 여럿이 다 삐죽하다 [작]빼죽빼죽하다
삐죽하다: 물체의 끝이 조금 길게 내밀려 있다 [작]빼죽하다
삐쭉빼쭉하다: 삐쭉삐쭉하고 빼쭉빼쭉하다 [여]비죽배쭉하다
삐쭉하다: 물체의 끝이 뾰족하게 쑥 내밀려 있다 [여]비죽하다 [작]빼쭉하다

1.8.42. 빽빽하다

농밀하다(濃密): 짙고 빽빽하다
다닥다닥하다: 조그마한 것들이 한 곳에 많이 붙어 있다 [큰]더덕더덕하다
더덕더덕하다: 자그마한 것들이 곳곳에 많이 붙어 있다 [작]다닥다닥하다
밀밀하다(密密): 썩 빽빽하다
조밀하다(稠密): 촘촘하고 빽빽하다
조잡하다(稠雜): 빽빽하고 복잡하다
조첩하다(稠疊): 빽빽하게 첩첩이 겹쳐 있다
즐비하다(櫛比): 빗살처럼 줄지어 빽빽하게 늘어서 있다
총총하다(叢叢): 많은 물건이 모여 있는 꼴이 빽빽하다

1.8.43. 사물

가로지다: 가로로 되어 있다 [반]세로지다
거연하다(巨然): 크고 의젓하다
보풀보풀하다: 종이나 천 따위의 거죽에 보푸라기들이 많이 일어나 있다 [큰]부
    풀부풀하다
부풀부풀하다: 종이나 천 따위의 거죽에 보푸라기들이 많이 일어나 있다 [작]보
    풀보풀하다
삼삼하다: 사물이나 사람의 생김새나 됨됨이가 마음이 끌리게 그럴듯하다
왕연하다(旺然): 사물이 매우 왕성하다
울멍줄멍하다: 크고 뚜렷한 것들이 고르지 않게 많다 [작]올망졸망하다
울묵줄묵하다: 큼직큼직하고 두드러진 것들이 고르지 않고 배다 [작]올목졸목
    하다
울뭉줄뭉하다: 크고 뚜렷한 것들이 고르지 않고 배다 [작]올몽졸몽하다
울연하다(蔚然): 사물이 흥성하다
평형하다(平衡): 사물이 한쪽으로 치우치거나 기울지 않고 똑바로 있는 상태

1.8.44. 산

거하다: 산이 크고 웅장하다
기구하다(崎嶇): 산길이 험하다
기준하다(奇峻): 산 모양이 기이하고 험준하다
기험하다(崎險): 산악이 험악하다
동탁하다(童濯): 산에 나무나 풀이 없다
맨둥맨둥하다: 산에 나무가 없이 반반하다
맨송맨송하다: 산에 나무나 풀이 없어서 반반하다 **큰** 민숭민숭하다
맨숭맨숭하다: □ 맨송맨송하다
메숲지다: 산에 나무가 울창하다
민둥민둥하다: 산에 나무가 없어 번번하다
민숭민숭하다: 산에 나무나 풀이 없어서 번번하다 **작** 맨송맨송하다
암암하다(巖巖): 산이나 바위가 높고 험하다
외아하다(巍峨): □ 외외하다
외연하다(巍然): □ 외외하다
외외하다(巍巍): 산 따위가 썩 높고 우뚝하다 **비** 외연하다 **비** 외아하다
외의하다(嵬嶷): 산 따위가 높고 크다
울쑥불쑥하다: 산봉우리 따위가 고르지 아니하게 불쑥불쑥하다 **작** 올쏙볼쏙
　　하다
준절하다(峻截): 산이 깎아 세운 듯이 높고 험하다
준험하다(峻險): 산새가 높고 험악하다
흘립하다(屹立): 산이 깎아 세운 듯이 우뚝 솟아 있다

1.8.45. 속도

급격하다(急激): 급하고 격렬하다
급급하다(急急): 매우 급하다
급박하다(急迫): 바싹 닥쳐서 매우 급하다 **비** 급촉하다
급작스럽다: 생각할 사이도 없이 매우 급하다
급절하다(急切): 몹시 다급하다
급촉하다(急促): □ 급박하다
급하다: ① 서두르거나 다그쳐 빠르다 ② 머뭇거릴 겨를이 없다

긴급하다(緊急): 아주 급하다

느럭느럭하다: 말이나 하는 짓이 썩 느리다

느리다: 움직이는 데 걸리는 시간이 길다

늦다: 어떤 기준 때보다 뒤져 있다

다급스럽다: 보기에 다급하다

다급하다: 몹시 급하다

더디다: 움직임이나 일에 걸리는 시간이 오래다

마디다: 자라는 빠르기가 더디다 [반]헤프다

민활하다(敏活): 재빠르고 민활하다

바쁘다: 몹시 급하다

박부득이하다(迫不得已): 몹시 급하여 어쩔 수 없다

불급하다(不急): 급하지 아니하다

빠르다: 움직이는 데 걸리는 시간이 짧다 [반]느리다

속하다(速): 꽤 빠르다

쉽다: 세월 따위와 함께 쓰이어 빠르다 (예) 세월이 쉽기도 하다

신속하다(迅速): 썩 빠르다

열쌔다: 매우 재빠르고 날쌔다

이르다: 때가 앞서 있다

재바르다: 조금 재빠르다

재빠르다: 재고 빠르다

절박하다(切迫): 다급하다

절실하다: 썩 긴요하고 다급하다

조급하다(躁急)[1]: 참을성이 없이 매우 급하다

조급하다(早急)[2]: 늦지 않고 이르며 느즈러지지 않고 급하다

조속하다(早速): 이르고 빠르다

지급하다(至急): 매우 급하다 [비]착급하다

질속하다(疾速): 몹시 빠르다

착급하다(着急): 매우 급하다

창황하다(倉皇): 어찌할 겨를이 없이 매우 급하다

첩리하다(捷利): 첩속하다

첩속하다(捷速): 썩 빠르다 [비]첩리하다

촉급하다(促急): 기간이 바싹 박두하여 있다

촉하다(促): 음성 또는 음절이 느즈러진 맛이 없이 짧고 급하다

총급하다(悤急): 다급하다
태급하다(太急): 国다급하다
팔팔하다: 참을성이 적어 급하고 세차다 壓펄펄하다
표홀하다(飄忽): 얼씬하는 꼴이 매우 빠르다
화급하다(火急): 걷잡을 수 없이 타는 불과 같이 썩 급하다
화속하다: 걷잡을 수 없이 타는 불과 같이 썩 빠르다
황급하다(遑急): 몹시 급하고 한 가지 일에만 몰두하여 마음이 여유가 없다
황황하다(遑遑): 허둥지둥 매우 급하다

1.8.46. 숲

더부룩하다: 수염이나 머리카락 따위가 배게 나서 거칠다 壓다보록하다
덤부렁듬쑥하다: 수풀이나 덤불이 우거져서 그윽하다
무성하다(茂盛): 풀이나 나무가 우거져서 성하다
삼연하다(森然): ① 숲이 깊이 우거져 있다 ② 엄숙하다
소복하다: 식물이나 털 따위가 배고 좀 길다 壓수북하다
숱지다: 숱이 많다
앙상궂다: 매우 앙상하다 壓엉성궂다
앙상하다: 나뭇잎이 떨어지고 가지만 남아 스산하다 壓엉성하다
엉성궂다: 매우 엉성하다 壓앙상궂다
엉성하다: 꽉 짜이지 아니하여 어울리는 맛이 없다
음음하다(陰陰): 여름철의 수목이 무성하다
터부룩하다: 수풀이나 털 따위가 매우 더부룩하다

1.8.47. 시간

가마득하다: 때가 가맣게 오래 되어서 아득하다 壓까마득하다
까마득하다: 시간이 까맣게 오래 되어 아득하다 壓가마득하다
꿈같다: 덧없고 허무하다
늦다: 어떤 기준보다 뒤져 있다 (예) 늦은 가을 壓이르다
다문다문하다: ① 시간적으로 잦지 아니하고 좀 드물다 ② 공간적으로 배지
    아니하고 사이가 좀 드물다
더디다: 움직임이나 일에 걸리는 시간이 오래다 壓지지하다

덧없다: 알듯 못하는 가운데 지나가는 세월이 사정없이 빠르다

뒤늦다: 이미 제때가 지나 버리고 아주 늦다

드물다: 시간의 동안이 뜨다 (예) 자정 뒤라 차가 드물다

득달같다: 잠시도 늦추지 않다

때늦다: 제때보다 늦다

때맞다: 늦지도 않고 이르지도 않게 때가 꼭 알맞다

뜨문뜨문하다: 잦지 않고 동안이 매우 뜨다 여드문드문하다

마디다: 써서 없어지는 동안이 길다

멀다: ① 시간의 동안이 길거나 오래다 ② (때나 거리를 나타내는 말 다음에
'멀게', '멀어' 따위로 쓰이어) "그때나 거리가 채 되기도 전에"의 뜻을 나타
낸다 반가깝다

면원하다(綿遠): 이어져 내려오는 시간이 오래다

몰세하다(沒世): 끝없이 오래다

무궁하다(無窮): 시간이나 공간 따위의 끝이 없다

무기한하다(無期限): 정한 기한이 없다

무섭다: '주로 ~기가 무섭다'로 쓰이어 '-자마자 곧바로'의 뜻으로 쓰인다 (예)
그 말을 듣기가 무섭게 달려갔다

무한년하다(無限年): ⸦물한년하다

물한년하다(勿限年): 햇수의 한정이 없다

미구불원하다(未久不遠): 그 동안이 오래 되지 않아 가깝다

미구하다(未久): 얼마 오래 되지 아니하다

미황하다(未遑): 미쳐 겨를이 없다

바쁘다: '주로 ~기가 바쁘게'로 쓰이어 '어떤 행동이 끝나자 곧'의 뜻으로 쓰인
다 (예) 밥술 놓기가 바쁘기 쓰러져 갔다

밭다: 시간이나 공간의 사이가 바짝 가깝다

불구하다(不久): 앞으로 오래 되지 아니하다

불원하다(不遠): 앞으로 오래 되지 아니하다

빠르다: 지나가는 동안이 짧다

상미만하다(尙未晩): 아직 늦지 아니하다

새까맣다: 거리나 동안이 매우 멀고 아득하다

성기다: 되풀이되는 일의 동안이 뜨다 반성글다

세구하다(歲久): 여러 해가 지나 꽤 오래다

아득하다: 까마아득하게 오래다

야경스럽다: 밤중에 떠들썩하다

야심하다(夜深): 밤이 깊다

얕다: 동안이 무던히 짧다 큰옅다

어득하다: 까마아득하게 아주오래다 좌아득하다

어질다: 시간이나 때가 알맞아 좋다 (예) 어진 때는 달이 삼경이로다

여구하다(如舊): ⩧의구하다

여류하다(如流): 물의 흐름과 같다는 뜻으로, 세월이 매우 빠름을 비유적으로
    이르는 말 (예) 세월이 여류하다

연구하다(年久): 비세구하다

연천하다(年淺): 시작한 지 몇 해가 아니 되다

염염하다(冉冉): 세월의 흐름이 끝이 없다

영구하다(永久): 끝없이 오래다

영영무궁하다(永永無窮): ⩧영원무궁하다

영원무궁하다(永遠無窮): 영원히 다함이 없다 비영영무궁하다

영원하다(永遠): 세월이 영구하다

옅다: 동안이 무던히 짧다 좌얕다

오래다: 지나간 동안이 길다

오래되다: 시간이 지나간 동안이 길다

완만하다(緩晩): 움직임이나 일의 속도가 더디다

유구하다(悠久): 길고 오래다

유장하다(悠長): 지나간 동안이 길다

의구하다(依舊): 옛날과 같다

이구하다(已久): 이미 오래다

이르다: 때가 앞서 있다 준일다 반늦다

장구하다(長久): 길고 오래다

장원하다(長遠): 길고 멀다

장하다(長): 시간적으로 길고 오래다

잦다: 여러 차례를 거듭하는 동안이 매우 짧다 반드물다 비잇달다

절망고하다(絶望顧): 일이 몹시 바빠서 다른 일을 돌아볼 겨를이 없다

지만하다(遲慢): ⩧지완하다

지완하다(遲緩): 더디고 느즈러지다 비지만하다

지지하다(遲遲): 더디다

진구하다(陳久): 묵어서 오래다

짧다: 동안이 가깝다

창원하다(蒼遠): 아주 아득하고 오래다

천양무궁하다(天壤無窮): 하늘과 같이 무궁하다

초간하다(稍間): ① 시간적으로 사이가 조금 뜨다 ② 한참 걸어가야 할 정도로
　　고리가 조금 멀다 🔳초원하다

촉하다(促): 시기가 바싹 다가서 가깝다

최구하다(最久): 가장 오래다

태고연하다(太古然): 태고의 것인 듯하다

한가하다(閑暇): 한가한 겨를을 가지고 있다

항구하다(恒久): 변하지 아니하고 오래가다

허구하다(許久): 매우 오래다

1.8.48. 씰그러지다

실긋샐긋하다: 한쪽으로 실그러지고 샐그러져 있다 🔳씰긋쌜긋하다

실긋실긋하다: 물건들이 다 실긋하다 🔳씰긋씰긋하다 🔳샐긋샐긋하다

실긋하다: 물건이 한쪽으로 거볍게 실그러져 있다 🔳씰긋하다 🔳샐긋하다

실기죽하다: 물건이 한쪽으로 조금 실그러져 있다 🔳씰기죽하다 🔳샐기죽하다

샐긋샐긋하다: 물건들이 다 샐긋하다 🔳샐긋샐긋하다 🔳씰긋씰긋하다

샐긋하다: 물건이 한쪽으로 가볍게 샐그러져 있다 🔳샐긋하다 🔳씰긋하다

씰긋쌜긋하다: 한쪽으로 씰그러지고 쌜그러져 있다 🔳실긋샐긋하다

씰긋씰긋하다: 물건들이 다 씰긋하다 🔳실긋실긋하다 🔳쌜긋쌜긋하다

씰긋하다: 물건들이 한쪽으로 거볍게 씰그러져있다 🔳실긋하다 🔳쌜긋하다

1.8.49. 액체 모습

걸쭉하다: 액체가 묽지 않고 꽤 걸다

그렁그렁하다: ① 액체가 많이 담기거나 괴어서 가장자리까지 거의 찰 듯하다
　　② 건더기는 적고 국물이 아주 많다 ③ 눈에 눈물이 넘칠 듯이 그득 괴어
　　있다 🔳크렁크렁하다

남상남상하다: 액체가 그릇에 가득 차서 넘칠 듯하다

남실남실하다: 물결 따위가 보드랍게 자꾸 굽이쳐 움직이다 🔳넘실넘실하다

넘실넘실하다: 물결 따위가 부드럽게 자꾸 굽이쳐 움직이다 🔳남실남실하다

농탁하다(濃濁): 액체 따위가 진하고 걸쭉하다

자작하다: 액체가 잦아져서 분량이 적다

지런지런하다: 큰 그릇 따위에 그득한 액체가 가장자리에 넘실넘실 넘칠 듯
　　말 듯하다 ☑치런치런하다 ☑자란자란하다

차란차란하다: 작은 그릇 따위에 가득한 액체가 가장자리에 남실남실 넘칠
　　듯 말 듯하다 ☑자란자란하다 ☑치런치런하다

차랑차랑하다: 가득한 액체가 가장자리에 넘칠 듯 말 듯하다 ☑치렁치렁하다

치런치런하다: 그득한 액체가 가장자리에 넘칠 듯 말 듯하다 ☑지런지런하다
　　☑차란차란하다

치렁치렁하다: 길게 드리운 물건이 바닥에 닿을 듯 말 듯 부드럽게 늘어져
　　있다 ☑차랑차랑하다

카랑카랑하다: ① 액체가 많이 담기거나 괴어서 가장자리까지 찰 듯하다 ②
　　건더기는 적고 국물이 많다 ③ 눈에 눈물이 넘칠 듯이 가득 괴어 있다
　　☑가랑가랑하다 ☑크렁크렁하다

쿨렁하다: 척 들러붙지 않고 들떠서 크게 부풀어 있다 ☑꿀렁하다 ☑콜랑하다

크렁크렁하다: ① 액체가 많이 담기거나 괴어서 가장자리까지 거의 찰 듯하다
　　② 건더기는 적고 국물이 아주 많다 ③ 눈에 눈물이 넘칠 듯이 그득 괴어
　　있다 ☑그렁그렁하다 ☑카랑카랑하다

1.8.50. 얇다

얄따랗다: 꽤 얇다

얄브스름하다: 조금 얇은 듯하다 ☑열브스름하다

얄찍얄찍하다: 여럿이 모두 얄찍하다

얄찍하다: 얇은 듯하다

얄팍얄팍하다: 여럿이 모두 얄팍하다

얄팍하다: 두께가 꽤 얇다

얇다: 두께가 두껍지 아니하다 ☑엷다

열따랗다: 꽤 엷다

열브스름하다: 약간 엷은 듯하다

1.8.51. 얕은 모습

야트막하다: 조금 얕은 듯하다 ㉰여트막하다
야틈하다: 조금 얕다 ㉰여틈하다
얕다: 윗면에서 바닥까지의 길이가 짧다
얕디얕다: 매우 얕다
여트막하다: 여틈한 듯하다 ㉮야트막하다
여틈하다: 조금 옅다 ㉮야틈하다
엷다: ① 빛깔이 진하지 아니하다 ② 두께가 적다 ③ 밀도가 빽빽하지 아니하다 ㉮얕다
옅다: 윗면에서 바닥까지의 길이가 꽤 짧다 ㉮얕다
천근하다(淺近): 얕고 가까워서 깊은 맛이 없다
천협하다(淺狹): 얕고 좁다

1.8.52. 어긋나다

아긋아긋하다: ① 물건의 각 조각이 이가 맞지 않아 끝이 조금씩 어긋나 있다 ② 무게나 부피, 길이 따위가 어떤 기준에 조금 어그러져 있다 ㉰어긋어긋하다
아긋하다: ① 물건의 각 조각이 이가 맞지 않아 끝이 조금씩 어긋나 있다 ② 무게나 부피, 길이 따위가 어떤 기준에 조금 어그러져 있다 ㉰어긋하다
알긋알긋하다: 여럿이 다 알긋하거나 매우 알긋하다 ㉰일긋일긋하다
알긋하다: 한쪽으로 일그러진 듯하다 ㉰일긋하다
어긋맞다: 이쪽저쪽 어긋나게 마주 있다
어긋어긋하다: ① 물건의 각 조각이 이가 맞지 않아 끝이 약간씩 어긋나 있다 ② 무게나 부피, 길이 따위가 어떤 기준에 어그러져 있다 ㉮아긋아긋하다
어긋하다: ① 물건의 각 조각이 이가 맞지 않아 끝이 약간씩 어긋나 있다 ② 무게나 부피, 길이 따위가 어떤 기준에 어그러져 있다 ㉮아긋하다
틀림없다: 조금도 어긋나는 일이 없다 ㉫확적하다

1.8.53. 예리하다

극예하다(極銳): 몹시 날카롭다

날카롭다: 날이 서 있는 모습

서리하다(犀利): 단단하고 날카롭다 (예) 서리한 칼과 호미

예리하다(銳利): 冝날카롭다

예민하다(銳敏): 자극, 신경 등에 대한 반응이 빠르고 날카롭다

이롭다(利): 날이 서서 날카롭거나 끝이 뾰족하다

죽다: 칼날 같은 것이 무디다 (예) 날이 죽는 칼

1.8.54. 오그라진 모양

아옹하다: 굴이나 구멍 따위가 쏙 오므라져 들어가 있다

오그랑오그랑하다: 여러 군데가 오그랑하다 囝우그렁우그렁하다

오그랑쪼그랑하다: 여러 군데가 오그라지고 쪼그라져 있다 囝우그렁쭈그렁
    하다

오그랑하다: 한쪽으로 오목하게 오그라져 있다 囝우그렁하다

오글오글하다: 여러 군데가 오그라지고 주름이 잡혀 있다 囝우글우글하다

오글쪼글하다: 여러 군데가 오그라지고 쪼그라져 있다 囝우글쭈글하다

오긋오긋하다: 여럿이 다 안으로 조금 오그라진 듯하다 囝우긋우긋하다

오긋하다: 안으로 오그라진 듯하다 囝우긋하다

옥다: 안쪽으로 조금 오그라져 있다 囝욱다

우그렁우그렁하다: 여러 군데가 우그렁하다 囨오그랑오그랑하다

우그렁쭈그렁하다: 여러 군데가 우그러지고 쭈그러져 있다 囨오그랑쪼그랑
    하다

우그렁하다: 한쪽으로 오목하게 우그러져 있다 囨오그랑하다

우글쭈글하다: 여러 군데가 우그러지고 쭈그러져 있다 囨오글쪼글하다

우긋우긋하다: 여럿이 다 안으로 조금 우그러진 듯하다 囨오긋오긋하다

우긋하다: 안으로 우그러진 듯하다 囨오긋하다

욱다: 안쪽으로 조금 우그러져 있다 囨옥다

1.8.55. 오뚝한 모양

덩그맣다: 외따로 우뚝하다

돌올하다(突兀): 우뚝하다

오뚝오뚝하다: 여럿이 다 오뚝하다

오뚝하다: 작은 물체나 사람이 도드라지게 높이 솟아 있다
올연하다(兀然): 홀로 우뚝하다
올올하다(兀兀): 우뚝우뚝하다
우뚝우뚝하다: 여럿이 다 우뚝하다 떼올올하다
우뚝하다: 두드러지게 높이 솟아 있는 상태이다 떼돌올하다
참연하다(嶄然): 한층 더 우뚝하다
충연하다(衝然): 솟은 끝이 우뚝하다

1.8.56. 오목한 모양

오망하다: 납작하게 오목하다 큰우멍하다
오목오목하다: 군데군데 동그스름하게 푹 패거나 들어가 있는 상태이다 큰우묵우묵하다 딴볼록볼록하다
오목조목하다: 고르지 아니하게 오목오목하다 큰우묵주묵하다
오목하다: 가운데가 둥그스름하게 깊숙하다 큰우묵하다 딴볼록하다
옴쏙옴쏙하다: 여러 군데가 다 옴쏙하다 큰움쑥움쑥하다
옴쏙하다: 가운데가 쏙 들어가 오목하다 큰움쑥하다
옴파옴파하다: 여러 군데가 다 옴파하다 큰움퍽움퍽하다
옴파하다: 가운데가 좀 들어가 오목하다 큰움퍽하다
옴폭옴폭하다: 여러 군데가 다 옴폭하다 큰움푹움푹하다
옴폭하다: 가운데가 폭 들어가 오목하다 큰움푹하다
움쑥움쑥하다: 여러 군데가 다 움쑥하다 잭옴쏙옴쏙하다
움쑥하다: 가운데가 쑥 들어가 우묵하다 잭옴쏙하다
줄룩줄룩하다: 길게 생긴 물건이 군데군데 우묵하게 들어가 있다
쭐룩쭐룩하다: 길게 생긴 물건이 군데군데 매우 우묵하게 들어가 있다 예줄룩줄룩하다

1.8.57. 우람한 모양

우람스럽다: 매우 크고 웅장한 데가 있다
우람지다: 우람하게 생기다
우람하다: 산, 사람, 물건 따위가 크고 웅장하다

1.8.58. 움푹한 모양

움푹움푹하다: 여러 군데가 다 움푹하다 <u>좐</u>옴팍옴팍하다
움푹하다: 가운데가 우묵하게 쑥 들어간 데가 있다 <u>좐</u>옴팍하다
움푹움푹하다: 여러 군데가 다 움푹하다 <u>좐</u>옴폭옴폭하다
움푹하다: 가운데가 우묵하게 쑥 들어간 데가 있다 <u>좐</u>옴폭하다

1.8.59. 자국 모양

소말소말하다: 마맛자국이 점점이 얕게 얽어 있다
솜솜하다: 얼굴에 잘고 얕게 얽은 자국이 담상담상하다 <u>큰</u>숨숨하다
숨숨하다: 얼굴에 굵고 얕게 얽은 자국이 듬성듬성 있다 <u>좐</u>솜솜하다
알금삼삼하다: 잘고 얕게 얽은 자국이 드문드문 있다
알금알금하다: 잘고 얕게 얽은 자국이 듬성듬성 있다 <u>큰</u>얼금얼금하다
앍박앍박하다: 얼굴에 깊게 얽은 자국이 촘촘하게 있다 <u>큰</u>얽벅얽벅하다
앍작앍작하다: 얼굴에 잘고 굵은 것이 섞이어 얕게 얽은 자국이 촘촘하게 있다
　　<u>큰</u>얽적얽적하다
앍족앍족하다: 얼굴에 잘고 굵은 것이 섞이어 얕게 얽은 자국이 많다 <u>큰</u>얽죽얽
　　죽하다
얼금얼금하다: 굵고 얕게 얽은 자국이 듬성듬성 있다 <u>좐</u>알금알금하다
얽둑얽둑하다: 얼굴에 깊게 얽은 자국이 성기게 있다
얽벅얽벅하다: 얼굴에 깊게 얽은 자국이 촘촘하게 있다 <u>좐</u>앍박앍박하다
얽적얽적하다: 얼굴에 잘고 굵은 것이 섞이어 깊게 얽은 자국이 촘촘하게 있다
　　<u>좐</u>앍작앍작하다
얽죽얽죽하다: 얼굴에 잘고 굵은 것이 섞이어 깊게 얽은 자국이 많다 <u>좐</u>앍족앍
　　족하다

1.8.60. 작은 물형

극소하다(極小): 지극히 작다 <u>딴</u>극대하다
모이다: 작고도 여무지다
무한소하다(無限小): 더할 수 없이 작다 〈수〉 한없이 작아서 ○에 얼마든지
　　가까워지는 변수

미세하다(微細): 분간하기 어려울 만큼 작다

미소하다(微小): 썩 작다

비소하다(卑小): 보잘것없이 작다

소소하다(小小): 작고 대수롭지 아니하다

앙증하다: 모양이 제 격에 맞지 아니하게 작다

왜소하다(矮小): 몸뚱이가 작고 초라하다

자그마하다: 좀 작다 㭎자그맣다

자그맣다: '자그마하다'의 준말

자금자금하다: 여럿이 다 자그마하다

자잘하다: 여러 개가 다 잘다

자지레하다: '자질구레하다'의 준말

자질구레하다: 모두가 그만그만하게 잘고 시시하다 㭎자지레하다

자차분하다: 잘고도 차분하다

작다: ① 부피나 넓이 따위가 기준 이하이다 ② 규모나 범위, 그리고 정도
　　 따위가 대수롭지 않다 (예) 도량이 작다 ③ '작게는'으로 쓰이어 '범위를 좁힌
　　 다면'의 뜻으로 나타낸다 ④ '작은'으로 쓰이어 '치자'의 뜻을 나타낸다
　　 (예) 작은 고추가 더 맵다 䁖크다

작달막하다: 키가 몸피에 비하여 꽤 작다

작디작다: 몹시 작다

조그마하다: 좀 작거나 적다

조그맣다: '조그마하다'의 준말

지세하다(至細): 아주 가늘거나 작다

쪼그마하다: 아주 조그마하다 㭎쪼그맣다 䀧조그마하다

쪼그맣다: '쪼그마하다'의 준말

1.8.61. 잘록한 모양

잘똑하다: 기다란 물건의 한 부분이 깊게 패어 오목하다 䄃짤똑하다 䁣질뚝
　　 하다

잘록잘록하다: 기다란 물건의 여러 군데가 패어 들어가 오목하다 䄃짤록짤록
　　 하다 䁣질룩질룩하다

잘록하다: 기다란 물건의 한 군데가 패어 들어가 오목하다 䄃짤록하다 䁣질룩
　　 하다

잘쏙잘쏙하다: 긴 물건의 여러 군데가 오목하게 들어가 잘록하다 센짤쏙짤쏙
하다 른질쑥질쑥하다

잘쏙하다: 긴 물건의 한 부분이 오목하게 쏙 들어가 있다 센짤쏙하다 른질쑥
하다

질뚝하다: 기다란 물건의 한 부분이 깊게 패어 우묵하다 좌잘뚝하다

질룩질룩하다: 기다란 물건의 여러 군데가 얕게 패어 우묵하게 들어간 데가
있다 좌잘록잘록하다

질룩하다: 기다란 물건의 한 군데가 얕게 패어 들어가 우묵하다 좌잘록하다

질쑥질쑥하다: 긴 물건의 여러 군데가 우묵하게 들어가 질룩하다 센찔쑥찔쑥
하다 좌잘쏙잘쏙하다

질쑥하다: 긴 물건의 한 부분이 우묵하게 쑥 들어가 있다 센찔쑥하다 좌잘쏙
하다

짤뚝짤뚝하다: 기다란 물건이 군데군데 깊게 패어 오목하다 여잘뚝잘뚝하다

짤뚝하다: 기다란 물건의 한 부분이 깊게 패어 오목하다 여잘뚝하다

짤록짤록하다: 기다란 물건의 여러 군데가 패어 들어가 오목하다 여잘록잘록
하다 른찔룩찔룩하다

짤록하다: 기다란 물건의 한 군데가 패어 들어가 오목하다 여잘록하다 른찔룩
하다

짤쏙짤쏙하다: 긴 물건의 여러 군데가 오목하게 들어가 잘록하다 여잘쏙잘쏙
하다 른찔쑥찔쑥하다

짤쏙하다: 긴 물건의 한 부분이 오목하게 쏙 들어가 있다 여잘쏙하다 른찔쑥
하다

짤쑥짤쑥하다: 긴 물건의 여러 군데가 쑥 들어가게 질룩하다 여잘쑥잘쑥하다
른찔쑥찔쑥하다

짤쑥하다: 긴 물건의 한 부분이 쑥 들어가게 질룩하다 른찔쑥하다

쫑긋하다: 입술이나 귀 따위가 빳빳하게 세워져 있거나 뾰족이 내밀려 있다

찔룩찔룩하다: 기다란 물건의 여러 군데가 얕게 패어 우묵하게 들어간 데가
있다 좌짤록짤록하다

찔룩하다: 기다란 물건의 한 군데가 얕게 패어 들어가 우묵하다 좌짤록하다

찔쑥찔쑥하다: 긴 물건의 여러 군데가 우묵하게 들어가 질룩하다 여질쑥질쑥
하다 좌짤쏙짤쏙하다

찔쑥하다: 긴 물건의 한 부분이 우묵하게 쑥 들어가다 여질쑥하다 좌짤쏙하다

1.8.62. 짜임새 모양

날쌍날쌍하다: 여럿이 다 날쌍하다 💬늘썽늘썽하다
느리다: 꼬임새나 짜임새가 느슨하다
느릿느릿하다: 짜임새나 꼬임새가 매우 느슨하거나 성기다
늘썽늘썽하다: 〈북한어〉 여럿이 다 늘썽하다 🔲날쌍날쌍하다
늘썽하다: 천, 대나무 따위의 짜임새나 엮음새가 설핏하다 🔲날쌍하다
무덕지다: '무드럭지다'의 준말
무드럭지다: 한데 수북이 쌓여 있거나 뭉쳐 있다 💬무덕지다
버슬버슬하다: 물기가 적어 버스러지기 쉽다
어근버근하다: 꼬임새나 짜임새 따위가 맞지 않고 고르지 않게 벌어져 있다
　　🔲아근바근하다
희박하다(稀薄): 기체, 액체 따위의 농도나 밀도가 엷거나 낮다

1.8.63. 짧다

강동하다: 겉에 입은 것이 아랫도리나 또는 속옷이 드러날 만큼 좀 짧다 💬깡똥하다
건둥하다: 흐트러짐이 없이 정돈되어 시원스럽게 훤하다
깐동깐동하다: 여럿이 다 깐동하다 💬껀둥껀둥하다
깐동하다: 겉에 입은 것이 짧은 아랫도리나 또는 속옷이 드러날 만큼 매우
　　짧다 💬껀둥하다
깐동하다: 흐트러짐이 없이 잘 정돈되어 단출하다 💬간동하다 💬껀둥하다
깡똥깡똥하다: 여럿이 다 깡똥하다
깡똥하다: 겉에 입은 것이 짧은 아랫도리나 또는 속옷이 드러날 만큼 매우
　　짧다
껀둥하다: 매우 건둥하다 💬건둥하다 🔲깐동하다
껑둥껑둥하다: 여럿이 다 껑둥하다 💬건둥건둥하다 🔲깡동깡동하다
껑둥하다: 겉에 입은 것이 아랫도리나 또는 속옷이 드러날 만큼 매우 짧다
　　💬건둥하다 🔲깡동하다
단소하다(短小): 짧고 작다
덜름하다: 입은 옷이 몸에 비하여 길이가 짧다
뎌르다: '짧다'의 옛말.

120

몽땅몽땅하다: 낱낱이 다 몽땅하다 ⟨거⟩몽탕몽탕하다 ⟨큰⟩뭉떵뭉떵하다

몽땅하다: 끊어서 몽쳐 놓은 것처럼 짤막하다 ⟨거⟩몽탕하다 ⟨큰⟩뭉떵하다

몽탕몽탕하다: 낱낱이 다 몽탕하다 ⟨센⟩몽땅몽땅하다 ⟨큰⟩뭉텅뭉텅하다

몽탕하다: 끊어서 뭉쳐 놓은 것처럼 짤막하다 ⟨센⟩몽땅하다 ⟨큰⟩뭉텅하다

몽톡몽톡하다: 낱낱이 다 몽톡하다 ⟨센⟩몽똑몽똑하다 ⟨큰⟩뭉툭뭉툭하다

몽톡하다: 굵직하면서도 매우 짤막하다 ⟨센⟩몽똑하다 ⟨큰⟩뭉툭하다

뭉떵뭉떵하다: 낱낱이 다 뭉떵하다 ⟨거⟩뭉텅뭉텅하다 ⟨작⟩몽땅몽땅하다

뭉떵하다: 끊어서 뭉뚱그려 놓은 것처럼 짤막하다 ⟨거⟩뭉텅하다 ⟨작⟩몽땅하다

뭉뚝하다: 굵으면서 짤막하다 ⟨거⟩뭉툭하다 ⟨작⟩몽똑하다

뭉텅뭉텅하다: 낱낱이 다 뭉텅하다 ⟨센⟩뭉떵뭉떵하다 ⟨작⟩몽탕몽탕하다

뭉텅하다: 끊어서 뭉쳐 놓은 것처럼 짤막하다 ⟨센⟩뭉떵하다 ⟨작⟩몽탕하다

뭉툭뭉툭하다: 낱낱이 다 뭉툭하다 ⟨센⟩뭉뚝뭉뚝하다 ⟨작⟩몽톡몽톡하다

뭉툭하다: 굵으면서 매우 짤막하다 ⟨센⟩뭉뚝하다 ⟨작⟩몽톡하다

밭다: 길이가 보통보다 짧다

살망하다: 옷이 몸에 맞지 않고 짧다 ⟨큰⟩설멍하다

설멍하다: 옷이 몸에 맞지 않고 짧다 ⟨작⟩살망하다

짜름하다: 조금 짧은 듯하다

짤따랗다: 꽤 짧다 ⟨반⟩기다랗다

짤막짤막하다: 여러 개가 모두 짤막하다

짤막하다: 길이가 조금 짧은 듯하다

쩌르다: ‘짧다’의 경남 방언

1.8.64. 처진 모양

날캉날캉하다: 매우 물러서 조금씩 늘어져 처지게 될 듯하다 ⟨큰⟩늘컹늘컹하다

날큰날큰하다: 물러서 조금씩 자꾸 늘어질 듯하다 ⟨큰⟩늘큰늘큰하다

날큰하다: 물러서 조금씩 늘어질 듯하다 ⟨큰⟩늘큰하다

청처짐하다: 아래쪽으로 좀 처진 듯하다

1.8.65. 큰 물형

가없다: 끝이 보이지 않을 만큼 아주 크고 넓다

강대하다(強大): 힘세고 크다

거대하다(巨大): 엄청나게 크다

광대하다(廣大): 너르고 크다

굉대하다(宏大): 굉장하게 크다

굉장하다: 크고 으리으리하다

극대하다(極大): 더할 수 없이 크다

껑충껑충하다: 여럿이 다 껑충하다

껑충하다: 키가 멋없이 크고 다리가 길다

낙낙하다: 크기가 겨냥보다 조금 크다 圖넉넉하다

다대하다(多大): 많고도 크다

더넘스럽다: 쓰기에 알맞은 정도 이상으로 크다

땅딸막하다: 키가 짤막하고 옆으로 딱 바라지다

막대하다(莫大): 더할 수 없이 크다

머쓱하다: 어울리지 아니하게 키가 크다

멀쑥하다: 멋없이 키가 크고 묽게 생겼다

방대하다(尨大): 엄청나게 크거나 많다

살다: 크기가 기준이나 표준보다 약간 크다 (예) 이 설주는 저쪽이 더 살았다

심대하다(甚大)[1]: 매우 크다

심대하다[2]: 길고도 크다

웅건하다(雄建): 웅대하고 건강하다

웅기웅기하다: 크기가 비슷한 것들이 듬성듬성 모여 있다 圖웅기웅기하다

웅기중기하다: 크기가 고르지 않은 것들이 듬성듬성 모여 있다 圖웅기종기

웅대하다(雄大): 웅장하게 크다

웅위하다(雄偉): 크고 거룩하다

육중하다(肉重): 덩치가 크고 무겁다

장대하다(長大)[1]: 길고 크다

장대하다(張大)[2]: 규모가 넓고 크다

장대하다(壯大)[3]: 씩씩하고 크다

저대하다(著大): 드러나게 크다

절대하다(絶大): 더할 나위 없이 크다

지대하다(至大): 아주 크다

커다랗다: 꽤 크다 圖커닿다 圖거대하다

크나크다: 매우 크다

크넓다: 크고 넓다

크다: ① 길이나 넓이 따위가 기준 이상이다 ② 규모나 범위 또는 정도 따위가
　　대단하다 <u>반</u>작다

크디크다: 몹시 크다

큼직큼직하다: ① 여럿이 다 큼직하다 ② 매우 큼직하다

큼직하다: 꽤 크다

홍대하다(洪大): 썩 크다 〈한의학〉 맥의 뜀이 보통보다 크다

후리후리하다: 키가 크고 늘씬하다

훌쭉하다: 길이에 비하여 몸통이 아주 가늘다 (예) 키가 훌쭉하게 크다

1.8.66. 털 모양

검숭검숭하다: 군데군데 모두 검숭하다

검숭하다: 잔털 따위가 드물게 나서 거무스름하다

나스르르하다: 가늘고 보드라운 털이나 풀 따위가 짧고 성기게 나 있다 <u>큰</u>너스
　　르르하다

나슬나슬하다: 가늘고 짧은 풀이나 털 따위가 보드랍고 성기다 <u>큰</u>너슬너슬
　　하다

너스르르하다: 굵고 길고 부드러운 풀이나 털 따위가 성기고 어설프다 <u>작</u>나스
　　르르하다

너슬너슬하다: 굵고 긴 풀이나 털 따위가 부드럽고 성기다 <u>작</u>나슬나슬하다

놀놀하다: 털이나 싹 같은 것이 빛깔이 흐리게 누르스름하다 <u>큰</u>눌눌하다

눌눌하다: 털이나 풀 같은 것이 빛깔이 흐리게 누르스름하다 <u>작</u>놀놀하다

다모하다(多毛): 털이 많다

다보록다보록하다: ① 풀이나 작은 나무 따위가 여럿이 다 탐스럽게 소복하다
　　② 수염이나 머리털 따위가 짧고 촘촘하게 많이 나서 소담하다

다보록하다: ① 풀이나 작은 나무 따위가 탐스럽게 소복하다 ② 수염이나 머리
　　털 따위가 짧고 촘촘하게 많이 나서 소담하다 <u>비</u>소복하다 <u>큰</u>더부룩하다

더부룩하다: ① 풀이나 나무 따위가 거칠게 수북하다 ② 수염이나 머리털 따위
　　가 좀 길고 촘촘하게 많이 나서 어지럽다 <u>작</u>다보록하다

덥수룩하다: 더부룩하게 많이 난 수염이나 머리털이 어수선하게 덮여 있다

바스스하다: 머리털 같은 것이 조금 어지럽게 일어나거나 흩어져 까칠하다

봉송하다(鬖鬆): 머리털이 흩어져 부스스하다

부스스하다: 머리털 같은 것이 어지럽게 일어나거나 흩어져 거칠하다 <u>작</u>바스

스하다

성성하다(星星): 머리털이 희끗희끗하다

에부수수하다: 정돈되지 아니하여 어수선하고 엉성하다

짙다: 털 같은 것이 촘촘하다

칙칙하다: 머리털이나 술 따위가 배서 짙고 어둡다

탑소록하다: 수염이나 머리털이 배게 나 어수선하거나 다보록하다 [큰]텁수룩
하다

텁수룩하다: 수염이나 머리털이 배게 나 어수선하거나 더부룩하다 [작]탑소록
하다

푸수수하다: 정돈이 되지 아니하여 어수선하고 엉성하다

함함하다: 털이 보드랍고 반지르르하다

1.8.67. 틈 모습

발록하다: 구멍이나 틈이 조금 바라져 있다 [큰]벌룩하다

버근하다: 힘없이 버긋하다

버긋하다: 맞붙인 틈이 벌어져 있다

버름버름하다: 군데군데 틈이 조금씩 벌어져 있다

버름하다: 물건이 서로 맞지 않아 틈이 좀 벌어져 있다

버성기다: 벌어져서 틈이 있다

벋버듬하다: 사이가 틀려 틈이 벌어져 있다

벌룩벌룩하다: 틈이나 구멍이 여럿이 다 조금 크게 벌어져 있다 [작]발록발록
하다

벌룩하다: 구멍이나 틈이 벌어져 있다 [작]발록하다

벌름하다: 탄력 있는 물체가 우므러져 있지 않고 조금 벌어져 있다 [작]발름하다

불철저하다: 속속들이 꿰뚫어 미치지 못하여 빈틈이나 모자람이 있다

빠끔하다: 작은 구멍이나 틈이 깊고 뚜렷하게 벌어져 있다 [큰]뻐끔하다

뻐끔뻐끔하다: 여러 군데가 다 뻐끔하다 [작]빠끔빠끔하다

뻐끔하다: 큰 구멍이나 틈 따위가 깊고 뚜렷하게 나 있다 [작]빠끔하다

아기똥하다: 조금 틈이 나 있다

찜없다: 맞붙은 틈에 흔적이 조금도 없다

1.8.68. 팽팽한 모습

늦다: 매여 있는 것이 팽팽하지 아니 하다

댕댕하다: 살이 몹시 찌거나 붓거나 하여 팽팽하다 **거**탱탱하다 **센**땡땡하다
　　른딩딩하다

땡땡하다: 살이 몹시 찌거나 붓거나 하여 팽팽하다 **여**댕댕하다 **른**띵띵하다

띵띵하다: 살이 몹시 찌거나 붓거나 하여 아주 팽팽하다 **거**팅팅하다 **여**딩딩하
　　다 **작**땡땡하다

타이트하다(tight): ① 옷 따위가 몸에 꼭 끼이는 듯하다 ② 팽팽하다, 탄탄하다

팽팽하다: 한껏 팽창하여 있다

1.8.69. 평평하다

민틋하다: 울퉁불퉁한 곳이 없이 평평하고 비스듬하다

지질펀펀하다: 울퉁불퉁한 데가 없이 너르게 평평하다

평편하다(平便): 평평하고 펀펀하다

평활하다(平滑): 평평하고 미끄럽다

평활하다(平闊): 평평하고 넓다

탄평하다(坦平): **비**평탄하다

평탄하다(平坦): 넓고 평평하다 **비**탄평하다

1.8.70. 풀 모습

나스르르하다: 가늘고 짧은 풀이나 털 따위가 성기고 가지런하다 **른**너스르르
　　하다

나슬나슬하다: 가늘고 짧은 풀이나 털 따위가 보드랍고 성기다 **른**너슬너슬
　　하다

너스르르하다: 굵고 길고 부드러운 풀이나 털이 성기고 어설프다 **작**나스르르
　　하다

너슬너슬하다: 굵고 긴 풀이나 털 따위가 부드럽고 성기다 **작**나슬나슬하다

눌눌하다: 털이나 풀 같은 것이 빛깔이 흐리게 누르스름하다 **작**놀놀하다

다보록다보록하다: 여럿이 다 다보록하다 **른**더부룩더부룩하다

다보록하다: 풀이나 나무 따위가 탐스럽게 소복하다 **른**더부룩하다

다복다복하다: 풀이나 나무 따위가 여기저기 아주 탐스럽게 소복하다 **큰**더북
　　더북하다

다옥하다: 초목 따위가 자라서 우거져 있다

더부룩더부룩하다: 여럿이 다 더부룩하다 **작**다보록다보록하다

더부룩하다: 풀이나 나무 따위가 상당히 무성하다 **작**다보록하다

더북더북하다: 풀이나 나무 따위가 곳곳에 매우 더부룩하다 **작**다복다복하다

수득수득하다: 풀이나 뿌리 따위가 시들고 말라서 거칠다 **작**소득소득하다

수들수들하다: 풀이나 뿌리 따위가 시들어서 생기가 없다 **작**소들소들하다

애애하다(藹藹): 풀이나 나무 따위가 무성하다

우부룩하다: 풀이나 나무 따위가 한 데 많이 모여 더부룩하다 **작**오보록하다

우북하다: '우부룩하다'의 준말 **작**오복하다

의의하다(依依): 풀이 무성하여 싱싱하게 푸르다

짙다: 풀이나 나무 따위가 빽빽하다

짙디짙다: 매우 짙다

1.8.71. 피륙 모습

곱다: 피륙 따위의 올이 썩 가늘다

존존하다: 피륙의 짜임이 곱고도 올이 고르다 **센**쫀쫀하다

짯짯하다: 나무의 결이나 피륙의 바탕 따위가 깔깔하고 연하다 **큰**쩟쩟하다

쩟쩟하다: 나무의 결이나 피륙의 바탕 따위가 껄껄하고 뻣뻣하다 **작**짯짯하다

쫀쫀하다: 피륙의 짜임이 톡톡하고 곱고도 올이 고르다 **여**존존하다

톡톡하다: 피륙 따위의 바탕이 두껍거나 도톰하다 **큰**툭툭하다

홀보드르르하다: 피륙 따위가 하르르하고 보드랍다 **큰**훌부드르르하다

홀보들하다: 피륙 따위가 하르르하고 매우 보드랍다 **큰**훌부들하다

훌부드르르하다: 피륙 따위가 가볍고 매우 부드럽다 **작**홀보드르르하다

훌부들하다: 피륙 따위가 흐르르하고 매우 부드럽다 **작**홀보들하다

1.8.72. 휘어지다

굽다: 한쪽으로 휘어져 있다 **작**곱다

휘우듬하다: 약간 휘어져 뒤로 자빠질 듯 비스듬하다

휘움하다: 약간 휘어져 있다

1.8.73. 흩어지다

건성드뭇하다: 비교적 많은 수효의 것이 듬성듬성 흩어져 있다
보슬보슬하다: 잘게 바스러지기 쉽거나 물기가 적어 잘 엉기지 않고 흐트러지
　　기 쉽다 **게**포슬포슬하다 **큰**부슬부슬하다
산만하다(散漫): 어수선하여 질서나 통일성이 없다
편산하다(偏産): 곳곳에 널리 흩어져 있다

1.8.74. 기타

검적검적하다: 검은 얼룩이나 점들이 여기저기 크게 박혀 있다
날카롭다: 선이 가늘고 힘 있다
무결하다(無缺): 흠이 없다
새들새들하다: 조금 시들어서 생기가 없다 **큰**시들시들하다
세로지다: 세로로 되어 있다 **반**가로지다
세모지다: 세 모가 나 있다
얼키설키하다: 이리저리 어지럽게 얽혀 있다 **여**얼기설기하다
오그랑오그랑하다: 여러 군데가 안쪽으로 오목하게 들어가고 주름이 많이 잡
　　힌 데가 있다
올곡하다: 실이나 노끈 따위가 너무 꼬여서 비비 틀려 오그랑오그랑하다
조애하다(阻隘): 험하고 좁다
타래타래하다: 노끈이나 실 따위가 동글게 뱅뱅 틀어진 데가 있다 **큰**트레트레
　　하다
트레트레하다: 실이나 노끈, 새끼 따위가 둥글게 빙빙 틀어져 있다 **작**타래타래
　　하다
한건하다(暵乾): 논밭이 가뭄을 잘 타는 성질이 있다
황무하다(荒蕪): 논밭 따위를 거두지 아니하여 몹시 거칠다

02. 재능형용사

2.1. 기억

꿈같다: 기억에 흐릿하다
새까맣다: 기억에 전혀 없다 團새카맣다
아렴풋하다: 기억이 또렷하지 아니하고 흐릿하다 國어렴풋하다
아령칙하다: 기억이 긴가민가하여 꺼림칙하다
아슴푸레하다: 기억에 똑똑하게 떠오르지 아니하고 좀 희미하다
어렴풋하다: 기억이나 생각이 뚜렷하지 않고 매우 흐릿하다 國아렴풋하다
의의하다(依依): 옛 기억이 어렴풋하다
꺼물꺼물하다: 기억이나 의식 따위가 몹시 어렴풋하여 기억이나 정신이 있는
　　둥 마는 둥하다 예거물거물하다 國까물까물하다
총명하다(聰明): 듣고 볼 것을 오래 기억하는 힘이 있다
하리다: 기억력이나 판단력 따위가 조금 분명하지 아니하다 國흐리다
하리타분하다: 하리고 타분하다 國흐리터분하다
하릿하다: 〈북한어〉 기억력 따위가 약간 흐릿하다

2.2. 능력

가능하다: 할 수 있거나 할 수 있다
노련하다: 오랜 경험을 쌓아 익숙하고 능란하다
능간하다(能幹): 일을 잘 감당해 나갈 만한 능력이나 재간이 있다
능소능대하다(能小能大): 모든 일에 두루 능하다
능숙하다: 능하고 익숙하다
능하다: 무슨 일에 막히거나 서투를 데가 없다
다능하다: 여러 가지에 능하다
무능력하다: 일을 해낼 만한 힘이 없다
무능하다: 능력이 없다
무소불능하다(無所不能): 무엇에든지 다 능하다
분별없다: 올바른 판단을 가질 만한 능력이 없다
불능하다: 능력이 없다
약하다: 능력, 지식, 기술 따위가 모자라거나 낮다 (예) 실력이 약하다

장하다(長): 무슨 일에 아주 능하다

전지전능하다(全知全能): 모든 것에 대하여 다 알고 다 능하다

2.3. 둔하다

노둔하다(老鈍)¹: 늙고 둔하다

노둔하다(駑鈍)²: 둔하고 미련하다

둔하다: ① 느끼거나 깨닫는 힘이 느리고 무디다 ② 머리나 재주가 무디다

불초하다(不肖): ① 못나고 어리석다 ② 어버이의 덕망이나 일을 이를 만한
　　재질이 없다

아둔하다: 영리하지 못하고 머리가 매우 둔하다

암둔하다(闇鈍): ⨌우둔하다

어리석다: 생각이 모자라고 둔하다

용우하다(庸愚): 용렬하고 어리석다

지둔하다(至鈍): 몹시 둔하다

질둔하다(質鈍): 투미하고 둔하고

행망쩍다: 주의력이 없고 아둔하다

2.4. 똑똑하다

도랑도랑하다: 말이나 행동 따위가 매우 똑똑하고 거리낌이 없다

도랑방자하다(跳踉放恣): 지나치게 똘똘하고 거리낌이 없다 回도랑하다

도랑하다(跳踉): 행동이나 생각하는 것이 제멋대로이다 回도랑방자하다

돌돌하다: 똑똑하고 영리하다 쎈똘똘하다

돌올하다(突兀): 뛰어나게 똘똘하다

되바라지다: 어린 나이에 말과 행동에 어수룩한 구석이 없고 얄밉도록 지나치
　　게 똑똑하다

똘똘하다: 매우 똑똑하고 영리하다 여돌돌하다

맹랑하다: 만만히 볼 수 없을 만큼 똘똘하고 깜찍하다

명명하다(明明): 또렷하고 똑똑하다

명석하다(明晳): 분명하고 똑똑하다

미형하다(未瑩): 똑똑하지 못하다

요요하다(了了): 눈치가 빠르고 똑똑하다

2.5. 뜻

그윽하다: 뜻이나 생각이 깊다
득돌같다: 뜻에 꼭꼭 잘 맞다
무연하다(憮然): 크게 낙심하여 허탈해하거나 멍하다
미협하다: 뜻이 서로 맞지 아니하다
불합하다: 뜻이 서로 맞지 아니하다
상득하다: 뜻이 서로 맞다
소안하다(小安): 작은 일에 만족하고 큰 뜻이 있다
심각하다: 품은 뜻이 깊고 간곡하다
의외롭다: 뜻밖이라는 느낌이 있다
의합하다(意合): 뜻이 맞다
적의하다(適意): 마음에 맞다
홍의하다(弘毅): 뜻이 넓고 굳세다

2.6. 멍청하다

망연하다(茫然): 아무 생각 없이 멍하다
무자각하다(無自覺): 자각함이 없다
벙하다: 얼빠진 사람처럼 멍하다 쎈뼁하다
뼁뼁하다: ① 어찌할 바를 몰라 말없이 매우 어리둥절하다 ② 어찌 하라고
　　　말을 딱 끊어서 하기가 어렵다 예벙벙하다
뼁하다: 어찌할 바를 몰라 말없이 얼이 빠져 있다 예벙하다
어벌쩡하다: 제 말이나 행동을 믿게 하려고 말이나 행동을 일부러 슬쩍 어물거
　　　려 넘기다
엄벙하다: ① 말이나 행동이 착실하지 못하고 과장되어 실속이 없다 ② 〈북한
　　　어〉 어리둥절하여 정신을 차리지 못하고 있다
우미하다(愚迷): 멍청하다

2.7. 사리(事理)·판단

광세하다(曠世): 세상에 드물다
농매하다(聾昧): 사리에 어둡다

130

매매하다(昧昧): 세상사에 어둡다

매사하다(昧事): 사리에 어둡다

명철하다(明哲): 사리에 아주 밝다

무분별하다(無分別): 분별이 없다

미거하다(未擧): 철이 없고 사리에 어둡다

불명하다(不明): 사리에 어둡다

상없다(常): 보통의 이치에서 벗어나 막되고 상스럽다

생경하다(生硬): 세상 물정에 어둡고 완고하다

소매하다(素昧): 견문이 좁고 사리에 어둡다

소양배양하다: 나이가 젊어서 함부로 날뛰기만 하고 분수나 철이 아직 없다

오괴하다(迂怪): 사리에 어둡고 괴상하다

오망스럽다: 사리에 어둡고 요망스럽다

오망하다(迂妄): 하는 짓이나 태도가 괴상하고 요망스럽다 ㊂우망하다

온당하다(穩當): 사리에 어그러지지 아니하고 마땅하다

옳다: 사리에 맞고 바르다

원숙하다: 빈틈없이 능숙하다

절당하다(切當): 사리에 꼭 들어맞다

정숙하다(精熟): 정통하고 능숙하다

지각없다: 철없다

철없다: 사시를 분간할 힘이 없다

초망하다(草莽): 촌스럽고 뒤떨어져서 세상일이 어둡다

통창하다(通暢): 조리가 분명하고 밝다

투철하다(透徹): 사리에 밝고 확실하다

판연하다(判然): 아주 명백하게 드러나 있다

해반드르르하다: 이치에 맞게 꾸며 대어 그럴싸하다

해반들하다: '해반드르르하다'의 준말

현연하다(顯然): 드러남이 환하다

현철하다(賢哲): 어질고 사리에 맞다

호도하다(糊塗): 사리에 어두워서 흐리터분하다

혼계하다(昏季): 나이가 젊고 세상물정에 어둡다

혼매하다(昏昧): 어리석고 사리에 어둡다

혼미하다(昏迷): 하는 짓이나 됨됨이가 어리석고 미련하며 사리에 어둡다

혼암하다(昏暗)[1]: ▣혼암하다(昏闇)

혼암하다(昏闇)²: 어리석고 못나서 일에 어둡다
희번드르르하다: 사리에 맞게 훤히 꾸며대다 團해반드르르하다

2.8. 솜씨

깔끔하다: 솜씨가 야물고 깔깔하다 團끌끔하다
깔밋하다: 손끝이 여물다 團끌밋하다
끌끔하다: 솜씨가 여물고 알뜰하다 團깔끔하다
끌밋하다: 손끝이 야물다 團깔밋하다
노성하다(老成): 글이나 솜씨 따위가 착실하고 세련되다
능란하다: 익숙하고 솜씨가 있다 (예) 능란한 솜씨
반반하다: 일솜씨가 깔끔하다 (예) 그런 일도 반반하게 처리 못하나?
설부르다: 솜씨가 설고 어설프다
쑬쑬하다: 솜씨 따위가 원만하고 무던하다 團쏠쏠하다
쏠쏠하다: 솜씨 따위가 원만하고 무던하다 團쑬쑬하다
안고수비하다(眼高手卑): 눈은 높으나 솜씨는 서툴다
오밀조밀하다: 공예에 관한 솜씨가 매우 세밀하고 교묘하다 團정묘하다
익숙하다: 여러 번 하여 보아서 솜씨가 있다
정묘하다(精妙): 정밀하고 묘하다
활수하다(滑手): 무엇이거나 아끼지 않고 쓰는 솜씨가 시원스럽다

2.9. 슬기롭다

교혜하다(巧慧): 교묘하고도 슬기롭다
내명하다(內明): 겉으로 보기에는 어리숙하나 속은 슬기롭다
민혜하다(敏慧): 재빠르고 슬기롭다
성발하다(性發): 團영리하다
슬기롭다: 슬기가 있다
영리하다(怜悧): 눈치가 빠르고 똑똑하다 團성발하다
예철하다(睿哲): 슬기롭고 사리에 밝다
지교하다(智巧): 슬기롭고 교묘하다
지혜롭다: 슬기롭다
총달하다(聰達): 슬기롭고 사리에 밝다

혜민하다(慧敏): 재빠르고 슬기롭다 <u>비</u>민혜하다

2.10. 어리석다

덩둘하다: 매우 둔하고 어리석다

매욱스럽다: 매욱한 듯하다 <u>큰</u>미욱스럽다

매욱하다: 어리석고 아둔하다 <u>큰</u>미욱하다

맹하다: 조금 멍청한 듯하다

멍청하다: 어리석고 정신이 흐릿하여 사물을 똑똑하게 처리하는 힘이 없다

멍하다: 멍청한 듯하다

아리송하다: 긴가민가하여 똑똑히 분간하기 어렵다 <u>큰</u>어리송하다

어리뜩하다: 말이나 행동이 똑똑하지 못하고 어리석어 보이는 데가 있다

어리숙하다: 겉모습이나 언행이 치밀하지 못하여 순진하고 어리석은 데가
　　있다

어리숭하다: 어리석은 듯하다

어리어리하다: ① 여럿이 다 모두 뒤섞여 뚜렷하게 분간하기 어렵다 ② 말이나
　　행동 따위가 다부지지 못하고 어리석은 듯하다 ③ '으리으리하다'의 경상
　　북도 영일지방 방언

어리칙칙하다: 능청스레 어리석은 체하는 태도가 있다

어수룩하다: 겉모습이나 언행이 치밀하지 못하여 순진하고 어설픈 데가 있다

어스름하다: 빛이 조금 어둑하다 <u>비</u>어스레하다

얼쑹덜쑹하다: 그런 것 같기도 하고 그렇지 아니한 것 같기도 하여 얼른 분간
　　이 잘 안 되는 상태이다 <u>좌</u>알쏭달쏭하다

얼쑹하다: 몹시 어리숭하다 <u>좌</u>알쏭하다

우둔하다(愚鈍): 어리석고 둔하다

우람하다(愚濫): 어리석어서 분수를 모르고 외람하다

우로하다(愚魯): 어리석고 매우 둔하다

우루하다(愚陋): 어리석고 고루하다

우매하다(愚昧): <u>=</u>어리석다

우몽하다(愚蒙): 어리석다

우열하다(愚劣): 어리석고 못나다

우졸하다(愚拙): 어리석고 못나다

우하다(愚): 어리석다

유소하다(幼少): 어리다

유약하다(幼弱): 어리고 약하다

유충하다(幼沖): 어리다

전매하다(全昧): 아주 어리석어서 답답하다

졸우하다(拙愚): 옹졸하고 못나며 어리석다

지우하다(至愚): 아주 어리석다

치둔하다(癡鈍): 어리석고 둔하다

투미하다: 어리석고 둔하다

혼우하다(昏愚): 아무것도 모르고 어리석다

2.11. 영리하다

밝다: 영리하고 슬기롭다

백령백리하다(百怜百俐): 여러 일에 매우 영리하다

분명하다: 영리하고 똑똑하다

엽렵스럽다: 썩 영리하고 날렵한 데가 있다

엽렵하다: 슬기롭고 민첩하다

영토하다: 영리하고 똑똑하다

2.12. 영명하다

영달하다(英達): ≡영명하다

영명하다(英明): 영민하고 총명하다

영오하다(穎悟): ≡영명하다

영준하다(英俊): 영민하고 준수하다

영철하다(英哲): 영명하고 사리에 밝다

2.13. 영특하다

영걸스럽다: 영걸한 데가 있다

영걸하다(英傑): 영특하고 기상이 걸출하다

영무하다(英武): ≡영용하다

영민하다(英敏): 영특하고 민첩하다

영용하다(英勇): 영특하고 용맹하다
영위하다(英偉): 영걸스럽고 위대하다
영특하다(英特): 영걸스럽고 특이하다

2.14. 이치

매섭다: 이치에 맞고 날카롭다 (예) 매서운 필봉
부정당하다(不正當): 이치에 맞지 아니하다
불합리하다: 이치나 논리에 맞지 아니하다
영성하다(英聖): 학덕(學德)이 뛰어나고 사리에 밝다
이곡하다(理曲): 이치에 어그러지다
이궁하다(理窮): 이치 또는 사리가 막혀 어쩔 도리가 없다
통투하다(通透): 이치나 상황을 뚫어지게 깨달아 환하다
패리하다(悖理): 이치나 도리에 어그러져 있다
합리하다(合理): 이론이나 이치에 맞다

2.15. 잔꾀

기교하다(機巧): 잔꾀와 솜씨가 매우 잽싸다
꾀바르다: 어려운 일을 잘 피하는 꾀가 많다
담략하다: 꾀가 많다
발밭다: 기회를 재빠르게 붙잡아 바싹바싹 달려들어 이용하는 소질이 있다
아금받다: ① 무슨 기회든지 재빠르게 붙잡아 이용하는 소질이 있다 ② 야무지
　　고 다부지다
애바르다: ① 이익을 좇아 발밭게 덤비다 ② 안타깝게 마음을 쓰는 정도가
　　심하다
애살스럽다: 군색하고 애바른 데가 있다
약다: 제게 이롭게만 부르는 꾀가 있다
약삭빠르다: 꾀가 있고 민첩하여 매우 약빠르다
약삭스럽다: 약삭빠른 듯하다

2.16. 재주·재치

경발하다(警拔): 착상 따위가 아주 독특하고 뛰어나다
공지하다(工遲): 재주는 있으나 솜씨는 더디다
기경하다(機警): 재빠르고 재치가 있다
기발하다(奇拔): 재치가 유달리 뛰어나다
능간하다(能幹): 일을 잘 감당해 나갈 만한 능력이나 재간이 있다
능갈맞다: 얄밉도록 몹시 능청스럽다
다재하다(多才): 재주가 많다
돌올하다(突兀): 뛰어나게 똘똘하다
묘하다: 수완이나 재주 따위가 남달리 뛰어나거나 약빠르다
분수없다: 무엇을 분멸할 만한 슬기가 없다
수걸하다(秀傑): 재주와 기상이 남보다 빼어나다
영발하다(英發)¹: 재기(才氣)가 두드러지게 드러나다
영발하다(穎發)²: 총기(聰氣)가 날카롭고 뛰어나다
영오하다(穎悟)¹: 남보다 뛰어나게 영리하고 슬기롭다
영오하다(英悟)²: 용모가 뛰어나고 총명하다
용하다: 재주가 보통보다 뛰어나다
유능력하다: 일을 치러갈 만한 힘이 있다
유능하다: 재능이 있다 🔁무능하다
의지박약하다: 의지가 굳세지 못하다
재부족하다(才不足): 재주가 모자라다
재승덕하다(才勝德): 재주가 덕보다 뛰어나다
졸눌하다(拙訥): 재주가 무디고 말이 어눌다
졸하다: 재주가 없고 용렬하다
준걸스럽다: 보기에 준걸하다
준걸하다(俊傑): 재주와 슬기가 매우 뛰어나다
준매하다(俊邁): 재주가 뛰어나다
준미하다(俊美): 〓준수하다
준수하다(俊秀): 재주와 슬기, 풍채가 빼어나다 🔁준미하다
척당하다(倜儻): 뜻이 같고 기개가 있다
총명하다(聰明): 썩 영리하고 재주가 있다
총민하다(聰敏): 총명하고 민첩하다 🔁총오하다

136

총오하다(聰悟): ⇒총민하다
총준하다(聰俊): 총명하고 준수하다
총혜하다(聰慧): 총명하고 슬기롭다
특달하다(特達): 남달리 사리에 밝고 특별히 재주가 뛰어나다
현능하다(賢能): 어질고 재간이 있다
호준하다(豪俊): 재주와 지혜가 뛰어나다

2.17. 지혜

다지하다(多智): 지혜가 많다
무지각하다(無知覺): 지각이 없다
현지하다(賢智): 어질고 지혜롭다
형철하다(瑩澈): 지혜나 사고력 등이 밝고 투철하다
흐리다: 사물을 분별하는 힘이 무디다

2.18. 기타

명민하다(明敏): 총명하고 민첩하다
정민하다(精敏): 정세하고 민첩하다
예명하다(叡明): ⇒예민하다
예민하다(叡敏): 임금의 천성이 명민하다
해망적다: ① '해망쩍다'의 잘못 ② (순우리말) 총명하지 못하고 아둔하다
해망쩍다: 총명하지 못하고 아둔하다

03. 정의적 형용사

정의는 情意, 情義, 情誼, 精義, 正義, 定義 등 그 뜻이 다양한데, 여기서는 이 모든 뜻을 통틀어 넓은 뜻의 정의적 형용사로 규정하여 다루기로 하겠다.

3.1. 간절하다·애석하다

절절하다(切切): 아주 간절하다
지절하다(至切): 아주 간절하다
통석하다(痛惜): 몹시 애석하다

3.2. 걱정·염려

걱정스럽다: 걱정이 되어 마음이 편하지 못하다
근심스럽다: 보기에 근심하는 데가 있다
반하다: 걱정거리가 좀 뜨음하다 囲빤하다 큰번하다 (예) 자식 많은 부모 반할
    날이 없다
빤하다: 걱정거리가 뜸하다 여반하다 큰뻔하다
뻔하다: 걱정거리가 뜨음하다 여번하다 잘빤하다
시름겹다: 못 견딜 정도로 시름이 많다
시름맞다: 매우 시름에 겹다
시름없다: 시름에 쌓여 어떠한 생각이나 맥이 없다
창망하다(悵惘): 근심과 걱정 때문에 경황이 없다
초초하다(悄悄): 근심과 걱정으로 시름겹다
편안하다(便安): 편하고 걱정 없이 좋다 비만중하다 비평강하다
편하다(便): 근심이나 걱정이 없다
평안하다(平安): 걱정이나 탈이 없다

3.3. 괴이하다·기이하다

가괴하다: 주로 '가괴할'로 쓰이어 '괴이하게 여길 만하다'의 뜻
괴찮다: '괴이찮다'의 준말

기기하다(奇奇): 매우 기이하다

놀랍다: 감동할 만큼 괴이하다

야혹하다(訝惑): 괴이하고 의심쩍다

야릇하다: 뭔지 모르게 아주 묘하고 괴상하다

진괴하다(珍怪): 진귀하고 괴이하다

해괴하다(駭怪): 놀랄 만큼 괴상야릇하다

환괴하다(幻怪): 덧없고 괴이하다

3.4. 기분·감정·기세

경쾌하다(輕快): 움직임이나 모습, 기분 따위가 가볍고 상쾌하다

과민하다(過敏): 감각이나 감정이 지나치게 예민하다

날카롭다: 움직임이 매우 날쌔고 기세가 날카롭다

달갑다: 마음에 맞거나 들어서 뿌듯하고 기분이 좋다

대치하다(大熾): 기세가 아주 성하다 (예) 틀림없이 대치하다

도도하다(滔滔): 벅찬 감정이나 주흥 따위를 막을 길 없다

드세다: 힘이나 기세가 몹시 강하고 세다

등등하다(騰騰): 기세가 무서울 만큼 높다

따뜻하다: 감정이나 분위기가 정답고 포근하다 예따듯하다

맹렬하다: 기세가 사납고 세차다

모질다: 기세가 몹시 사납고 독하다

목석연하다(木石然): 나무나 돌처럼 아무 감정이나 반응이 없다

몽클하다: 치밀어 오르는 감정이 가슴속에 갑자기 꽉 차는 듯하다 큰뭉클하다

무념하다(無念): 아무런 감정이나 생각하는 것이 없다

뭉클하다: 치밀어 오르는 감정이 가슴속에 갑자기 꽉 차 넘치는 듯하다 작몽클
하다

발발하다(勃勃): 기운이나 기세가 끓어오를 듯이 성하다

불쾌하다: 못마땅하여 기분이 좋지 않다

빈분하다(繽紛): 많아서 기세가 성하다

뼈아프다: 어떤 감정이 뼛속에 사무치도록 괴롭다 비뼈저리다

뼈저리다: 들뼈아프다

상쾌하다: 기분이 썩 시원하고 산뜻하다

세차다: 기세가 매우 세다

시원시원하다: 기분이나 느낌이 탁 트이다

우선하다: 언짢던 기분이나 감정 따위가 누그러진 듯하다

충장하다: 기세가 충만하고 씩씩하다

포근포근하다: 매우 포근하다 囝푸근푸근하다

포근하다: 감정이나 분위기 또는 자리 따위가 보드랍고 편안한 느낌이 있다

희박하다(稀薄): 감정이나 의지 같은 것이 굳세지 못하고 약하다

3.5. 기쁨

간간하다(衎衎): 기쁘고 즐겁다

간곡하다(懇曲): 간절하고 곡진하다

간절하다: 간곡하고 절실하다

궁극하다(窮極): ① 더할 나위 없이 간절하다 ② 더할 나위 없이 철저하다

기쁘다: 좋은 기색이 드러나도록 마음에 즐거운 느낌이 있다

달다: 흡족하여 기분이 좋다

목마르다: ① 몹시 바라거나 아쉬워하는 상태에 있다 ② '목마르게'로 쓰이어 '몹시 간절하다'의 뜻

반갑다: 좋은 일을 맞거나 바라던 일이 이루어지거나, 그리던 사람을 만나거나, 좋은 소식을 듣거나 하여 기쁘다

불열하다(不悅): 기쁘지 아니하다

불쾌하다(不快): 유쾌하지 아니하다

우스꽝스럽다: 보기에 우습다

우습다: 웃을 만하다

유쾌하다(愉快): 즐겁고 상쾌하다

이연하다(怡然): 기쁘고 좋다

즐겁다: 사뭇 기쁘거나 흐뭇하다

창쾌하다(暢快): 마음이 탁 트여 시원하고 유쾌하다

쾌락하다(快樂): 유쾌하고 즐겁다

희행하다(喜幸): 기쁘고 다행하다

흔연하다(欣然): 기쁘거나 반가워 기분이 좋다

3.6. 느낌

가상스럽다: 보기에 가상하다

고단하다(孤單): 단출하고 외롭다

고깝다: 야속한 느낌이 있다

군시럽다: 벌레 같은 것이 살갗에 붙어 기어가는 듯한 느낌이 있다

그윽하다: 느낌이 꽤 은근하다

껄쭉껄쭉하다: 거칠게 껄끔거리는 느낌이 있다

뜨끔하다: ① 상처나 염증이 생긴 자리들에 마치거나 걸리거나 찌르는 듯한 매우 아픈 느낌이 있다 ② 마음에 큰 자극을 받아 뜨거운 듯한 느낌이 있다. 쫙따끔하다

뜨다: 느낌이 더디다

맹랑스럽다: 맹랑한 느낌이 있다

먹먹하다: 체한 것같이 가슴이 좀 답답하다

무겁다: 책임, 부담 따위가 많다

무책임하다: 책임이 없다

미심스럽다: 미심한 느낌이 있다

민감하다(敏感): 느낌이 빠르고 날카롭다

바삭바삭하다: 잘 말라서 보송보송한 느낌이 있다

밝다: 느낌이 명랑하고 즐겁다 (예) 표정이 밝다

보드랍다: 스치거나 닿는 느낌이 전혀 거칠거나 빳빳하지 않고 만만하다 큰부드럽다

보드레하다: ① 꽤 보드라운 느낌이 있다 큰부드레하다

불안스럽다: 느낌이 불안한 데가 있다

사느랗다: 뜻밖에 놀랄 때 마음에 차가운 느낌이 있다 센싸느랗다 큰서느렇다

살갑다: 닿은 느낌이 같은 것이 가볍고 부드럽다

서느렇다: 뜻밖에 놀랄 때 마음속에 서늘한 느낌이 있다

서늘하다: 사람의 성격이나 태도 따위가 차가운 느낌이 있다 센써늘하다 쫙사늘하다

선득하다: 갑자기 놀랄 때 마음에 일어나는 느낌이 서느렇다 센선뜩하다 쫙산득하다

설렁하다: 놀랄 때 서느런 바람이 도는 듯한 느낌이 있다 센썰렁하다 쫙살랑하다

섬쩍지근하다: 무섭고 꺼림칙한 느낌이 남아 있다

시원섭섭하다: 한편으로는 시원하면서 다른 한편으로는 섭섭하다

심심하다: 하는 일이 없어 지루하고 재미가 없다

유감스럽다: 섭섭한 느낌이 있다

유감없다: 섭섭한 느낌이 없이 흡족하다

자리자리하다: 피가 돌지 못하여 자꾸 자린 느낌이 있다 **큰**저리저리하다

자릿자릿하다: 몹시 자릿하다 **센**짜릿짜릿하다 **큰**저릿저릿하다

자릿하다: 좀 자린 듯하다 **센**짜릿하다 **큰**저릿하다

저리저리하다: 피가 돌지 못하여 자꾸 저린 느낌이 있다 **작**자리자리하다

저릿저릿하다: 몹시 저릿하다 **센**쩌릿쩌릿하다 **작**자릿자릿하다

저릿하다: 좀 저린 듯하다 **센**쩌릿하다 **작**자릿하다

짜릿하다: 매우 저린 듯하다 **여**자릿하다 **큰**쩌릿하다

쩌릿쩌릿하다: 몹시 쩌릿하다 **여**저릿저릿하다 **작**짜릿짜릿하다

쩌릿하다: 매우 저린 듯하다 **여**저릿하다 **작**짜릿하다

참분하다(慙憤): 부끄럽고 분하다

측연하다(惻然): 보기에 측은하다

친친하다: 축축하고 끈끈하여 불쾌한 느낌이 있다

토심스럽다: 낯이 좋지 아니한 태도로 대할 때 불쾌하고 아니꼬운 느낌이 있다
　　(예) 토심스럽게 말을 하다

팍신팍신하다: 여럿이 다 팍신하다(매우 팍신하다) **큰**퍽신퍽신하다

팍신하다: 보드랍고 튀기는 힘이 있어 닿으면 포근한 느낌이 있다 **큰**퍽신하다

퍽신퍽신하다: 여럿이 다 퍽신하다 **작**팍신팍신하다

퍽신하다: 부드럽고 튀기는 힘이 있어 닿으면 푸근한 느낌이 있다 **작**팍신하다

하전하전하다: 매우 허전한 느낌이 있다 **큰**허전허전하다

한가롭다(閑暇): 한가한 느낌이 있다

허전하다: 무엇을 잃거나 한 것과 같이 좀 서운한 느낌이 있다

화끈하다: 몹시 따갑게 달아오르는 느낌이 있다

화끈화끈하다: 몹시 따갑게 달아오르는 느낌이 있다

3.7. 답답하다

억울하다(抑鬱): 억눌려서 답답하다

옹졸하다: 오죽잖아 답답하다 **준**옹하다

우울하다: 기분이 맑지 않아 답답하다
울민하다(鬱悶): 답답하고 괴롭다
울적하다(鬱寂): 답답하고 쓸쓸하다

3.8. 두렵다

가공하다(可恐): 두려워할 만하다
놀랍다: 갑작스러워 두려움이나 감동에 휩싸일 만하다
늠름하다: 위태로워서 두렵다
다겁하다(多怯): 겁이 많다
담한하다(膽寒): 담이 서늘해지도록 몹시 무섭다
무겁하다(無怯): 겁이 없다
무섭다: 겁이 나고 불안하다
무착하다: 몹시 끔찍하다
무참스럽다(無慘): 보기에 몸서리를 칠 만큼 끔찍한 데가 있다
섬뜩하다: 소름이 끼치도록 끔찍하고 무섭다
송구스럽다(悚懼): 두려운 마음이 드는 듯하다
송구하다(悚懼): 매우 두렵다
송름하다(悚懍): 몹시 두려워서 마음이 위태위태하다
송연하다(悚然): 두려워 몸을 옹송그릴 정도로 오싹 소름이 끼치는 듯하다
수고스럽다: 일을 하기에 수고로움이 있다
열없다: 겁이 많고 조금 부끄럽다
자깝스럽다: 어린아이가 마치 어른처럼 행동하거나, 젊은 사람이 지나치게
    늙은이의 흉내를 내어...
장력하다(壯力): 담이 차고 마음이 굳세어서 무서움을 타지 않는다
조마조마하다: 닥쳐올 일에 대하여 염려가 되어 마음이 초조하고 불안하다
척연하다(惕然): 근심스럽고 두렵다
추상같다(秋霜): 호령 따위가 위엄이 있고 서슬이 푸르다
포외하다(怖畏): 〈불교〉두렵고 무섭다
허겁하다(虛怯): 실하지 못하여 겁이 많다
황거하다(惶遽): 너무 두려워 허둥지둥하는 면이 있다
황겁하다(惶怯): 겁이 나고 두렵다
황공하다(惶恐): 지위나 위엄에 눌리어 두렵다

3.9. 딱하다·불쌍하다·가엾다

가긍스럽다: 불쌍하고 가엾다
가긍하다(可矜): 불쌍하고 가엾다
가련하다: 가엾고 불쌍하다
가엽다: 가엾다
가엾다: 딱하게 불쌍하다
간축하다: 매우 딱하게 가엾다
금측하다(矜惻): 불쌍하고 가엾다
난감하다(難堪): 이렇게 하기도 어렵고 저렇게 하기도 어려워 딱하다
난처하다(難處): 애처롭고 가엾다
딱하다: 애처롭고 가엾다
딱하다: 옹졸하고 고지식하여 딱하다
민련하다(憫憐): 딱하고 가엾다
민망스럽다: 보거나 느끼기에 민망하다
민망하다: ① 딱하고 안타깝다 ② 부끄럽고 딱하다
민민하다(憫憫): 매우 딱하다
불민하다: 딱하고 가엾다
불쌍하다: 처지가 안되고 애처롭다
애련하다(哀憐): 가엾고 사랑스럽다
어엿브다: '불쌍하다'의 옛말
자닝스럽다: 보기에 자닝하다
자닝하다: 약한 자의 참혹한 꼴이 불쌍하여 찾아보기 어렵다
처량하다(凄涼): ① 마음이 구슬퍼질 정도로 외롭거나 쓸쓸하다 ② 초라하고
　　가엾다
측은하다(惻隱): 가엾고 불쌍하다

3.10. 밉다·얄밉다

가증맞다(可憎): 매우 가증하다(매우 밉다)
가증스럽다: 보기에 얄밉다
가증하다: 괘씸하고 얄밉다
무신경하다: 감각이 둔하다

밉광스럽다: 보기에 매우 밉살스러운 데가 있다

밉다: 생김새나 언동 따위가 마음에 들지 않고 비위에 거슬리다

밉둥스럽다: '밉살스럽다'의 잘못

밉디밉다: 몹시 밉다

밉살맞다: 몹시 밉다

밉살머리스럽다: '밉살스럽다'의 낮은 말

밉살스럽다: 보기에 몹시 밉다

얄궂다: 야릇하고 짓궂다

얄망궂다: 성질이 괴상하고 까다로워 얄밉다

얄망스럽다: 얄망궂은 듯하다

얄밉다: 말이나 행동이 약빠르고 밉다

얄밉상스럽다: 얄미운 티가 있다

증상맞다(憎狀): 생김새나 행동이 징그러울 정도로 밉살맞다

증상스럽다: 보기에 증상맞다

3.11. 사랑스럽다

사랑옵다: 생김새나 행동이 사랑을 느낄 정도로 귀엽다 ⟨비⟩사랑스럽다

사랑홉다: '사랑옵다'의 원말

아기자기하다: 여러 가지가 잘 어울려 정답고 사랑스럽다

3.12. 서럽다

서럽다: 원통하고 슬프다

설다: ⟨=⟩섧다

섧다: ⟨=⟩서럽다

3.13. 서운하다

서분하다: '서운하다'의 방언(강원, 경남, 함경)

서운하다: 마음에 차지 아니하여 아쉽거나 섭섭하다

섭섭하다: 서운하고 아쉽다(애틋하고 아깝다)

소들하다: 분량이 마음에 덜 차서 서운하다

허전하다: 무엇을 잃거나 한 것과 같이 서운한 느낌이 있다

3.14. 슬픔

구슬프다: 처량하고 슬프다
비감하다(悲感): 마음이 언짢고 슬프다
비분하다(悲憤): 슬프고 분하다
비상하다(悲傷): 마음이 슬프고 쓰라리다
비참하다(悲慘): 슬프고 끔찍하다
비통하다(悲痛): 마음이 아프도록 몹시 슬프다
서글프다: 슬프고도 외롭다
수참하다(愁慘): 을씨년스럽고 슬프다
암연하다(黯然): 슬프고 침울하다
애연하다(哀然): 슬픈 듯하다
애이불비하다(哀而不悲): 슬프기는 하나 비참하지 아니하다
애통하다(哀痛): 슬프고 가슴이 아프다
참담하다(慘憺): 괴롭고 슬프거나 근심 걱정이 가득해보인다
참렬하다(慘烈): 차마 볼 수 없을 정도로 비참하고 끔찍하다
참연하다(慘然): 슬프고 참혹하다
참혹하다(慘酷): 비참하고 끔찍하다
창연하다(愴然): 몹시 서럽고 슬프다
처연하다(悽然): 처량하고 구슬프다
처절하다(凄切): 몹시 처량하다
처참하다(悽慘): 매우 슬프고 끔찍하다
처창하다(悽愴): 몹시 구슬프고 애달프다
청승궂다: 애틋하고 구슬프다

3.15. 심심하다

도연하다(徒然): 하는 일이 없어서 심심하다
맥쩍다: 심심하고 흥미가 없다
맨송맨송하다: 아무 것도 생각하는 것이 없거나 할 일이 없어서 심심하고 멋
    적다

맨숭맨숭하다: ⊟맨송맨송하다

3.16. 쓸쓸하다

고독하다: 매우 외롭고 쓸쓸하다
낙막하다(落寞): 호젓하고 쓸쓸하다
댕그랗다: 외따로 쓸쓸하다
덩그렇다: 넓은 안이 텅 비어서 쓸쓸하다
막막하다: 고요하고 쓸쓸하다
소랭하다(蕭冷): 쓸쓸하고 싸늘하다
소삼하다(蕭森): 조용하고 쓸쓸하다
소삽하다(蕭颯): 바람이 쓸쓸하다
소소하다(蕭蕭): 바람소리가 쓸쓸하다
소슬하다(蕭瑟): 으스스하고 쓸쓸하다
소연하다(蕭然): 호젓하고 쓸쓸하다
오슬하다: 사방이 무서울 만큼 고요하고 쓸쓸하다
유독하다(幽獨): 쓸쓸하고 외롭다
처량하다(凄凉): 마음이 구슬퍼질 만큼 쓸쓸하다
처처하다(凄凄): 찬 기운이 있고 쓸쓸하다
호젓하다: ① 후미져서 무서움을 느낄 만큼 고요하다 ② 매우 홀가분하여 쓸쓸
　　하고 외롭다
황락하다(荒落): 거칠어서 몹시 쓸쓸하다
황량하다(荒凉): 황폐하여 거칠고 쓸쓸하다
황료하다(荒蓼): 거칠어서 쓸쓸하다

3.17. 안타깝다·애틋하다

답답하다: ① 몹시 안타깝다 ② 느리거나 서툴러서 갑갑하다
민울하다(悶鬱): 안타깝고 답답하다
아쉽다: 있어야 할 사람이나 물건이 없거나 모자라서 답답하다고 안타깝다
안쓰럽다: 자기보다 약한 사람이 괴로운 처지에 있어서 보기에 딱하고 안타
　　깝다
애절하다: 애가 타도록 견디기 어렵다

애틋하다: 애가 타는 듯하다
청승맞다: 지나치게 애틋하다

3.18. 애달프다

애닲다: '애달프다'의 잘못
애이불비하다(哀而不悲): 슬프기는 하나 비참하지 아니하다
처연하다(悽然): 애달프고 구슬프다

3.19. 애처롭다

애달프다: 애처롭고 딱하다
애련하다(哀憐): 애처롭고 가엽다
애잔하다: 애틋하고 애처롭다
애절하다(哀切): 매우 애처롭고 슬프다
애처롭다: 가엾고 불쌍하여 마음이 슬프다

3.20. 억울하다

앙앙하다(怏怏): 매우 마음에 차지 아니하거나 야속하다
애꿎다: 아무런 잘못도 없이 횡액에 걸리어 억울하다
애매하다: 아무 잘못이 없이 원통한 책임을 받아 억울하다
억울하다(抑鬱): 없는 죄 따위를 뒤집어써서 분하다
억원하다(抑冤): 억울하고 원통하다
원굴하다(冤屈): 원통한 누명을 써서 억울하다
원망스럽다: 원망하는 마음이 있다
원억하다(冤抑): 〓억울하다
원왕하다(冤枉): 〓원굴하다
원통하다(冤痛): 몹시 억울하다
절분하다(切忿): 매우 원통하고 분하다
절통하다(切痛): 지극히 원통하다
초름하다: 마음에 차지 아니하여 시쁘다
통분하다(痛忿): 원통하고 분하다

3.21. 외롭다

고단하다(孤單): 단출하고 외롭다
고독하다: 매우 외롭고 쓸쓸하다
냉락하다(冷落): 외롭고 쓸쓸하다
막막하다: 의지할 데가 없이 답답하고 외롭다
삭연하다(索然): 외로워서 쓸쓸하다
서글프다: 슬프고도 외롭다
쓸쓸하다: 외롭고 적적하다
영정하다(零丁): 세력이나 살림이 보잘것없이 되어서 의지할 곳이 없다
외롭다: 혼자 있거나 가까이 의지할 곳이 없다
적막하다(寂寞): 의지할 데 없이 외롭다
적적하다(寂寂): 외롭고 쓸쓸하다
혈혈하다(孑孑): 의지할 데 없이 외롭다
호젓하다: 매우 홀가분하여 쓸쓸하고 외롭다

3.22. 인정

깊다: 정이 가깝고 두텁다 ⊞얕다
농밀하다(濃密): 서로 사귀는 정이 두텁고 가깝다
다정스럽다: 다정하게 보인다
다정하다(多情): 정이 많다
돈목하다(敦睦): 일가친척 사이에 오가는 정이 두텁다
돈친하다(敦親): ⊟돈목하다
매정스럽다: 매정한 듯하다
매정하다: 얄미울 만큼 쌀쌀하고 정이 없다
몰풍스럽다(沒風): 성격이나 태도가 정이 없고 냉랭하며 퉁명스러운 데가 있다
무뚝뚝하다: 따뜻하고 정다운 맛이 없이 굳다 ⊞뚝하다
무정스럽다: 느끼거나 보기에 무정한 데가 있다
무정하다: ① 정이 없다 ② 남의 사정에 아랑곳없다
박정스럽다(薄情): 보기에 따뜻한 정이 매우 적은 듯하다
박정하다(薄情): 인정이 없다
불인정하다: 사람의 따뜻한 정에 어그러짐이 없다

설연하다: 정답지 아니하다

심각하다: 매우 각박하다

쓰렁쓰렁하다: 사귀는 정이 버성기어 서로의 사이가 소원하다

애틋하다: 정답고 알뜰한 맛이 있다

야박스럽다(野薄): 야박한 듯한 느낌이 있다

야박하다(野薄): 야멸차고 박정하다

야속하다(野俗): 야속한 느낌이 있다

유정하다(有情): 정이 있다 🔁무정하다 〈불교〉 마음이 있는 중생

의좋다: 정이 두텁다

인정답다: 보기에 인정이 깊다

인정스럽다: 인정이 있다

정답다: 정이 있어 따뜻하다

정밀하다(情密): 정이 깊다

후박하다(厚朴): 인정이 두텁고 거짓이 없다

후하다(厚): 인심이 두텁다

3.23. 친밀 관계

건건찝찔하다: 촌수가 아주 멀거나 친분은 있으나 가깝지는 아니하다

관숙하다(慣熟): 가장 친밀하다

관중하다(關重): 중요한 관계가 있다

극친하다(極親): 몹시 친하다

긴밀하다(緊密): 서로의 관계가 매우 가까워 빈틈이 없다

단란하다: 집안의 일가가 화목하게 지내다

대단하다: 관심 따위가 매우 높거나 자자하다 (예) 대단한 관심

도도하다(陶陶): 매우 화락하다

뜨막하다: 오랫동안 뜨음하다

뜨음하다: 🔁뜸하다

뜸하다: 자주 있던 왕래나 소식 따위가 한동안 없다

막역하다(莫逆): 벗으로서 뜻이 맞아 허물없이 친하다

멀다: 사귀는 사이가 서먹하거나 정이 없다

무간하다(無間): 서로 허물없이 가깝다

무방하다(無妨): 거리낄 것 없이 괜찮다

무연고하다(無緣故): 연고나 연구자가 없다
무연하다: 아무 인연이나 연고가 없다
번설하다(煩屑): 귀찮게 번거롭고 자질구레하다
사사롭다: 개인적인 관계에 있다 🕮삿되다
삼사하다: 지내는 사이가 조금 서먹서먹하다 🕮섬서하다
상관없다: 서로 관계가 없다
상기다: 관계가 좀 멀어지고 서먹하다 🕮성기다
상깃상깃하다: 여러 군데가 다 상깃하다 🕮성깃성깃하다
상깃하다: 사이가 좀 상기다 🕮성깃하다
서름서름하다: 매우 서름하다
서름하다: 사귀는 사이가 가깝지 못하여 서먹하다
서먹서먹하다: 매우 서먹하다
서먹하다: 낯이 설거나 스스러워서 어색하다 🕮겸연쩍다 🕮머쓱하다
서어하다(齟齬): 뜻이 맞지 아니하여 조금 서걱하다 🕮저어하다(鉏鋙)
설면하다: 아주 만나지 못하여 낯이 좀 설다
섬서하다: 지내는 사이가 서먹서먹하다 🕮삼사하다
성기다: 관계가 벌어지고 서먹하다 🕮상기다 🕮성글다
소활하다(疏闊): 서로 서먹서먹하여 가깝지 아니하다
아근바근하다: 서로 뜻이 맞지 않아 사이가 바라져 있다 🕮어근버근하다
아랑곳없다: 관계하거나 간섭할 필요가 없다
어근버근하다: 서로 뜻이 맞지 아니하여 사이가 벌어져 있다 🕮아근바근하다
얼토당토아니하다: 전혀 관계가 없다
원만하다: 서로 사이가 좋다
유관하다: 관련이 있다
의초롭다(誼): 화목하여 우애가 두텁다
익숙하다: 늘 사귀어 사이가 가깝다
일없다: 괜찮다
일쩝다: 일거리가 되어서 귀찮다
자별하다: 친분이 남보다 특별하다
절친하다(切親): 매우 친하다
정숙하다(情熟): 정겹고 친숙하다
족족하다(簇簇): 여러 개가 아래로 늘어진 것이 썩 배다
지친하다(至親): 아주 친하다

찰떡같다: 정이 깊이 들어서 떨어지지 않을 만큼 관계가 깊다
최친하다(最親): 가장 친하다
친근하다: 사귀어 지내는 사이가 매우 가깝다
친막친하다(親莫親): 더할 수 없이 친하다
친밀하다(親密): 친근하여 사이가 밀접하다
친하다: 가까이 사귀어 정의가 두텁다
친호하다(親好): 서로 친하여 사이가 썩 좋다
친후하다(親厚): 친하여 정의가 두텁다
화충하다(和衷): 마음에 사무치게 화목하다
화호하다(和好): 화평하고 사이가 좋다
희활하다(稀闊): 사이나 틈이 생기다

3.24. 허전하다

허소하다(虛疎): 얼마쯤 비어서 허술하거나 허전하다
허수룩하다: ① '허룩하다'의 잘못 ② '헙수룩하다'의 잘못
허수하다: 서운하고 허전하다
허전하다: 막혀 있던 것이 없어져 짜인 맛이 없는 듯하다 ਜੑ하잔하다
허전허전하다: 매우 허전한 느낌이 있다
헛헛하다: 허전하다
헤싱헤싱하다: 치밀하지 아니하여 허전한 느낌이 있다

3.25. 기타

감사하다: ⊟고맙다
고달프다: 고달프고 나른하다
고맙다: 도움을 받거나 은혜를 입거나 하여 마음이 흐뭇하게 즐겁다
그립다: ① 그리는 마음이 간절하다 ② 어떤 것이 매우 필요하거나 아쉽다
난안하다(難安): 마음 놓기 어렵다
로맨틱하다(romantic): 아름다운 것을 동경 또는 공상하는 듯하다
분울하다(憤鬱): 분한 마음이 일어나 답답하다
분하다: 억울한 일을 당하여 화나고 원통하다
불안하다: 마음이 편하지 아니하고 조마조마하다

뿌듯하다: 마음이 그득하여 벅차다 圓부듯하다
상냥스럽다: 싹싹하고 부드러운 듯하다
상냥하다: 성질이 싹싹하고 부드럽다
수고롭다: 일을 처리하기에 괴롭고 고되다
수고스럽다: 일을 하기에 수고로움이 있다
시들하다: ① 마음에 차지 않고 언짢다 ② 대수롭지 아니하다
심심찮다: 심심하지 않을 정도로 괜찮다
심심하다: 하는 일이 없어 지루하고 재미가 없다
싱겁다: 쑥스럽거나 어색하다
쓰다: 달갑지 아니하고 싫거나 언짢다
야속스럽다: 야속한 느낌이 있다
야속하다: ① 인정이 없고 쌀쌀하다 ② 언짢고 섭섭하다
어색하다: 서먹서먹하여 멋쩍고 쑥스럽다
연연하다(戀戀): 애틋하게 그립다
짜증스럽다: 짜증이 날 듯하다
처량하다(凄凉): 서글프고 구슬프다
초조롭다: ① 초조한 데가 있다 ② 애가 타서 조마조마하다
통절하다(痛切): 사무치게 간절하다

04. 평가형용사

4.1. 견고하다

견경하다(堅勁): 目견고하다
견고하다(堅固): 굳고 단단하다
견뢰하다(堅牢): 견고하다
공고하다(鞏固): 견고하다
탄실하다: 탄탄하고 실하다
확고하다(確固): 태도나 상황 따위가 튼튼하고 굳다

4.2. 귀하다·귀중하다

귀중하다: 진귀하고 중요하다
귀찮다: 마음에 들지 않고 성가시다
귀치않다: '귀찮다'의 잘못
귀하다: ① 신분이나 지위가 높다 ② 사랑스러워 귀염을 받을 만하다
극귀하다(極貴): 아주 귀하다
깜찍하다: 매우 놀랄 만큼 귀엽다
높다: 드물게 귀하다
막중하다(莫重): 더할 수 없이 귀중하다
무상하다(無上): 그 위에 더할 것이 없이 높고 좋다
보배롭다: 보배로 삼을 만큼 귀하다
사랑스럽다: 사랑하고 싶게 귀하다
사랑옵다: 사랑스럽다
성가시다: 마음이 번거로워 귀찮고 싫다
소중하다: 몹시 귀중하다
영귀하다(榮貴): 지체가 높고 귀하다
요염하다(妖艶): 사랑을 할 만큼 아리땁다
요요하다(姚姚): 아주 어여쁘고 아름답다
존귀하다(尊貴): 지위가 높고 귀하다
지귀하다(至貴): 아주 귀하다
지중하다(至重): 더없이 귀중하다
진묘하다(珍妙): 진귀하고 절묘하다
진이하다(珍異): 유별나서 진기하다
진희하다(珍稀): 진귀하고 드물다
최귀하다(最貴): 가장 귀하다
폐롭다(弊): 귀찮고 폐가 되는 듯하다
폐스럽다: 남에게 성가시고 귀찮게 괴로움을 주는 데가 있다.
하늘같다: '아주 높고 크고 귀하다'를 비유하는 말
희귀하다(稀貴): 드물어서 진귀하다

4.3. 나쁘다·그르다

그르다: ① 사리에 맞지 아니하다 ② 어떤 일이나 형편이 잘못되어 바로잡기
　　어렵다 🄑나쁘다
나쁘다: 좋지 아니하다 🄑그르다
되지못하다: 보잘것없거나 옳지 못하다 (예) 되지못한 놈
마땅하다: 그렇게 하거나 되는 것이 옳다 (예) 벌을 받아야 마땅하다
막돼먹다: '막되다'의 낮은 말
막되다: 거칠고 나쁘다
부당하다(不當): 정당하지 못하다 🄫정당하다
악하다(惡): 마음이나 행동이 못되고 나쁘다

4.4. 내용에 관한 평가

부실하다: 내용이나 실속이 없다
좁다: 내용의 범위가 작다 🄫넓다
심상하다(尋常): 대수롭지 아니하고 예사로운 데가 있다
실살스럽다: 객설스러운 것이 없고 내용이 충실하다

4.5. 마땅하다

당연하다: 마땅하다
당하다(當): 알맞거나 마땅하다
득당하다(得當): 아주 마땅하다
마땅찮다: 흡족하게 마음에 들지 아니하다
마땅하다: 어떤 조건에 어울리게 알맞다
만부당천부당하다: 어림없이 사리에 맞지 아니하다 🄑천부당만부당하다
섭섭하다: 못마땅하거나 불만스럽다
시다: 하는 짓이 눈에 벗어나 못마땅하다
싸다: 저지른 일 따위에 비추어서 받는 벌이 마땅하거나 오히려 적다
응당하다(應當): 마땅하다
의당하다(宜當): 사리에 맞고 마땅하다
적의하다(適宜): 무엇에 맞추어 하기에 마땅하다

중의하다(中意): ⪚적의하다
지당하다(至當): 사리가 꼭 맞다 또는 매우 마땅하다
천부당만부당하다: 아주 몹시 부당하다

4.6. 방법·행위적 평가

궁하다: ① 일이나 물건 따위가 다하여 없다 ② 일이 난처하거나 막혀 피하거나
　　변통할 도리가 없다
난해하다(難解): 뜻을 이해하기 어렵다
만만하다: 거리낄 것이 없이 쉽게 다룰 만하다
몰미하다(沒味): ⪚몰취미하다
몰취미하다(沒趣味): 취미가 전혀 없다
무독하다(無毒): 독이 없다 ⛟유독하다
무소불위하다(無所不爲): 못할 일이 없이 다하다
무취미하다(無趣味): ⪚몰취미하다
문문하다: 거리낄 것이 없어 마구 다룰 만하다 (예) 하자는 대로 따라해 주니까
　　내가 문문해 보였던가 보다
버겁다: 치르거나 다루기에 만만치 않고 좀 힘에 겹고 거북하다
소증사납다: ① 하는 짓의 포기가 아름답지 못하다 ② 하는 짓의 동기가 곱지
　　못하다
이지다: 물고기, 닭, 돼지 등이 살이 쪄서 기름지다

4.7. 벅차다

가중하다(苛重): 부담이 가혹하게 무겁다
더넘차다: 다루기에 거북할 정도로 벅차다
부담스럽다: 부담이 되는 듯한 느낌이 있다

4.8. 변변치 못하다

덤덤하다: 마음에 들어 함이 없이 그저 예사롭다 ⛆담담하다
데데하다: 아주 변변하지 못하여 보잘것없다
범상하다: ⛟예사롭다

156

비박하다(菲薄): 얼마 되지 아니하여 변변하지 못하다

비범하다: ① 까다롭거나 잘게 굴지 않고 예사롭다 ② 알뜰하거나 애틋하지 않고 예사롭다

빤빤하다: 얌체 없이 부끄러운 짓을 하고도 예사롭다 囝뻔뻔하다

소홀하다(疏忽): 데면데면하거나 예사롭다

알량하다: 시시하고 보잘것없다

약소하다(略少): 적고 변변하지 못하다

예사롭다: 보통 흔히 있는 일로 대수롭지 아니하다

오죽잖다: 예사 정도도 못될 만큼 변변하지 아니하다

용상하다(庸常): 凪예사롭다

잘량하다: ① '알량하다'의 잘못 ② '알량하다'의 북한어

지지부레하다: 모두가 보잘것없이 변변하지 아니하다

초라하다: 보잘것없고 변변하지 못하다

평평하다(平平): 예사롭고 평범하다

희뜩머룩하다: 씀씀이가 헤프고 싱거워 변변하지 못하다

4.9. 보잘것없다

가량없다(假量): 어림이 없다

같잖다: 격에 맞지 아니하여 못마땅하다

개코같다: 속되게 하찮고 보잘것없다

객설스럽다: 객쩍은 잔소리와 다름없다

객스럽다: 보기에 객쩍다

객쩍다: 행동이나 말, 생각이 쓸데없고 싱겁다

극미하다(極微): 지극히 작고 보잘것없다

녹록하다: 평범하고 보잘것없다

몰풍치하다(沒風致): 볼품없이 메마르다

무색하다(無色): 본디의 특색을 잃고 존재가 뚜렷하지 못하거나 보잘것없다

보암직하다: 볼 만한 값어치가 없다

보잘것없다: 변변하지 않고 보잘것없다

알량하다: 변변하지 않고 보잘것없다

영성하다(零星): 보잘것없다

옹종망종하다: 옹종종하여 보잘것없다

절미하다(絶微): 아주 작고 보잘것없다

쥐뿔같다: 매우 보잘것없다

쥐좆같다: '쥐뿔같다'의 낮은 말

지지하다: 무슨 일이 오래 끌어 귀찮고 보잘것없다

지질지질하다: 매우 지질하다

지질하다: 보잘것없이 변변하지 못하다

초초하다(草草): 초라하거나 보잘것없다

평범하다(平凡): 뛰어나거나 별다른 점이 없이 보통이다

4.10. 사람에 관한 평가

경명하다(傾命): 늙어서 죽을 날이 멀지 않다

굴침스럽다: 무엇을 억지로 하려고 애쓰는 듯하다

낙락하다(落落): 남과 서로 어울리지 않고 버성기다

남자답다: 사나이답다

실하다: 든든하고 튼튼하다

씨식잖다: 같잖고 되잖다

야물다: 돈 따위의 씀씀이가 헤프지 않다 囵여물다

4.11. 성격에 관한 평가

다기지다: 담력이 세거나 당차다

담소하다(膽小): 담이 작다

담약하다(膽弱): 담이 약하다

담차다(膽): 담이 커서 겁이 없고 야무지다

더없다: 그 위에 더할 나위가 없다

도고하다(道高): 도덕이 높다

소담하다(小膽): 回담소하다 囲대담하다

싱겁다: 囲놀랍다

잔작하다: 보기에 비하여 늦되고 용렬하다

중실하다: 중년이 넘은 듯하다

4.12. 아깝다

아깝다: ① 좁은 것이나 귀중하게 여기는 것이 없어지거나 못쓰게 되거나 관계
　　　가 끊어지거나 하여 매우 섭섭한 느낌이 있다 ② 매우 귀중하게 여겨 없애
　　　거나 내놓기가 싫다
아낌없다: 아끼는 마음이 없다
아쉽다: 아깝고 서운하다
애석하다(哀惜): 슬프고 아깝다
애틋하다: 몹시 아깝고 섭섭하다
앵하다: 기회를 놓치거나 손해를 보아서 분하고 아깝다

4.13. 아담하다

단아하다: 단정하고 아담하다
담아하다(淡雅): ⒠아담하다
말쑥하다: 세련되고 아담하다
산뜻하다: 아담하고 조촐하다
아결하다(雅潔): 아담하고 깨끗하다
아담스럽다: 보기에 아담하다
아담하다: 조촐하고 산뜻하다
아려하다(雅麗): 아담하고 곱다
아정하다(雅正): 아담하고 바르다

4.14. 아름답다

가냘프다: ① 몸이나 팔다리 따위가 몹시 가늘고 연약하다 ② 소리가 가늘고
　　　약하다
가녀리다: ⒠가냘프다
가절하다(佳絶): 빼어나게 아름답다
극미하다(極美): 더할 수 없이 아름답다
단려하다: 단정하고 아름답다
명려하다(明麗): 맑고 아름답다
명미하다(明媚): 경치가 아름답고 곱다

미려하다(美麗): 아름답고 곱다

불미스럽다: 추잡스러워 아름답지 못한 데가 있다

불미하다: 추잡스러워 아름답지 못하다

섬려하다(纖麗): 가냘프고 곱다

섬섬하다(纖纖): 가냘프고 연약하다

섬소하다(纖疏): 가냘프고 어설프다

섬유하다(纖柔): 〓가녀리다

수려하다(秀麗): 뛰어나게 아름답다

수미하다(粹美): 깨끗하고 아름답다

순미하다(純美): 매우 아름답다

숭려하다(崇麗): 높고 아름답다

숭미하다(崇美): 숭고하고 아름답다

아름답다: 사물이 보거나 듣기에 좋은 느낌을 가지게 할 만하다

아리땁다: 몸가짐이나 맵시가 사랑스럽고 아름답다 囲가려하다

야하다(冶): 점잖지 못하고 천하게 아름답다 (예) 야한 옷차림

연연하다(娟娟): 아름답고 어여쁘다

요요하다(夭夭)¹: ① 나이가 젊고 아름답다 ② 물건이 가냘프고 아름답다

요요하다(姚姚)²: 아주 어여쁘고 아름답다

우미하다(優美): 우아하게 아름답다

의의하다(猗猗): 아름답고 성하다

전미하다(全美): 완전하게 아름답다

절가하다(絶佳): 더할 나위 없이 아름답다

절미하다(絶美): 뛰어나 아름답다

정미하다(精美): 정세하고 아름답다

정완하다(貞婉): 정숙하고 아름답다

지미하다(至美): 아주 아름답다

처염하다(悽艶): 처절하게 아름답다

혁혁하다(奕奕): 썩 크고 아름다워 성하다

호탕하다(浩蕩): 흐무러지게 아름답다

화려하다(華麗): 빛나고 아름답다

화미하다(華美): 화려하고 아름답다

4.15. 얕보는 뜻

가소롭다: 같잖아서 우습다
시들하다: 마음에 차지 않고 언짢다
시쁘다: 마음에 차지 아니하여 시들하다
시시껄렁하다: 시시하고 껄렁껄렁하다
시시콜콜하다: 말이나 내용이 시시하고 자질구레하다
시시하다: 신통한 게 없다
주체스럽다: 처리하기 어렵도록 짐스럽고 귀찮다
짓궂다: 자꾸 못마땅하게 굴어서 귀찮다
촌스럽다: 어울린 맛이 없어 촌사람의 태도가 있다
한심스럽다: 보기에 한심하다
한심하다(寒心): 정도에 너무 지나치거나 모자라서 가엾고 딱하다

4.16. 예쁘다

간드러지다: 멋있게 예쁘고 가늘고 보드랍다 [큰]건드러지다
귀엽다: 사랑스럽게 예쁘고 곱다
농염하다(濃艶): 아주 요염하다
묘하다: 잘나거나 예쁘다
시건드러지다: 시큰둥하게 건드러지다
아리땁다: 마음이나 몸가짐 따위가 맵시 있고 곱다
어여쁘다: '예쁘다'의 예스러운 말
예쁘다: 생긴 꼴이나 하는 짓이 아름다워서 보기에 귀엽다
예쁘장스럽다: 보기에 예쁘장하다
예쁘장하다: 조금 예쁘다
완순하다(婉順): 예쁘고 온순하다
요염하다(妖艶): 사람을 호릴 만큼 매우 아리땁다
절염하다(絶艶): 견줄 사람이 없을 만큼 매우 예쁘다

4.17. 완전하다·온전하다

고스란하다: 조금도 축이 나거나 변함이 없이 고대로 온전하다

구전하다(俱全): 다 온전하다

끄떡없다: 아무런 변동이나 탈도 생기지 않고 온전하다

말짱하다: 흠이 없고 온전하다 [큰]멀쩡하다

멀쩡하다: 이렇다 할 흠이 없고 온전하다 [작]말짱하다

미타하다(未妥): ① 온당하지 아니하다 ② 든든하지 못하고 미심쩍은 데가 있
　　다 ③ '미심쩍다'의 북한말

불온하다(不穩): 온당하지 아니하다

불완전하다(不完全): 완전하지 아니하다

성하다: 물건이 본디 모습대로 온전하다

순연하다(純然): 섞임이 없이 제대로 온전하다

순일하다(純一): 다른 것이 섞이지 않고 한 가지로만 되어 있다

순전하다(純全): 순수하고 완전하다

순호하다(純乎): [=]순연하다

쌍전하다(雙全): 두 쪽 또는 두 사이만이 모두 온전하다

양전하다(兩全): 두 가지가 다 온전하다

오롯하다: 모자람이 없이 온전하다

온전하다(穩全): ① 본바탕 그대로 고스란하다 ② 잘못된 것이 없이 바르거나
　　옳다

온천하다: 모아 놓은 물건의 양이 축남이 없이 온전하거나 상당히 많다

온편하다(穩便): 온당하고 편리하다

완고하다(完固): 완전하고 튼튼하다

완연하다(完然): 흠이 없이 완전하다

완전하다(完全): 모자라거나 흠이 없다

주전하다(周全): 빈틈없이 두루 온전하다

혼연하다(渾然): 다른 것이 섞이지 않고 온전하다

4.18. 의심스러운 뜻

비참하다(悲慘): 슬프고 끔찍하다

의심스럽다: 의심할 만한 데가 있다

의심쩍다: 의심스러운 느낌이 있다

의아스럽다(疑訝): 의아한 데가 있다

이상하다: 의문스럽거나 의심스럽다

재장바르다: 무슨 일을 경영하는 첫머리에 상서롭지 못한 일이 생겨 꺼림칙
　　하다

4.19. 좋은 뜻

가하다(可): 좋거나 옳다
꼿꼿하다: 조금도 굽지 아니하고 똑바르다
단정하다(端正): 얌전하고 바르다
당당하다(堂堂): 남 앞에 내세울 만큼 모습이나 태도가 떳떳하다
똑똑하다: 틀림이 없고 바르다
똑바르다: 어느 쪽으로 기울지 않아서 아주 바르다
맑다: 바르고 분명하다 (예) 맑은 살림
바르다: ① 비뚤어지거나 굽지 아니하고 곧다 ② 사실과 어긋남이 없다
방직하다(方直): 바르고 곧다
번듯번듯하다: 여럿이 다 번듯하다 [센]번뜻번뜻하다 [작]반듯반듯하다
번뜻하다: 큰 물체의 머리가 귀가 나거나 굽거나 울퉁불퉁하거나 하지 않고
　　아주 썩 바르다 [여]번듯하다 [작]반뜻하다
부정하다(不正): 바르지 아니하다
불선하다(不善): 좋지 못하다
불호하다(不好): ① 좋아하지 아니하다 ② 좋지 아니하다
솔직하다(率直): 바르고 곧다
앙증맞다: 작으면서도 갖출 것은 다 갖추어져 있어서 아주 깜찍하다
앙증스럽다: 앙증한 듯하다
앙증하다: 작으면서도 갖출 것은 다 갖추어서 귀엽고 깜찍하다
어마어마하다: 엄청나고 굉장하다
어마하다: '어마어마하다'의 준말

4.20. 중요하다

귀중하다(貴重): 진귀하고 중요하다
대견하다: 무던히 소중하거나 대단하다
무겁다: 소중하거나 중대하다
소중하다(所重): 몹시 귀중하다

엄중하다(嚴重): 용서할 수 없을 만큼 중대하다
주요하다(主要): 주되고 중요하다
중난하다(重難): 중대하고도 어렵다
중대하다(重大): 중요하고 크다
중요하다: 귀중하고 요긴하다
중차대하다(重且大): '중대하다'의 힘찬 말
중하다(重): 아주 소중하다
지요하다(至要): 아주 중요하다
진귀하다(珍貴): 보배롭고 보기 드물게 귀중하다
진기하다(珍奇): 진귀하고 기이하다
추요하다(樞要): 없어서는 안 될 정도로 가장 긴요하고 중요하다
현요하다(顯要): 지위가 귀하고 중요하다

4.21. 천함의 뜻

뇌하다: 천하고 더럽다
누천하다(陋賤): ⨀비천하다
미천하다(微賤): 하찮고 천하다
비천하다(卑賤): 지위나 신분이 낮고 천하다
상되다: 보기에 좀 천하다
상스럽다: 말과 행동이 낮고 천하다
속루하다(俗陋): 속되고 천하다
쌍되다: 말이나 행실에 예의가 없어서 천하게 보인다 ⟨예⟩상되다
쌍스럽다: '상스럽다'를 세게 이르는 말
지천하다(至賤): 더할 나위 없이 천하다
천격스럽다(賤格): 보기에 품격이 아주 낮고 천하다
천박스럽다(淺薄): 보기에 천박하다
천속하다(賤俗): 천하고 속되다
천잡하다(舛雜): 천박하다
천하다: 품위가 낮고 상스럽다

05. 상태형용사

5.1. 상태형용사

5.1.1. 깨끗하다

건정하다(乾淨): ① 정결하다 ② 일을 처리한 뒤가 깨끗하다

교교하다(皎皎): 썩 희고 깨끗하다

깨끔스럽다: 보기에 깨끗하고 아담하다

깨끔하다: 깨끗하고 아담하다

깨끗하다: 지저분하지 않고 잘 정돈되어 있다

끼끗하다: ① 깨끗하고 길차다 ② 생기가 있고 깨끗하다

동탁하다(童濯): 씻은 듯이 깨끗하다

말끔하다: 티 없이 환하게 깨끗하다 **큰**멀끔하다

말쑥하다: 지저분함이 없이 깨끗하다 **큰**멀쑥하다

말짱하다: 지저분한 것이 없고 아주 깨끗하다 **큰**멀쩡하다

멀끔하다: 훤하게 깨끗하다 **좌**말끔하다

멀쑥하다: 허여멀겋고 깨끗하다 **좌**말쑥하다

산뜻하다: 깨끗하고 시원하다 **큰**선뜻하다

시원하다: 지저분하지 않고 깨끗하다

아하다(雅): 깨끗하고 맑다

정결하다(淨潔)[1]: 깨끗하고 말끔하다

정결하다(精潔)[2]: 보기에 순수하고 깨끗하다

정수하다(精粹): ① 불순물이 섞이지 아니하여 깨끗하고 순수하다 ② 청렴하고
사욕이 없다

정정하다(淨淨): 아주 맑고 깨끗하다

조촐하다: 아담하고 깨끗하다

조하다: **=**조촐하다

지결하다(至潔): 아주 깨끗하다

지정하다(至精): 아주 깨끗하다

청결하다(淸潔): 맑고 깨끗하다

청순하다(淸純): 깨끗하고 순수하다

청신하다(淸新): 깨끗하고 산뜻하다

청정하다(淸淨): 〈불교〉 허물이나 번뇌의 더러움에서 벗어나 깨끗하다

청징하다(淸澄): 맑고 깨끗하다

청초하다(淸楚): 깨끗하고 곱다

청허하다(淸虛): 마음이 맑아서 잡된 생각을 가지지 않고 아주 깨끗하다

탈쇄하다(脫灑): 속된 것을 벗어나서 깨끗하다

함치르르하다: 깨끗하고 반지르르하다 園흠치르르하다

훤칠하다: 막힘이 없이 깨끗하고도 시원하다

흠치르르하다: 깨끗하고 번지르르하다 困함치르르하다

5.1.2. 더럽다

고리다: 마음 쓰는 짓이나 하는 짓이 잘고 더럽다 園구리다

구저분하다: 더럽고 지저분하다

구중중하다: 물이나 축축한 곳이 더럽고 지저분하다

구지레하다: 지저분하고 더럽다

굴왕신같다(屈枉神): 찌들고 낡아 몹시 더럽고 보기에 흉하다

퀴죽죽하다: 하는 짓이 조촐한 맛이 없고 더럽다

꾀죄죄하다: 매우 꾀죄하다

꾀죄하다: 옷차림 따위가 매우 더럽고 궁상스럽다

너더분하다: 좀 큰 물건들이 갈피를 잡을 수 없이 어지럽게 널려 있다 困나다
 분하다

너저분하다: 질서 없이 널려 있어서 어지러우며 깨끗하지 못하다

너절너절하다: 늘어져 흔들리는 물건이 너저분하다

너절하다: 말쑥하지 못하고 추접스럽다

너주레하다: 좀 너절하다

뇌하다: 천하고 더럽다

누추하다(陋醜): 지저분하고 더럽다 困누하다

누하다(陋): '누추하다'의 준말

다랍다: 꽤 더럽거나 아니꼽게 더럽다

닥작닥작하다: 때나 먼지 같은 것이 군데군데 좀 두텁게 붙어 있다 園던적던적
 하다

닥지닥지하다: 때나 먼지 같은 것이 더럽게 많이 끼거나 올라 있다

더럽다: ① 때나 찌꺼기 따위가 있어 보기가 지저분하다 ② 언행이 순수하지

못하거나 인색하다 ③ 못마땅하거나 불쾌하다

덕적덕적하다: 때나 먼지 같은 것이 군데군데 두껍게 붙어 있다 困닥지닥지
　　하다

덕지덕지하다: 때나 먼지 같은 것이 더럽게 아주 많이 끼거나 올라 있다 困닥
　　지닥지하다

던적스럽다: 보기에 더러운 때가 있다

던지럽다: 말이나 행동이 더럽다

덴덕스럽다: 좀 더러운 느낌이 있어 개운하지 못하다

덴덕지근하다: 매우 덴덕스럽다

무구하다(無垢): 때가 없이 맑고 깨끗하다

번추하다(煩醜): 번거롭고 더럽다

쑥쑥다: '더럽다의 방언(경남)

인색하다(吝嗇): 체면 없이 재물만 아끼어 더럽다

추악하다(醜惡): 더럽고 흉악하다

추저분하다: 더럽고 너저분하다 比추접하다

추하다(醜): 지저분하고 더럽다

츱츱하다: 더럽고 염치가 없다

칙살맞다: 하는 짓이나 말 따위가 얄밉게 잘고 더럽다 困착살맞다

칙살스럽다: 칙살한 태도가 있다

칙살하다: 하는 짓이나 말이 잘고 더럽다 困착살하다

탁오하다(濁汚): 더럽고 흐리다 ≡오탁하다(汚濁)

황예하다(荒穢): 거칠고 더럽다

5.1.3. 맑다

깨끗하다: 맑고 산뜻하다

드맑다: 아주 맑다

말갛다: ① 산뜻하게 맑다 ② 말끔하다 ③ 말짱하다

말그레하다: 조금 맑다

말그스름하다: ≡맑스그레하다

말긋말긋하다: 아주 맑고 환하다

말끔하다: 티 없이 환하게 깨끗하다

말쑥하다: 말끔하다

맑다: ① 더러운 잡것이 섞이지 아니하다 ② 환하고 깨끗하다

맑다: 더러운 것이 섞이지 아니하여 환하고 깨끗하다

맑디맑다: 더할 수 없이 맑다

맑디맑다: 더할 수 없이 맑다

맑스그레하다: 조금 맑은 듯하다

멀겋다: 흐릿하게 맑다

멀그스레하다: ⬛멀그스름하다

멀그스름하다: 조금 멀겋다

멀뚱멀뚱하다: 국물 따위가 묽고 멀겋다

멀쩡하다: 훤하거나 맑다 ㈜말짱하다

명정하다(明淨): 밝고 맑다

명징하다(明澄): 밝고 맑다

반반하다: 놓여 있던 것들이 다 치워져서 말끔하다

샛말갛다: 매우 산뜻하게 맑다

싯멀겋다: 보다 진하고 선뜻하게 멀겋다 ㈜샛말갛다 (예) 딸이 몸을 풀어 싯멀건
아들을 하나 낳았다

정하다(淨): ① 맑고 깨끗하다 ② '정하게'로 쓰이어 '조심스럽게 다루어 더럽히
거나 상함이 없게'의 뜻

징철하다(澄澈): 끝없이 맑다

찬연하다(粲然): 맑고 깨끗하다

창백하다(蒼白): 맑고 깨끗하다

청랑하다(淸朗): 맑고 명랑하다

청량하다(淸涼): 맑고 서늘하다

청려하다(淸麗): 맑고 곱다

청아하다(淸雅): 맑고 아담하여 속되지 아니하다

청일하다(淸逸): 맑고 속되지 아니하다

청절하다(淸絶): 더할 수 없이 맑거나 깨끗하다

청정하다(淸淨): 썩 맑고 깨끗하다

청한하다(淸閑): 청아하고 환하다

청화하다(淸和): 맑고 화창하다

하야말갛다: 흰빛을 띠면서 말갛다 ⬛허여멀겋다

허여멀겋다: 흰빛을 띠면서 멀겋다 ㈜하야말갛다

형철하다(瑩澈): 내다보이도록 환하게 맑다

흐리다: 잡것이 섞이거나 하여 맑지 못하다

희다: 맑고 밝다

5.1.4. 분명하다

기연가미연가하다(其然-未然---): 그런지 그렇지 않은지 분명하게 알지 못하
다 🖽기연미연하다

기연미연하다: ▣기연가미연가하다

긴가민가하다: 그런지 그렇지 않은지 분명하지 않다 🖽아리송하다

깨끗하다: 분명하고 떳떳하다

도렷도렷하다: 여럿이 다 도렷하다 🖾또렷또렷하다 🖾두렷두렷하다

도렷하다: 엉클어지거나 흐리지 않고 분명하다 🖾또렷하다 🖾두렷하다

두렷두렷하다: 여럿이 다 두렷하다 🖾뚜렷뚜렷하다 🖾도렷도렷하다

두렷하다: 엉클어지거나 흐리지 않고 아주 분명하다 🖾뚜렷하다 🖾도렷하다

또깡또깡하다: 말이나 행동이 똑똑 자른 듯이 썩 분명하다

또랑또랑하다: 아주 또렷하고 똑똑하다

또렷또렷하다: 여럿이 다 또렷하다 🖾도렷도렷하다 🖾뚜렷뚜렷하다

또렷하다: 매우 도렷하다 🖾도렷하다 🖾뚜렷하다

또박또박하다: 말을 하거나 글을 읽으나 글을 쓴 것이 똑똑하고 뚜렷하다

똑똑하다: ① 사물의 됨됨이가 조금도 흐리지 않고 매우 또렷하다 ② 사리에
밝고 분명하다

뚜렷뚜렷하다: 여럿이 뚜렷하다 🖾두렷두렷하다 🖾또렷또렷하다

뚜렷하다: 매우 두렷하다 🖾두렷하다 🖾또렷하다

멀쩡하다: 속셈이 있고 분명하다 🖾말짱하다

명료하다(明瞭): 분명하고 똑똑하다

밝다: 분명하고 밝다

분명하다: 흐릿하지 아니하고 또렷하다

불분명하다: 분명하지 아니하다

빤하다: 어떤 일의 결과나 상태 따위가 환하게 들여다보이듯이 분명하다

빤하다: '빤하다'를 낮잡아 이르는 말 🖾반하다

소상하다(昭詳): 분명하고 자세하다

아리송하다: ▣알쏭하다

알쏭하다: 그런 것 같기도 하고 그렇지 않은 것 같기도 하여 분명하지 아니하

다 [비]아리송하다

애매모호하다(曖昧模糊): 말이나 태도가 희미하고 분명하지 아니하다

애매하다(曖昧): ① 희미하여 분명하지 아니하다 ② 〈논리〉 희미하여 확실하지
　　못하다. 이것인지 저것인지 명확하지 못하여 한 개념이 다른 개념과 충분
　　히 구별되지 못하는 일을 이른다

역력하다(歷歷): 모든 것이 환하게 알 수 있게 똑똑하다

역연하다(歷然): ① 분명히 알 수 있도록 또렷하다 ② 기억이 분명하다

완연하다(完然): 눈이 보이는 것처럼 뚜렷하다

요연하다(瞭然): 분명하고 명백하다

자명하다: 저절로 드러나 분명하다

자세하다(仔細): 속속들이 분명하다

적력하다(的歷): 또렷또렷하여 분명하다

절연하다(截然): 한계나 구별이 칼로 끊은 듯이 분명하다

환하다: 무슨 일의 조리나 속내가 또렷하다

획연하다(劃然): 구별된 끝이 분명하다

효연하다(曉然): 환하고 똑똑하다

5.1.5. 조심스럽다

동동촉촉하다(洞洞屬屬): 공경하고 삼가서 매우 조심스럽다

소심하다: 조심성이 많다

스스럼없다: 스스러운 티가 없다 (예) 스스럼없는 태도

스스럽다: 정분이 두텁지 못하여 조심스럽다

5.1.6. 주택(집)

덜름하다: 집이 어울리지 않게 홀로 우뚝하다

들름하다: ① '덜름하다'의 잘못 ② 〈북한어〉 어둡거나 무거운 느낌이 날 정도
　　로 홀로 우뚝하다

성만하다(盛滿): 집이 번창하다

슬겁다: 집이나 세간 따위가 겉으로 보기보다는 속이 꽤 너르다 [좌]살갑다

만당하다(滿堂): 방이나 강당 따위에 가득하다

반환하다(盤桓): 성, 궁궐, 집 따위가 넓고 크다

분통하다(粉桶): 도배를 새로 하여 깨끗하다

설미지근하다: 방바닥 따위가 어설프게 미지근하다

싱겅싱겅하다: 방이 차고 싸늘하다

썰렁하다: 방안 같은 데의 공기가 퍽 싸늘하다 예설렁하다 좌쌀랑하다

쌀랑쌀랑하다: 매우 쌀랑하다 예살랑살랑하다 큰썰렁썰렁하다

쌀랑하다: 방 안 같은 데의 공기가 싸늘하다 예살랑하다 큰썰렁하다

여낙낙하다: 미닫이 따위가 여닫을 때 미끄럽고 거침이 없다

5.1.7. 중요하다·귀중하다

난중하다(難重): ≡중난하다

대단찮다: 그다지 중요하지 않다

대단하다: 매우 중요하다

대모하다: 주로 '대모한'으로 쓰여 '대체의 줄거리가 되는 중요한'의 뜻을 나타
　　낸다

대수롭다: 중요하게 여길 만하다

소중하다(所重): 몹시 귀중하다

중난하다(重難): 중대하고도 어렵다 비난중하다

중대하다(重大): 중요하고 크다

중요하다: 귀중하고 요긴하다 비귀중하다 비중하다

지중하다(至重): 더없이 귀중하다

5.1.8. 지세

험액하다(險阨): ≡험조하다

험요하다(險要): 지세가 험하고 중요하다

험조하다(險阻): 지세가 가파르거나 험하여 막히거나 끊어져 있다 비험액하다

험준하다(險峻): 지세가 험하고 높고 가파르다

험하다(險): 지세의 생김이 발붙이기가 어렵다

협애하다(狹隘): 지세가 매우 좁다

협하다(狹): 지대가 좁다

형승하다(形勝): 지세나 풍경이 뛰어나다

5.1.9. 지위

고귀하다(高貴): ① 지위가 높고 귀하다 ② 훌륭하고 귀하다
낮다: 지위가 아래에 있다 <u>뙨</u>높다
무위하다(無位): 일정한 지위나 직위가 없다
반반하다: 지체 같은 것이 상당하다 <u>큰</u>번번하다 (예) 반반한 집안의 맏며느리
번번하다: 지체가 제법 상당하다 <u>좌</u>반반하다 (예) 번번한 집안
비천하다(卑賤)[1]: 지체가 낮고 천하다
비천하다(鄙賤)[2]: 더럽고 천하다
숭엄하다(崇嚴): 숭고하고 존엄하다
저명하다(著名): 이름이 널리 나 있다
존중하다(尊重): 높고 중하다
존현하다(尊顯): 지위가 높고 이름이 드러나다
지명하다(知名): 세상에 널리 이름이 알려져 있다
체중하다(體重): 지위가 높고 점잖다
현귀하다(顯貴): 지위가 드러나게 높다

5.1.10. 지저분하다·추저분하다

게저분하다: 게접스럽고 지저분하다 <u>센</u>께저분하다
게적지근하다: 좀 게저분하다 <u>센</u>께적지근하다
게접스럽다: 좀 구접스럽다
구더분하다: '구저분하다'의 잘못
구저분하다: 더럽고 지저분하다
구접스럽다: 보기에 지저분하고 더럽다
구질구질하다: 구저분하고 너절하다
귀접스럽다: 비위에 거슬리게 지저분하다
께저분하다: 매우 게접스럽고 지저분하다 <u>예</u>게저분하다
께적지근하다: 좀 게저분하다 <u>예</u>게적지근하다
너절하다: 말쑥하지 못하고 추저분하다
벽루하다(僻陋): 외지고 누추하다
부정하다(不淨): 거칠고 지저분하다, 깨끗하지 아니하다
어질더분하다: 어질러 놓아 지저분하다

지저분하다: 보기 싫게 더럽다
추괴하다(醜怪): 추하고 괴상하다
추루하다(醜陋): 누추하다
추예하다(醜穢): 추저분하고 더럽다
추잡스럽다(醜雜): 추저분하고 잡상스러운 태도가 있다
추잡하다(醜雜): 말과 행동이 지저분하고 잡상스럽다
추저분하다(醜): 더럽고 지저분하다 비추잡하다 비너저분하다 비더럽다
추접스럽다(醜): 추접지근한 태도가 있다
추접지근하다(醜): 깨끗하지 못하고 조금 추저분하다
추접하다(醜): ⊜추저분하다
추졸하다(醜拙): 지저분하고 졸망하다

5.2. 여러 가지 상태형용사

여기서 다루는 상태 형용사 중 표제어를 내세워 분류할 만한 형용사는
표제어로 내세워 분류할 것이고, 그렇지 못한 형용사는 여럿을 한데
모아 분류할 것이다. 다만, 배열순서는 그 낱말이나 뜻에 따라 'ㄱ, ㄴ,
ㄷ, …'의 차례로 할 것이니 이해하기 바란다.

5.2.1. 가지런하다

간잔지런하다: 매우 가지런하다
간지런하다: '가지런하다'의 방언(경남, 전남)
감쪽같다: 꾸미거나 고친 것이 전혀 알아챌 수 없을 정도로 티가 나지 아니
    하다
가지런하다: 여럿이 한 줄로 고르게 되어 있다
가쯜하다: '가지런하다'의 방언(함경)
균제하다(均齊): 가지런하다
건둥건둥하다: 여럿이 다 건둥하다 쎈껀둥껀둥하다 좌간동간동하다
건둥하다: 흐트러짐이 없이 잘 정돈되어 헌칠하다 쎈껀둥하다 좌간동하다
건성드뭇하다: 비교적 많은 수효의 것이 듬성듬성 흩어져 있다
나란하다: 여럿이 줄 지어 있는 모양이 가지런하다
나스르르하다: 가늘고 짧은 보드라운 풀이나 털 따위가 성기고 가지런하다

론너스르르하다

부제하다(不齊): 가지런하지 아니하다

들쑥날쑥하다: 들어가기도 하고 나오기도 하여 가지런하지 아니하다

들쭉날쭉하다: 좀 들어가기도 하고 나오기도 하여 가지런하지 아니하다

어뜩비뜩하다: 어떤 모양이나 자리가 이리저리 어긋나고 비뚤어지고 하여 가

　　지런하지 못하다

일매하다: 죄다 고르고 가지런하다

정연하다(整然): 질서 있게 가지런하다

제균하다(齊均): 가지런하게 고르다

제일하다(齊一): 똑같이 가지런하다

제정하다(齊整): 정돈되어 한결같이 가지런하다

제평하다(齊平): 가지런하고 평평하다

차지하다(差池): 들쭉날쭉하여 가지런하지 아니하다

획일하다(劃一): 줄로 친 듯 가지런하다

5.2.2. 가치

보배스럽다: 보기에 아주 귀하고 중한 값어치가 있다

하염직하다: 할 만하다, 할 가치가 있다

바람직하다: 바랄 만한 가치가 있다

바람직스럽다: ＝바람직하다

무가치하다(無價値): 아무런 가치가 없다

유의의하다(有意義): 의미나 가치가 있다

쓸모없다: 쓸 만한 가치가 없다

뜻깊다: 가치나 중요성이 크다

5.2.3. 가파르다

가파롭다: ① '가파르다'의 잘못 ② 〈북한어〉 매우 가파르다

가파르다: (산이나 길이) 몹시 비탈지다

가팔막지다: '가풀막지다'의 원말

가풀막지다: 땅이 가풀막으로 되어 있다

가풀지다: '가풀막지다'의 잘못

파르다: ⬚가파르다
거기중하다(居其中): 한쪽에 치우치지 아니하고 중간쯤 되어 있다
감참하다: 산이 골짜기가 깊고 가파르다
고준하다(高峻): 높고 가파르다
급급하다(岌岌): 산이 높고 가파르다
급하다: 비탈이 가파르다
까풀막지다: '가파르다'의 방언(경남, 충북)
깎아지르다: 절벽이 깎아 세운 것같이 가파르다
준급하다(峻急): 높고 험하여 몹시 가파르다

5.2.4. 간극·사이

다문다문하다: 배지 않고 사이사이가 조금씩 뜨다 ⬚드문드문하다
다붓다붓하다: 여럿이 다 다붓하다
다붓하다: 떨어진 사이가 바투 붙은 듯하다
담상담상하다: 촘촘하지 않고 좀 성기거나 다문다문하다 ⬚듬성듬성하다
드문드문하다: 배지 않고 사이사이가 상당히 뜨다 ⬚뜨문뜨문하다 ⬚다문다
　　문하다
드물다: 공간의 사이가 뜨다 (예) 모를 드물게 꽂았다
듬성듬성하다: 촘촘하지 않고 성기거나 드문드문하다
띄엄띄엄하다: ① 사이가 멀거나 드물다 ② 동안이 뜨다
배다: 여럿의 사이사이가 매우 가깝다
버스름하다: 버스러져서 사이가 좀 벌어져 있다
뻑뻑하다: 사이가 비좁게 촘촘하다 ⬚빽빽하다
성기다: 물건끼리의 사이가 뜨다 ⬚성글다
설피다: 촘촘하거나 배지 않고 성기다 ⬚살피다
설핏설핏하다: 여럿이 다 설핏하다 ⬚살핏살핏하다
설핏하다: 사이가 촘촘하지 않고 듬성듬성하다 ⬚살핏하다
소소하다(疏疏): 드문드문하다
성글다: ⬚성기다 ⬚거칠다
성깃성깃하다: 여러 군데가 다 성깃하다 ⬚상깃상깃하다
성깃하다: 사이가 좀 성기다 ⬚상깃하다
엉성하다: 빽빽하지 못하고 성기다 ⬚앙상하다

엷다: 좀 성기다 (예) 엷은 안개
정밀하다(精密): 가늘고 촘촘하다
촘촘하다: 틈이 난 구멍이 썩 배다
치밀하다(緻密): 썩 곱고 촘촘하다

5.2.5. 감정

새삼스럽다: ① 이미 알고 있는 사실에 대하여 느껴지는 감정이 갑자기 새로운
　　데가 있다 ② 하지 않던 일을 이제 와서 하는 것이 보기에 두드러진 데가
　　있다 비새퉁스럽다
새퉁스럽다: 어처구니없이 새삼스러운 데가 있다
생급스럽다: '새삼스럽다'의 잘못

5.2.6. 갖추다

구전하다(俱全): 다 갖추어져 있다
구존하다(具存): 고루 갖추어져 있다
그뜩하다: 두루 갖추어져 있다
미비하다: 아직 다 갖추지 못하다

5.2.7. 거북하다

거북살스럽다: 매우 거북스럽다
거북스럽다: 거북한 듯하다
거북하다: 몸이 자연스럽지 못하거나 자유롭지 못하다
어렵다: 존경하거나 인격에 눌리거나 두려워하거나 하여 근심스럽고 거북하
　　다 (예) 그렇게 어려워 말고 편히 앉아요

5.2.8. 거칠다

궂다: 언짢고 거칠다
무폐하다(無廢): 땅을 잘 다루지 아니하고 버려두어 거칠다
설피다: 거칠고 서투르다

176

어설프다: 꼭 짜이지 못하여 거칠다
와일드하다(wild): 거칠다, 난폭하다
조대하다(粗大): 거칠고 크다
조방하다(粗放): 거칠고 방종하다
조악하다(粗惡): 거칠고 나쁘다 🔲추악하다
조잡하다(粗雜): 거칠고 잡스럽다
조포하다(粗暴): 거칠고 사납다
초략하다(草略): 몹시 거칠고 간략하다
추악하다: 거칠고 나쁘다
추하다(麤): 정밀하지 못하고 거칠다
험궂다: 험하고 거칠다
험하다: 매우 거칠고 힘들다
황잡하다(荒雜): 거칠고 잡되다

5.2.9. 건강

균안하다(均安): 두루 편안하다
까칠까칠하다: 여러 군데가 다 까칠하다 🔲가칠가칠하다 🔲꺼칠꺼칠하다
까칠하다: 야위거나 메말라 살갗이나 털이 아주 거칠다 🔲가칠하다 🔲꺼칠
　　하다
메마르다: 원기가 없이 거칠고 보송보송하다 🔲걸다
목마르다: 물이 몹시 먹고 싶다
무겁다: 힘이 들거나 빠져서 느른하다 (예) 무거운 다리를 끌고 걸었다
헐끔하다: 피곤하거나 아파서 얼굴이 꺼칠하고 눈이 쑥 들어가 있다 🔲흘끔
　　하다
흘끔하다: 몸이 몹시 고단하거나 불편하여 얼굴이 꺼칠하고 눈이 쑥 들어가
　　있다

5.2.10. 건조함의 정도

가닥가닥하다: 물기나 풀기가 있는 물체의 거죽이 거의 말라서 빳빳하다 🔲까
　　닥까닥하다 🔲거덕거덕하다
강마르다: 딱딱하게 마르다 (예) 오랜 가뭄으로 강말라 버린 논바닥

거덕거덕하다: 풀기나 물기가 있는 물체의 거죽이 거의 말라서 뻣뻣하다 <u>센</u>꺼
　　덕꺼덕하다 <u>작</u>가닥가닥하다
건조하다: 말라서 물기가 없다
건하다(乾): 오래 비가 오지 않아 메마르다
걸다랗다: 다른 물질과 섞인 액체가 물기가 적어 된 듯하다
경조하다(輕燥): 가볍고 건조하다
고고하다(枯槁): 풀이나 나무가 말라 물기가 없다
고독고독하다: 물기가 있는 물건이 거의 말라서 단단하다 <u>큰</u>구둑구둑하다 <u>센</u>
　　꼬독꼬독하다
구둑구둑하다: 물기 있는 물건이 거의 마르거나 얼어서 단단히 굳어 있다 <u>센</u>꾸
　　둑꾸둑하다 <u>작</u>고독고독하다
꼬독꼬독하다: 물기가 있는 물건이 바짝 말라서 딴딴하다 <u>큰</u>꾸둑꾸둑하다
꾸둑꾸둑하다: 물기가 있는 물건이 버썩 말라서 아주 딴딴하다 <u>여</u>구둑구둑하
　　다 <u>작</u>꼬독꼬독하다

5.2.10. 격식

거령맞다: 격에 어울리지 않게 조촐하지 못하다 <u>작</u>가량맞다
구성없다: 격에 맞지 않다
변변하다: 격에 맞게 의젓하다
전려하다(典麗): 격식에 맞고 아름답다

5.2.11. 계급

낮다: 계급이 아래에 있다 <u>반</u>높다
존대하다(尊大): 관직이 높고 크다
질고하다(秩高): 관직, 녹봉 따위가 높다
질비하다(秩卑): 관직이나 녹봉 따위가 낮다

5.2.12. 고르다

매고르다: 모두 다 가지런하게 고르다(매우 고르다)
부등하다(不等): ① 층이 져서 고르지 아니하다 ② 같지 아니하다

불균등하다(不均等): 차별이 있고 고르지 아니하다
불평등하다: 차별이 있어 고르지 아니하다
지질편편하다: 울퉁불퉁하지 아니하고 고르게 편편하다

5.2.13. 곱다·부드럽다

곱다¹: ① 모양, 생김새, 행동거지 따위가 산뜻하고 아름답다 ② 소리가 듣기에
　　맑고 부드럽다 ③ 손가락이나 발가락이 얼어서 감각이 없고 놀리기가 어
　　렵다 ④ 신 것이나 찬 것을 먹은 뒤에 이가 시큰시큰하다 ⑤ 곧지 아니하고
　　한쪽으로 약간 급하게 휘어 있다 ⑥ 가루가 아주 잘고 보드랍다
곱다²: 바탕이 거칠지 않고 보드랍다
곱다랗다: 축나거나 변함이 없이 그대로 온전하다
곱닿다: '곱다랗다'의 준말
누글누글하다: 썩 무르게 물기나 기름기가 돌아 부드럽다 [작]노글노글하다
엽렵하다: 잎사귀가 하늘거릴 정도로 부는 바람이 가볍고 부드럽다
의의하다(猗猗): 바람 지나가는 소리가 부드럽다

5.2.14. 고저(높다·낮다)

덩그렇다: 넓은 곳에 높이 솟아 당당하다 (예) 덩그런 기와집 한 채
승하다(勝): 의기 따위가 높다
어리다: 생각이 모자라거나 경험이 적거나 수준이 낮다
위없다: 그 위를 넘는 것이 없을 정도로 가장 높고 좋다
저열하다(低劣): 질이 낮고 변변하지 못하다 (예) 저열한 사람
진하다(津): 기체의 밀도가 높다

5.2.15. 괴상하다·괴이하다

고괴하다(古怪): 예스럽고 괴상하다
수괴스럽다(殊怪): 수상하고 괴이한 데가 있다
수괴하다: 수상하고 괴이하다
신괴하다(神怪): 신비하고 괴상하다
신기롭다(神奇): 신묘하고 기인한 데가 있다

5.2.16. 궁벽하다·외지다

궁벽스럽다(窮僻): 보기에 궁벽하다
궁벽지다(窮僻): ⒣궁벽하다
궁벽하다(窮僻): 매우 후미지고 으슥하다
벽원하다(僻遠): 한쪽으로 치우쳐 외지고 멀다
벽지다(僻): 외지다

5.2.17. 글자

고담하다(枯淡): 글, 그림 따위의 표현이 메마르고 담담하다
군획지다: 본래 글자에는 없는 군더더기 획이 붙어 잘못 쓰인 상태에 있다
이필하다(異筆): 한 면이나 한 곳에 쓸 글씨가 같아야 할 것이 서로 다르다
주경하다(遒勁): 그림, 글씨 따위에서 붓의 힘이 굳세고 힘차다
주방하다(遒放): 주로 필력에서 힘차고 막힘이 없다
해정하다(楷正): 글씨체가 바르고 똑똑하다

5.2.18. 기색

농후하다: 어떤 경향이나 기색 따위가 뚜렷하다
새무룩하다: 마음에 못마땅하여 말이 없고 조금 언짢은 기색이 있다 ⒮쌔무룩
　　하다
수연하다(粹然): 꾸미는 기색이 없다
시뜻하다: 물리거나 지루하거나 하여 좀 싫증이 난 기색이 있다
쌔무룩하다: 마음에 몹시 못마땅하거나 불안스러워 좀 언짢은 기색이 있다
　　⒴새무룩하다 ⒧씨무룩하다
씨무룩하다: 마음에 못마땅하여 말이 없고 얼굴에 언짢은 기색이 있다

5.2.19. 깊이나 짙음의 정도

거하다: 지형이 깊고 으슥하다
깊다¹: 겉에서 속까지, 가에서 안까지 사이가 멀다 ⒨얕다
깊다²: 어떤 상태가 오래되거나 정도가 심하다

깊다³: 짙거나 자욱하다
심오하다(深奧): 사상이나 이론 따위가 매우 깊고 오묘하다
유심하다(幽深): 깊숙하고 그윽하다 ⊒심수하다(深邃)
후미지다: 물가에 굽어 들어간 곳이 매우 깊다

5.2.20. 까닭

공연스럽다(空然): ① 보기에 아무 까닭이 필요가 없다 ② 보기에 실속이 없이
    객쩍다
공연하다(空然): ① 아무 까닭이나 필요가 없다 ② 실속이 없이 객쩍다
괜스럽다: ⊒공연스럽다
괜하다: ⊒공연하다

5.2.21. 끔찍하다

끔찍끔찍하다: 매우 끔찍하다
끔찍스럽다: 보기에 끔찍하다
끔찍하다: ① 몹시 놀랄 만큼 참혹하다 ② 지나치게 크거나 많거나 하여 놀랍다
참률하다(慘慄): 몸이 벌벌 떨릴 만큼 끔찍하다

5.2.22. 난잡·복잡·어지러움·어수선·혼란

괴란하다(乖亂): 사리에 어그러져서 어지럽다
난잡스럽다(亂雜): 보기에 난잡하다
난잡하다: 어지럽고 어수선하다
낭자하다(狼藉): 여기저기 흩어져 어지럽다
복잡다기하다: ⊒복잡다단하다
복잡다단하다: 일이 마구 뒤섞여 갈피를 잡기가 어렵다
복잡스럽다: 복잡한 데가 있다
복잡하다: ① 여럿이 겹치고 뒤섞여 있다 ② 복작거리어 번거롭고 혼잡스럽다
    凷간단하다
수란하다(愁亂): 시름이 많아서 정신이 어지럽다
어지럽다: ① 모든 것이 헝클어져 있어 갈피를 잡을 수 없다 (예) 찰랑찰랑 불

위에 파문이 어지럽다 ② 물건들이 널려 있어 너저분하다 ③ 사물이 더러워져
있어 추접스럽다

잡답하다(雜沓): 북적북적하고 복잡하다 또는 그런 상태다

착잡하다(錯雜): 뒤섞이어 복잡하다

찬란하다(燦爛): 뒤섞이어 어수선하다

천착하다(舛錯): 심정이 뒤틀려서 어그러지고 난잡하다

현황하다(眩慌): 정신이 어지럽고 황홀하다

혹란하다(惑亂): 미혹되어 어지럽다

혼돈하다(混沌): 사물이 뒤섞이어 갈피를 잡을 수 없다

혼란스럽다(混亂): 보기에 갈피를 잡을 수 없이 어지럽다

혼란하다(混亂)[1]: 갈피를 잡을 수 없이 어지럽다

혼란하다(昏亂)[2]: 어둡고 어지럽다

혼잡하다(混雜): 여럿이 한데 뒤섞이어 어수선하다

효잡하다(淆雜): 여럿이 한데 뒤섞이어 어수선하다 =혼잡하다

5.2.23. 넓다·좁다

좁다: ① 면이나 바닥 따위의 면적이 작다 ② 너비가 작다 ③ 마음 쓰는 것이
너그럽지 못하다

질펀하다: 땅이 넓고 평평하게 펼쳐져 있다

쾌활하다(快闊): 시원하게 앞이 트이어 넓다

허허넓다(虛虛): 텅 비어 거추장스러운 것이 없이 넓다

확연하다(廓然): 넓어서 휑하게 비다

5.2.24. 느낌

귀살스럽다: 일이나 물건 따위가 마구 얼크러져 정신이 뒤숭숭하거나 산란(散
亂)한 느낌이 있다 ▥커성스럽다

쌀랑하다: 놀랄 때 싸늘한 바람이 드는 듯한 느낌이 있다

아늑하다: 품에 포근히 안긴 듯이 주위가 보드라운 느낌이 있고 한갓지다

알싸하다: 매운 맛이 독한 냄새로 말미암아 콧속이나 혀끝이 알알하다

알알하다: 맛이 맵고 독하여 혀끝을 쏘는 듯이 아리다

약략스럽다(略略): 약략한 듯한 느낌이 있다

5.2.25. 느슨함의 정도

나릿나릿하다: 사이가 짜임새나 꼬임새 따위가 좀 느슨하거나 성글다 団느릿
　　느릿하다
나슨하다: 죈 것이 헐겁게 아주 조금 풀려 있다 団느슨하다
날쌍날쌍하다: 매우 날쌍하다, 여럿이 다 날쌍하다
차완하다(差緩): 조금 느슨하거나 느리다

5.2.26. 다소(많다·적다)

걸다: 흙에 식물의 영양이 되는 성분이 많이 들어 있다
과문하다(寡聞): 보고 듣고 한 것이 적다
낫다: 수준 따위의 정도가 어떤 대상보다 앞서거나 많다
낮다: 성적이 나쁘거나 좋지 못하다 団높다
낮다: 품삯이 어떤 기준보다 적다 본높다
무진장하다(無盡藏): 다함이 없이 굉장히 많다 団무궁무진하다
약하다: 바탕이 무르거나 견디는 힘이 적다
호한하다(浩瀚): 책 따위가 아주 많다

5.2.27. 단정하다

단려하다: 단정하고 아름답다
단아하다: 단정하고 아담하다
단엄하다: 단정하고 엄숙하다
단중하다: 단정하고 무게가 있다
번설하다(煩褻): 번잡스럽고 단정하지 못하다
응연하다(凝然): 단정하고 진중하다

5.2.28. 대소(크다·작다)

거창하다: 일이 엄청나게 크다
권중하다(權重): 권세가 크다
극중하다(極重): 죄의 형벌이 아주 무겁고 크다

미세하다(微細): ① 분간하기 어려울 정도로 아주 작다 ② 몹시 자세하고 꼼꼼하다

소소하다(小少): ① 키가 작고 나이가 어리다 ② 얼마 되지 아니하다

엄범부렁하다: 실속은 없이 겉만 크다 [준]엄부렁하다

엄부렁하다: '엄범부렁하다'의 준말

중쑬쑬하다(中): 크지도 않고 작지도 않고 쑬쑬하다

커다랗다: 꽤 크다 [비]거대하다

커닿다: '커다랗다'의 준말

크나크다: 매우 크다

크넓다: 크고 넓다 [비]굉박하다 [비]굉활하다

크다: ① 부피, 넓이, 길이 따위가 기준 이상이다 ② 규모, 범위, 정도 따위가 대단하다 ③ '크게는'으로 쓰이어 '나아가서는 범위를 더 넓힌다면'의 뜻을 나타낸다 ④ '큰'으로 쓰이어 '맏이' 또는 '위'의 뜻을 나타낸다 [반]작다 ⑤ '크게'의 꼴로 쓰이어 '마음이나 행동이 동뜨거나 엉뚱하게'의 뜻을 나타낸다

크다랗다: '커다랗다'의 잘못

크디크다: 몹시 크다 [반]작디작다

큼직큼직하다: ① 여럿이 다 큼직하다 ② 매우 큼직하다

큼직하다: 꽤 크다

5.2.29. 대수롭다

새들하다: 약간 대수롭지 아니하다 [큰]시들하다

소소하다(小小): 대수롭지 아니하다 [비]자질구레하다

시들하다: 대수롭지 아니하다

심상하다(尋常): 대수롭지 아니하다

시시하다: 끝장이 흐리멍덩하다

하찮다: 대수롭지 않다

홀가분하다: 다루기가 만만하여 대수롭지 않다

홀하다(忽): 대수롭지 않다

헐후하다(歇后): 대수롭지 아니하다

5.2.30. 드물다

귀하다: 구하기 힘들 만큼 드물다
드물다: 흔하지 아니하다
한고하다(罕古): 예로부터 드물다
희소하다(稀少): 드물다
희유하다(稀有): 드물다
희한하다(稀罕): 썩 드물거나 신기하다

5.2.31. 마음

꺼림칙하다: 매우 꺼림하다
꺼림하다: 마음에 거리끼어 언짢은 데가 있다
껑충하다: 키가 멋없이 크고 다리가 길다
께끄름하다: 께적지근하고 꺼림하다
께끔하다: 께끄름하다
께름칙하다: 꺼림칙하다
께름하다: 꺼림하다
누리다: 마음을 쓰는 것이 매우 인색하고 치사하다 🙰노리다
습습하다(習習): 마음이나 하는 짓이 활발하고 너그럽다
의기소침하다(意氣銷沈): 의기가 쇠하여 우울해지다
의기충천하다(意氣衝天): 득의한 마음이 하늘을 찌를 듯하다
자신만만하다: 아주 자신이 있다
자유롭다: 제 마음대로 할 수 있는 상태에 있다
자유스럽다: 자유로운 데가 있다
희떱다: ① 실속은 없어도 마음이 넓고 손이 크다 ② 말이나 행동이 분에 넘치
　　며 버릇이 없다

5.2.32. 명암

깜깜하다: 아주 까맣게 어둡다
밝다: 개이고 발전한 상태에 있다 🙰어둡다 (예) 밝은 세상
어둡다: 빛이 없어 밝지 아니하다

캄캄하다: 새까맣게 어둡다 [큰]컴컴하다
컴컴하다: 시커멓게 보이도록 몹시 어둡다 [센]껌껌하다 [작]캄캄하다

5.2.33. 문장

나긋나긋하다: 글이 알기 쉽고 멋이 있다
노성하다(老成):글이나 솜씨 따위가 착실하고 세련되다
매끄럽다: 글에 조리가 있고 거침이 없다 [큰]미끄럽다
불문하다(不文): 글에 대한 지식이 없다
빈빈하다(彬彬): 글의 형식과 내용이 알맞게 갖추어져 훌륭하다
삽삽하다(澁澁): 말이나 글이 분명하지 못하여 이해하기 어렵다
생경하다(生硬): 글의 표현이 딱딱하다
황무하다(荒蕪): 글 따위를 다듬지 아니하여 몹시 거칠다

5.2.34. 물건·물체

궁글다: 단단한 물체 속의 한 부분이 텅 비다
달랑달랑하다: 물건을 거의 다 써 버려서 곧 없어질 듯하다
부픗하다: 〈순우리말〉 ① 물건이 부프고도 두껍다 ② 말이 과장되다
상기다: 물건끼리의 사이가 좀 뜨고 앙상하다
조글조글하다: 물체가 쪼그라져 잔주름이 많다
주글주글하다: 물체가 쭈그러져 주름들이 많다 [작]조글조글하다
쪼글쪼글하다: 물체가 쪼그라져 잔주름들이 아주 많다 [여]조글조글하다 [큰]쭈
　　글쭈글하다
쭈글쭈글하다: 물체가 쭈그러져 주름들이 매우 많다 [여]주글주글하다 [작]쪼글
　　쪼글하다
케케묵다: 일이나 물건이 썩 오래 묵어서 쓸모가 없다
코랑코랑하다: 자루나 봉지 따위에 물건이 가득 차지 아니하여 좀 빈 데가
　　있다 [큰]쿠렁쿠렁하다
코랑코랑하다: 자루나 봉지 따위에 물건이 가득 차지 아니하여 좀 빈 데가
　　있다 [큰]쿠렁쿠렁하다
콜랑콜랑하다: 착착 달라붙지 않고 매우 들떠서 부풀어 있다 [센]꼴랑꼴랑하다
콜랑하다: 착 달라붙지 않고 들떠서 부풀어 있다 [큰]쿨렁하다

쿠렁쿠렁하다: 자루나 봉지 따위에 물건이 그득 차지 아니하여 여기저기 빈 데가 있다 阻코랑코랑하다

쿠렁쿠렁하다: 자루나 봉지 따위에 물건이 그득 차지 않아 여기저기 빈 데가 있다 阻코랑코랑하다

쿨렁쿨렁하다: 척척 들러붙지 않고 매우 들떠서 부풀어 있다 阻꿀렁꿀렁하다 阻콜랑콜랑하다

쿨렁하다: 척 들러붙지 않고 매우 부풀어서 들썩하다 阻꿀렁하다 阻콜랑하다

휭뎅그렁하다: 넓은 곳에 물건이 아주 조금밖에 없어 잘 어울리지 아니하고 빈 것 같다 阻휭하다 阻횅댕그렁하다

휭하다: 阻휭뎅그렁하다

5.2.35. 묽다

누그름하다: 좀 묽으며 누글누글하다 阻노그름하다

누글누글하다: 썩 무르게 물기나 기름기가 돌아 부드럽다 阻노글노글하다

누긋누긋하다: 여럿이 다 누긋하다(매우 누긋하다) 阻노긋노긋하다

누긋하다: 메마르거나 빳빳하지 않고 눅눅하다 阻노긋하다

누꿈하다: 전염병이나 해충 따위의 퍼지는 기세가 매우 심하다가 조금 누그러져 약해지다

5.2.36. 미세·정밀·정교

정미하다(精微): 정밀하고 미세하다

정일하다(精一): 정세하고 순일하다

지교하다(至巧): 아주 정교하다

지미하다(至微): 아주 미세하다

치교하다(緻巧): 정교하다(정밀하고 교묘하다)

5.2.37. 부풀다

콜랑콜랑하다: 착착 달라붙지 않고 매우 들떠서 부풀어 있다 阻꼴랑꼴랑하다

콜랑하다: 착 달라붙지 않고 들떠서 부풀어 있다 阻쿨렁하다

쿨렁쿨렁하다: 척척 들러붙지 않고 매우 들떠서 부풀어 있다 阻꿀렁꿀렁하다

젠콜랑콜랑하다
쿨렁하다: 척 들러붙지 않고 매우 부풀어서 들썩하다 쎈꿀렁하다 젠콜랑하다

5.2.38. 비·바람

사납다: 비바람이 거칠고 심하다
산들거리다: 사늘한 바람이 가볍고 보드랍게 자꾸 불다 비산들대다
산들대다: ⨅산들거리다
산들산들하다: 사늘한 바람이 가볍고 보드랍게 잇따라 불다 비산들거리다
삽상하다(颯爽): 바람이 시원하여 마음이 상쾌하다
삽연하다(颯然): 바람이 시원하다
소삽하다(蕭颯): 바람이 쓸쓸하다
소소하다(瀟瀟): 비바람이 세차다
습습하다(習習): 바람이 산들산들하다 (예) 바람이 습습하다
쌀랑하다: 놀랄 때 싸늘한 바람이 도는 듯한 느낌이 있다
엽렵하다: 입사귀가 하늘거릴 정도로 부는 바람이 가볍고 부드럽다
의의하다(猗猗): 바람 지나가는 소리가 부드럽다
잔풍하다(殘風): 바람이 잔잔하다
패연하다(沛然): 비가 퍼붓듯이 쏟아져서 세차다

5.2.39. 비다·엉성하다·휑하다

공공하다(空空): 아무것도 없이 텅 비어 있다 〈불교〉 아무 생각이 없이 무아의
　　경지에 있다
공소하다(空疎): 엉성하다
공허하다(空虛): 아무것도 없이 텅 비다
궁글다: 단단한 물체 속의 한 부분이 텅 비다
비다: ① 속에 아무것도 없다 ② 배 속에 먹은 것이 없다 ③ 수레나 탈 것
　　따위에 탄 손님이나 실은 것이 없다 ④ 내용이 없다 ⑤ 어떤 자리에 있는
　　것이 없다 ⑥ 집이나 방에 사는 사람이 없다 ⑦ 어떤 시간에 아무 할 일도
　　정해져 있지 아니하다
코랑코랑하다: 자루나 봉지 따위에 물건이 가득 차지 아니하여 좀 빈 데가
　　있다 큰쿠렁쿠렁하다

코랑코랑하다: 자루나 봉지 따위에 물건이 가득 차지 아니하여 좀 빈 데가
　　　있다 🖳쿠렁쿠렁하다
쿠렁쿠렁하다: 자루나 봉지 따위에 물건이 그득 차지 아니하여 여기저기 빈
　　　데가 있다 🖳코랑코랑하다
쿠렁쿠렁하다: 자루나 봉지 따위에 물건이 그득 차지 않아 여기저기 빈 데가
　　　있다 🖳코랑코랑하다
휑뎅그렁하다: 넓은 곳에 물건이 아주 조금밖에 없어 잘 어울리지 아니하고
　　　빈 것 같다 🖳휑하다 🖳휑댕그렁하다
휑하다: 🖳휑뎅그렁하다

5.2.40. 빛·빛깔

살차다: 혜성의 빛이 세차다
진하다(津): 빛깔이 짙다
짙다: 빛깔, 냄새, 농도 따위가 진하다 🖳진하다 🖳옅다
짙디짙다: 매우 짙다
찬연하다(燦然): 빛 따위가 눈부시게 밝다
창명하다(彰明): 환하게 밝다

5.2.41. 사소함

사략하다(些略): 사소하고 간략하다
사세하다(些細): 🖳사소하다
사소하다(些少): 보잘것없이 작거나 적다
쇄세하다(瑣細): 잘고 사소하다

5.2.42. 성격·성질

강경하다(剛勁): 성격이나 기질이 꿋꿋하고 굳세다
사납다: 성격이나, 성질, 행동이 모질고 억세다
씨억씨억하다: 기질이 굳세고 활발하다
엉큼스럽다: 엉큼한 듯하다 🖳앙큼스럽다
엉큼하다: 엉뚱한 야심이나 욕심을 품고 분수 밖의 일을 하려는 경향이 있다

온자하다(溫慈)[1]: 성격이 온화하고 인자하다
온자하다(蘊藉)[2]: 포용력이 크고 점잖다
우활하다(迂闊): 곧바르지 아니하고 에돌아서 실제와는 거리가 멀다
잔잔하다(孱孱): 기질이 몹시 잔약하다

5.2.43. 성하다·왕성하다

성왕하다(盛旺): 団왕성하다
성하다(盛): 한창 잘 되어 성하다
왕성하다(旺盛): 한창 성하다
요요하다(夭夭): 생기 있고 왕성하다
흥성하다(興盛): 団융성하다(기운차게 일어나거나 대단히 번성하다) 団흥하다
흥성흥성하다: ① 매우 흥성하여 보기 질번질번하다 ② 떠들썩하고 활기차다

5.2.44. 소곳하다

소곳소곳하다: 여럿이 다 소곳하다 団수굿수굿하다
소곳하다: 귀엽게 조금 숙인 듯하다 団수굿하다
수굿수굿하다: 여럿이 다 수굿하다 団소곳소곳하다
수굿하다: 조금 숙인 듯하다 団소곳하다

5.2.45. 속도·속력

느리다: 어떤 동작을 하는 데 걸리는 시간이 길다
빠르다: 어떤 동작을 하는 데 걸리는 시간이 짧다
침침하다(駸駸): 속력이 매우 빠르다
쾌속하다(快速): 꽤 빠르다

5.2.46. 수량

낮다: 품삯이 기준보다 적다
무궁무진하다(無窮無盡): 한도 끝도 없다
무진장하다(無盡藏): 다함이 없이 굉장히 많다 団무궁무진하다

불과하다: 어떤 수량 정도와 상태를 넘지 못하다
사소하다(些少): 보잘것없이 작거나 적다
조략하다(粗略): 아주 간략하여 얼마 못되다
차하다: 표준에 비하여 좀 모자라다
호한하다(浩瀚): 책 따위가 아주 많다

5.2.47. 수수하다

술명하다: 수수하고 훤칠하게 걸맞다
질고하다(質古): 수수하고 예스럽다
질박하다(質朴): 수수하다
질소하다(質素): 꾸밈이 없고 수수하다

5.2.48. 쉽다

나긋나긋하다: 글이 알기 쉽고 멋이 있다
만만하다: 힘들이지 않고 쉽다
쉽다: 힘이 들지 아니하여 어렵지 아니하다
용이하다(容易): 쉽다

5.2.49. 시들하다

소득소득하다: 풀이나 뿌리 따위가 약간 시들고 말라서 좀 거칠다
시드럭부드럭하다: 꽃, 풀 따위가 몹시 시들고 말라서 윤기가 없고 거칠다
시드럭시드럭하다: 꽃, 풀 따위가 시들고 말라서 윤기가 없고 거칠다
시득부득하다: 퍽 시들고 말라서 윤기가 없고 뻣뻣하다
시들먹하다: 시들한 기운이 있어 보이다
시들부들하다: ① 약간 시들어 생기가 없고 부드럽다 ② 새로운 맛이나 생기가
    없어 시들하다 ③ 〈북한어〉 풀이 죽고 활기가 없다
시들스럽다: 좀 시들한 느낌이 있다
시들프다: 〈북한어〉 마음에 마뜩찮고 시들하다
시들하다: 풀이나 꽃 따위가 시들어서 생기가 없다
시뻐하다: 마음에 차지 아니하여 시들하게 생각하다

시쁘다: 마음에 차지 아니하여 시들하다
시쁘장스럽다: 마음에 차지 아니하여 시들한 데가 있다
시쁘장하다: 마음에 차지 아니하여 조금 시들하다
시큰둥하다: 달갑지 아니하거나 못마땅하여 시들하다
시틋하다: 마음이 내키지 아니하여 시들하다

5.2.50. 신비

신괴하다(神怪): 신비하고 괴상하다
신기롭다(神奇): 신묘하고 기인한 데가 있다
신비롭다: 신비한 상태에 있다
신비스럽다: 보기에 신비하다
신오하다(神奧): 신비하고 오묘하다

5.2.51. 실속

공허하다(空虛): ② 실속이 없이 헛되다
부화하다(浮華): 실속은 없이 겉만 화려하다
빤지르르하다: 실속은 없이 겉으로만 몹시 차려서 그럴 듯하다 여번지르르
　　하다
옹골지다: 속이 차서 실속이 있다
옹골차다: 썩 옹골지다
옹글다: 깨어져 조각이 나지 아니하거나 축이 나지 아니하거나 하여 본디대로
　　있다 비옹골차다
옹차다: '옹골차다'의 준말
유명무실하다: 이름만 있고 실속은 없다

5.2.52. 심오·오묘

심수하다(深邃): 깊숙하고 그윽하다
심오하다(深奧): 사상이나 이론 따위가 매우 깊고 오묘하다
심현하다(深玄): 심오하고 유현하다
오묘스럽다: 오묘한 데가 있다

오묘하다: 심오하고 미묘하다
유심하다(幽深): 깊숙하고 그윽하다 ⊟심수하다(深邃)

5.2.53. 싱싱하다

새파랗다: 아주 싱싱하거나 생생하다
생츨하다: '싱싱하다'의 방언(함남)
셍하다: '싱싱하다'의 방언(전남)
싱그럽다: 싱싱하고 향기롭다
싱둥싱둥하다: 본디의 기운이 그대로 남이 있어 싱싱하다
풋풋하다: 풋내와 같이 싱그럽다

5.2.54. 쓸쓸하다

격연하다(闃然): 매우 고요하고 쓸쓸하다
고적하다(孤寂): 외롭고 쓸쓸하다
낙막하다(落寞): 마음이 쓸쓸하다
낙막하다(落寞): 호젓하고 쓸쓸하다
냉락하다(冷落): ① 외롭고 쓸쓸하다 ② 서로의 사이가 멀어져 정답지 않고
　　쌀쌀하다
삭연하다(索然): 외롭고 쓸쓸하다
서겁다: '쓸쓸하다'의 북한어
설쌀하다: '쓸쓸하다'의 방언(평북)
소삽하다(蕭颯): 바람이 차고 쓸쓸하다
소소하다(蕭蕭): 바람이나 빗소리 따위가 쓸쓸하다
소슬하다(蕭瑟): 으스스하고 쓸쓸하다
소연하다(蕭然): 호젓하고 쓸쓸하다
소조하다(蕭條): 고요하고 쓸쓸하다
숙숙하다(肅肅): ① 삼가는 마음이 생길 만큼 분위기가 엄숙하다 ② 고요하고
　　쓸쓸하다
숙추하다(淑湫): ⊟쓸쓸하다(날씨가 으스스하고 음산하다)
스산하다: ① 몹시 어수선하고 쓸쓸하다 ② 날씨가 흐리고 으스스하다 ③ 마음
　　이 가라앉지 아니하고 뒤숭숭하다

슬슬하다(瑟瑟): 바람 소리 따위가 매우 쓸쓸하다

심울하다(心鬱): 마음이 답답하고 쓸쓸하다

암담하다(暗澹): ① 어두컴컴하고 쓸쓸하다 ② 희망이 없고 절망적이다

애달프다: 애처롭고 쓸쓸하다

오솔하다: 사방이 무서울 만큼 고요하고 쓸쓸하다

외롭다: 홀로 되거나 의지할 곳이 없어 쓸쓸하다

요락하다(寥落): 황폐하여 쓸쓸하다

요요하다(寥寥): ① 고요하고 쓸쓸하다 ② 매우 적고 드물다

요활하다(寥闊): 고요하고 쓸쓸하다

우량하다(踽凉): 외롭고 쓸쓸하다

우우양량하다(踽踽凉凉): 매우 외롭고 쓸쓸하다

울적하다(鬱寂): 마음이 답답하고 쓸쓸하다

음삼하다(陰森): ① 나무가 무성해서 어둡다 ② 분위기 따위가 어둠침침하고
   쓸쓸하다

음음적막하다(陰陰寂寞): 분위기 따위가 어둡고 쓸쓸하다

응적하다(凝寂): 모든 것이 얼어붙은 듯이 쓸쓸하다

적막하다(寂寞): ① 고요하고 쓸쓸하다 ② 의지할 데가 없이 외롭다

적적하다(寂寂): ① 고요하고 쓸쓸하다 ② 하는 일 없이 심심하다

처량하다(凄凉): 마음이 구슬퍼질 정도로 외롭거나 쓸쓸하다

처연하다(凄然): 기운이 차고 쓸쓸하다

처처하다(凄凄): 찬 기운이 있고 쓸쓸하다

한산하다(閑散): ① 일이 없어 한가하다 ② 인적이 드물어 한적하고 쓸쓸하다

황락하다(荒落): 거칠고 아주 쓸쓸하다

황량하다(荒凉): 황폐하여 거칠고 쓸쓸하다

황료하다(荒蓼): 거칠고 쓸쓸하다

회회하다: 무서운 느낌이 들 정도로 고요하고 쓸쓸하다

5.2.55. 아름답다

곱다: 모양, 생김새, 행동거지 따위가 산뜻하고 아름답다

단려하다: 단정하고 아름답다

선려하다(鮮麗): 산뜻하고 아름답다

선명하다: 산뜻하고 밝다 🔟선연하다

선미하다(鮮美): 산뜻하고 아름답다
선연하다(鮮姸): 산뜻하고 아름답다
자지러지다: 그림, 조각, 음악, 수(繡) 따위가 정교하고 아름답다
전려하다(典麗): 격식에 맞고 아름답다

5.2.56. 어긋나다

맹려하다(猛戾): 사나워 도리에 어긋나다
서어하다(齟齬): 틀어져서 어긋나다
알알하다(戛戛): 서로 어긋나다
억박적박하다: 보기에 흉하도록 고르지 아니하게 어긋난 데가 있다
자뿌룩하다: 조금 어긋나다
틀리다: 셈이나 사실 따위가 그르게 되거나 어긋나다

5.2.57. 없다

결여하다(缺如): 있어야 할 것이 모자라거나 없다
기탄없다(忌憚): 어려움이나 거리낌이 없다
까딱없다: 조그마한 탈이나 문제도 없다
깨끗하다: 남은 것이나 자취가 아주 없다
난득하다(難得): 얻기 어렵다
딴기적다: 기력이 약하여 힘차게 앞질러 나서는 기운이 없다
만유루없다(萬遺漏): 빠짐이 없다
몰경계하다(沒經界): 경계가 없다
몰실하다(沒實): 回무실하다
무경위하다(無涇渭): 경위가 없다
무공하다(無功): 공이 없다
무궁무진하다(無窮無盡): 한도 끝도 없다
무기하다(無氣): 공기가 없다
무류하다(無類): 짝이 없다
무상하다(無狀)[1]: 공적이나 착한 행실이 없다
무상하다(無常)[2]: 모든 것이 덧없다
무세하다(無稅): 장사에 흥정이 없다

무신념하다: 신념이 없다

무실하다(無實): 사실이나 실상이 없다 圓몰실하다

무쌍하다(無雙): 서로 견줄 만한 짝이 없다

무원하다(無援): 아무런 도움이 없다

무의미하다: 아무 값어치나 의의가 없다

무적하다(無籍): 국적, 호적, 학적이 없다

무정형하다: 일정한 형식이나 형체가 없다

무주의하다(無主義): 어떤 주의가 없다

무주장하다(無主掌): 줏대 잡아 맡은 사람이 없다

무차별하다: 차별이 없다

무편하다(無偏): 치우침이 없다

무하하다(無瑕): 흠이나 티가 없다

무항산하다(無恒産): 일삼아서 늘 하는 직업이 없다

무해무덕하다(無害無德): 해로운 것도 없고 이로운 것도 없다

무형하다(無形): 형상이나 형체가 없다

무흠하다(無欠): ① 사귀는 사이에 허물이 없다 ② 흠이 없다

물샐틈없다: 조금도 빈틈이 없다

바이없다: ① 어찌할 도리나 방법이 전혀 없다 ② 비할 데 없이 매우 심하다

분방하다(奔放): 제멋대로 나가 거리낌이나 얽매임이 없다

불규칙하다: 규칙에 벗어나거나 규칙이 없다

살풍경하다(殺風景): 매몰차고 흥취가 없다

세상없다: 세상에 다시없다

소용없다(所用): 쓸데없다

숨김없다: 감추거나 드러내지 않는 일이 없다 圓참되다

싹없다: 싹수가 없다

쓸데없다: 쓰일 자리가 없다

없다: 가지거나 갖추고 있지 아니하다 (예) 경험이 없다

없다¹: 생겨나거나 벌어지지 아니하다 (예) 말썽이 없으면 좋겠다

없다²: 윗사람에게는 별로 쓰이지 않는 구어체에서 바랄 것이나 남는 것이
없다 (예) 이번에는 보아 주겠지마는 다음에는 없다

여지없다(餘地): 더할 나위 없다

유약무하다(有若無): 있으나 없는 것 같다

유해무익하다: 해롭기만 하고 이로움이 없다

전무하다(全無): 전혀 없다

전무후무하다(前無後無): 그 전에도 없었고 그 후에도 없다

절무하다(絶無): 아주 없다

태무하다(殆無): 거의 없다

턱없다: 이치에 닿지 아니하거나 그럴 만한 근거가 전혀 없다

한갓되다: 부질없다(공연한 짓으로 쓸 데가 없다, 이로울 것도 긴할 것도 없다)

허물없다: 서로 매우 친하여, 체면을 돌보거나 조심할 필요가 없다

호무하다(毫無): 조금도 없다

5.2.58. 우열 관계

낫다: 수준 따위의 정도가 어떤 대상보다 앞서거나 많다

낫다¹: 성적이 나쁘거나 좋지 못하다 〔반〕높다

낫다²: 품삯이 어떤 기준보다 적다 〔본〕높다

너절하다: 하찮고 시시하다

녹록하다: 의젓하지 못하여 만만하고 호락호락하다

5.2.59. 윤기

번지럽다: 윤이 나고 번드럽다 〔작〕반지랍다

번지레하다: 좀 번지르르하다 〔센〕뻔지레하다 〔작〕반지레하다

번지르르하다: 물기나 기름기 같은 것이 묻어서 미끄럽고 윤기가 있다 〔센〕뻔지
르르하다 〔작〕반지르르하다

빤지르르하다: 실속은 없이 겉으로만 몹시 차려서 그럴 듯하다 〔여〕번지르르
하다

윤택하다(潤澤): 윤기가 돌아 번지르르하다

5.2.60. 의심·혐의·수상스러움

수괴스럽다(殊怪): 수상하고 괴이한 데가 있다

수괴하다: 수상하고 괴이하다

수상스럽다: 보기에 수상하다

수상쩍다: 수상하여 의심쩍다 〔비〕수상하다

수상하다: 보통과는 달리 이상하여 의심스럽다

혐의스럽다(嫌疑): ① 꺼리고 미워할 만한 데가 있다 ② 범죄를 저질렀을 것으로 의심할 만한 데가 있다 🔠혐의쩍다

혐의쩍다: ☰혐의스럽다

5.2.61. 이상하다

괴괴하다: ☰이상야릇하다

얄궂다: '얄망궂다'의 준말

얄망궂다: 성질이나 태도가 괴상하고 까다로워 얄미운 데가 있다

이상스럽다: 평소 또는 보통과 다른 듯하다

이상야릇하다: 이상하고 야릇하다 🔠괴괴하다

이상하다: 정상적인 상태와 다르다

해연하다(駭然): 몹시 이상스러워 놀랍다

5.2.62. 자유

거북하다: 몸이 자연스럽지 못하거나 자유롭지 못하다

까칫대다: 자꾸 자유롭게 행동할 수 없도록 매우 장애가 되다 🔠가칫대다 🔠꺼칫대다 🔠까칫까칫하다

분방하다(奔放): 제멋대로 나가 거리낌이나 얽매임이 없다

자유롭다: 제 마음대로 할 수 있는 상태에 있다

자유스럽다: 자유로운 데가 있다

5.2.63. 정신

귀살스럽다: 일이나 물건 따위가 마구 얼크러져 정신이 뒤숭숭하거나 산란(散亂)한 느낌이 있다 🔠귀성스럽다

귀살머리스럽다: '귀살스럽다'의 낮은 말

귀살머리쩍다: '귀살쩍다'의 낮은 말

귀살쩍다: 정신이 어지러울 만큼 사물이 엉클어져서 뒤숭숭하다

귀성스럽다: ☰귀살스럽다

수란하다(愁亂): 시름이 많아서 정신이 어지럽다

현황하다(眩慌): 정신이 어지럽고 황홀하다

5.2.64. 차이

어금버금하다: 冒어금지금하다
어금지금하다: 정도나 수준이 별로 차이가 없다 町어금버금하다
왕청되다: 차이가 엄청나서 엉뚱하다
왕청뜨다: 왕청되다
왕청스럽다: 보기에 왕청되다

5.2.65. 처절하다·참혹하다

공참하다(孔慘): 매우 참혹하다
과혹하다(過酷): 지나치게 참혹하다
끔찍하다: 몹시 놀랄 만큼 참혹하다
만목수참하다(滿目愁慘): 눈에 띄는 모든 것이 시름겹고 참혹하다
무참하다(無慘): 몹시 끔찍하고 참혹하다
음참하다(陰慘): 음침하고 참혹하다
장절참절하다(壯絕慘絕): 〈북한어〉 이를 데 없이 장엄하고 참혹하다
참독하다(慘毒): 참혹하고 지독하다
참악하다(慘惡): 참혹하고 흉악하다
참연하다(慘然): 슬프고 참혹하다
처염하다(凄艶): 처절하게 아름답다
처절하다(悽絕): 몹시 처참하다
흉참하다(凶慘): 흉악하고 참혹하다

5.2.66. 천착스럽다·상스럽다

몰상스럽다: 〈북한어〉 말과 행동이 상스럽고 버릇이 없다
비리하다(卑俚): 천하고 상스럽다
비천하다(鄙賤): 천박하고 상스럽다
상스럽다(常): 말이나 행동이 보기에 천하고 교양이 없다
상없다(常): 보통의 이치에서 벗어나 막되고 상스럽다

쌍스럽다: 말이나 행동이 보기에 천하고 교양이 없다
이속하다(俚俗): 상스럽고 속되다
잡스럽다(雜): 잡되고 상스럽다
조야하다(粗野): 천하고 상스럽다
천박하다(淺薄): 학문이나 생각 따위가 얕거나, 말이나 행동 따위가 상스럽다
천착스럽다(舛錯): 보기에 천착하다
천착하다(舛錯): 심정이 뒤틀려서 어그러지고 난잡하다
툽상하다: 말이나 행동 따위가 투박하고 상스럽다

5.2.67. 충만한 상태

가득하다: 공간에 무엇이 널리 퍼져 있다 센가뜩하다 큰그득하다
걸다: 흙에 식물의 영양이 되는 성분이 많이 들어 있다
고유하다(膏腴): 기름지고 살지다
그들먹하다: 거의 그득하다
자란자란하다: 작은 그릇 따위에 가득한 액체가 가장자리에 남실남실 넘칠
　　듯 말 듯하다 거차란차란하다
충만하다(充滿): 한껏 차서 가득하다
패기만만하다(覇氣滿滿): 패기가 넘칠 정도로 가득하다
포만하다(飽滿): ① 넘치도록 차서 가득하다 ② '풍만하다'의 원말

5.2.68. 필요 유무

긴절하다(緊切): 매우 필요하고 절실하다
불가결하다(不可缺): ① 꼭 있어야 한다 ② 없어서는 안 된다
절긴하다(切緊): ⊜긴절하다
필요하다(必要): 꼭 쓰이는 데가 있다

5.2.69. 한가·한적·한산하다

반하다: 잠깐 틈이 나서 좀 한가하다 센빤하다 큰번하다
번하다: 잠깐 틈이 나서 한가하다 센뻔하다 좌반하다
빤하다: 잠깐 틈이 나서 한가하다 여반하다 큰뻔하다

뻔하다: 잠깐 틈이 나서 한가하다 여번하다 좌빤하다

정한하다(精悍): = 한정하다(한가하고 조용하다)

한산하다(閑散): ① 일이 없어 한가하다 ② 인적이 드물어 한적하고 쓸쓸하다

　　한정하다(悍精): 한가하고 조용하다

5.2.70. 항목을 분류할 수는 없으나 접미사 '-하다'로 되어 있는 형용사

간박하다: 간소하고 소박하다

거룩거룩하다: 거룩하고 거룩하다

거룩하다: 성스럽고 위대하다

거하다: 지형이 깊고 으슥하다

고고하다(孤高): 홀로 고결하다

고단하다(孤單): 단출하고 외롭다

고박하다(古朴): 예스럽고 질박하다

고연하다(固然): 본디부터 그러하다

공정하다: 공평하고 올바르다

공평하다(公平): 기울거나 치우치지 아니하고 고르다

교천하다(交淺): 사귐이 얕다

구순하다: 사귀거나 지나는 데에 의가 좋다

기예하다(氣銳): 기백이 날카롭다

깐작깐작하다: 착착 달라붙을 만큼 좀 끈끈하다 큰끈적끈적하다

깜깜하다: 아주 모르는 상태에 있다

끈적끈적하다: 척척 달라붙을 만큼 끈끈하다 좌깐작깐작하다

난작난작하다: 좀 힘없이 처지거나 물러질 만큼 좀 썩거나 삭은 듯하다 큰는적
　　는적하다

농하다(濃): 짙다

누꿈하다: 전염병이나 해충 따위의 퍼지는 기세가 매우 심하다가 조금 누그러
　　져 약해지다

는적는적하다: 힘없이 처지거나 물러질 만큼 삭은 듯하다 좌난작난작하다

달콤하다: 흥미가 나게 아기자기하거나 맛이 있다 비감미롭다

되직하다: 조금 되다 (예) 되직한 밀가루 반죽

둔박하다(鈍朴): 둔하고 순박하다

등장하다(等張): 두 용액의 삼투압이 서로 같다

매슥매슥하다: 먹은 것이 되넘어올 듯이 아주 매스껍다 囹메슥메슥하다
머슬머슬하다: 사귐이 탐탁스럽지 아니하여 어색하다
멋하다: '무엇하다'의 준말
메슥메슥하다: 먹은 것이 자꾸 넘어올 듯이 퍽 메스껍다 囹매슥매슥하다
모도록하다: 한데 뭉쳐난 싹이 빽빽하다
모릉하다(摸稜): 결정을 짓지 못하여 가부가 없다
몰풍정하다(沒風情): 아무런 풍정도 없이 멋쩍다
몰풍하다(沒風): 아무런 풍치나 풍정이 없이 멋쩍다
무고하다(無告)¹: 괴로운 처지를 하소연할 곳이 없다
무고하다(無辜)²: 아무 잘못이나 허물이 없다
무구하다(無垢): 죄가 없이 깨끗하다
무류하다(無謬)¹: 잘못이 없다
무류하다(無類)²: 짝이 없다
무사가답하다(無辭可答): 사리가 옳아 감히 무어라고 대답할 말이 없다
무쌍하다(無雙): 서로 견줄 만한 짝이 없다
무적하다(無敵): 적수가 없을 만큼 세다
미끈하다: 흠이나 거침새가 없이 밋밋하다 囹매끈하다
미맹하다(未萌): 싹이 아직 트지 아니하다
미명하다(未明): 날이 채 밝지 아니하다
미시근하다: '미지근하다'의 방언(제주)
미지근하다: 행동이나 태도가 분명하거나 철저하지 못하다
미진하다(未盡): 다하지 못하다
바슬바슬하다: 물기가 적어 잘게 바스러지기 쉽다
박잡하다: 여러 가지 뒤섞여서 잡되다
반생반숙하다(半生半熟): 반쯤은 설고 반쯤은 익다
반주그레하다: 생김새가 겉보기에 반반하다
방감하다(方酣): 기운이나 흥이 바야흐로 무르익어 있다
방긋방긋하다: 여럿이 다 방긋하다 囹빵긋빵긋하다 囹벙긋벙긋하다
방긋하다: 입이나 문 따위가 가볍게 조금 열려 있다 囹빵긋하다 囹벙긋하다
방오하다(旁午): 오가는 사람이 분비고 수선스럽다
방창하다(方暢): 바야흐로 화창하다
뱐뱐하다: 조금 반반하다
번영하다(繁榮): 번성하고 영화롭다

번화하다: 번창하고 화려하다

벽루하다(僻陋): 외지고 누추하다

복슬복슬하다: 짐승이 살이 찌고 털이 많아 매우 탐스럽다

부풋하다: 〈순우리말〉 ① 물건이 부프고도 두껍다 ② 말이 과장되다

불공정하다: 공정하지 아니하다

불무하다(不無): 없지 아니하다

불범하다(不凡): 평범하지 아니하다 ▣비범하다

불비하다(不備): 갖추어져 있지 아니하다

불상하다(不詳): 상서롭지 아니하다

불선하다: 잘하지 못하다

불안전하다(不安全): 안전하지 아니하다

불일하다(不一): 한결같이 고르지 아니하다

비도하다(悲悼): 사람의 죽음이 슬프고 아깝다

비범하다: 보통 수준보다 훨씬 뛰어나다

비옥하다(肥沃): 걸다

비요하다(肥饒): 걸다

뺏뺏하다: 풀기가 세다 ▣뻣뻣하다

뻣뻣하다: 풀기가 아주 세다 ▣뺏뺏하다

뾰족하다: 성능, 생각 따위가 별나게 신통하다

살풍경하다(殺風景): 주위가 살기를 띠어 무시무시하다

삽삽하다(澁澁): 미끄럽지 아니하고 껄껄하다

생신하다(生新): 산뜻하다 (예) 생신한 기분

설렁설렁하다: 매우 설렁하다 ▣썰렁썰렁하다 ▣살랑살랑하다

설렁하다: 방안 같은 데의 공기가 살랑하다 ▣썰렁하다 ▣살랑하다

센티멘털하다(sentimental): 감상적이다

소여하다(掃如): 남김없이 쓸어낸 듯하다

쇠미하다(衰微): 쇠잔하고 미약하다

수연하다(愁然): 수심이 싸여 있다

수요하다(愁擾): ▣수란하다(愁亂)

숙성하다(夙成): 어린 나이에 비하여 자람이 이르다

숭엄하다: 숭고하고 엄숙하다

쌀랑하다: 놀랄 때 싸늘한 바람이 도는 듯한 느낌이 있다

씨그둥하다: 귀에 거슬려 달갑지 아니하다

안이하다(安易): 너무 쉽게 여기는 경향이 있다

안일하다(安逸): 쉽게 여기다

앙상하다: 꼭 짜이지 못하여 어울리지 않고 어설프다 䢰엉성하다

야비하다: 속되고 천하다

어굴하다(語屈): 말이 끌려서 대답이 시원스럽지 못하다

어기중하다: 그 가운데 쯤 되다

어중간하다: 어떤 기준에 어지간히 비슷하다

엄밀하다: 매우 세밀하다

엄홀하다(奄忽): 매우 급작스럽다

연연하다(涓涓): 흐름이 가늘다

오붓하다: 허실이 없이 차분하고 홀가분하다

완만하다(緩慢): 되어 가는 상태가 늦다

용속하다: 평범하고 속되다

우선하다: 몰리거나 급박하던 형편이 펴인 듯하다

우울하다: 근심스러워 활기가 없다

유별하다: ① 다름이 있다 ② 구별이 있다 ③ 보통과 달라 별나다

유신하다(有信): 신의가 있다

유용하다(有用): 쓸모가 있다

유치하다(幼稚): 어리다

은밀하다(隱密): 드러나지 아니하다

은은하다(隱隱): 속엣 것이 흐릿하게 보인다

음습하다(陰濕): 응달지고 축축하다

음침하다(陰沈): 명랑하지 못하고 흉하다

의미하다(依微): 어렴풋하다

의위하다(依違): 가부를 결정할 수 없다

일사불란하다(一絲不亂): 정연하여 조금도 어지러움이 없다

자란자란하다: 작은 그릇 따위에 가득한 액체가 가장자리에 남실남실 넘칠
듯 말 듯하다 䢰차란차란하다

자재하다(自在): 저절로 있다

쟁글쟁글하다: 몹시 쟁그랍다 䢰징글징글하다

저미하다(低迷): 어떤 상태가 험악해지거나 혼미해지다 (예) 혼미하는 국제정세

적나라하다(赤裸裸): 있는 그대로 드러내어 숨김이 없다

적연하다(寂然): 매우 감감하다 (예) 소식이 적연하다

정연하다(井然): 규격이 짜이고 조리가 있다

정충하다(貞忠): 절개가 곧고 충성스럽다

조삽하다(燥澁): 말라서 부드럽지 못하고 파슬파슬하다

조하다(燥): 축축하거나 부드러운 맛이 없이 깔깔하게 마르다

조화롭다: 잘 어울리는 상태가 되다

주도하다(周到): 주의가 두루 미쳐서 빈틈이 없다

줄느런하다: 한 줄로 죽 벌여 있다

증증하다(蒸蒸): 김 따위가 무럭무럭 피어올라 자욱하다

지열하다(枝劣): 가지가 줄기보다 못하다

진부하다(陳腐): 묵어서 썩다

진하다(津): ① 액체의 농도가 짙다 ② 기체의 밀도가 높다 ③ 빛깔이 짙다

질펀하다¹: ① 질거나 젖어 있다 ② 주저앉아 하는 일 없이 늘어져 있다

질펀하다²: 느런히 들어서서 그득하다 困잘판하다

창창하다(蒼蒼): 짙푸르게 무성하다

창평하다(昌平): 나라가 청성하고 세상이 태평하다

초략하다(草略): 몹시 거칠고 간략하다

초초하다(草草): 매우 간략하다

칠렁칠렁하다: 물 따위가 그릇에 넘쳐날 정도로 그득히 괴어 있다

카랑카랑하다: 하늘이 맑고 밝으며 날씨가 몹시 차다

톡톡하다: 피륙 따위가 단단한 올로 고르고 촘촘하게 짜여 조금 두껍다 困툭툭
하다

툭툭하다: 피륙 따위가 단단한 올로 고르고 촘촘하게 짜여 꽤 두껍다 困톡톡
하다

파삭파삭하다: 매우 파삭하다 困퍼석퍼석하다

패기만만하다(覇氣滿滿): 패기가 넘칠 정도로 가득하다

편벽하다(偏僻): 구석지거나 외지다 (예) 편벽한 산골

편파하다(偏頗): 치우쳐서 공정하지 못하다

평행하다(平行): 직선이나 평면이 서로 만나지 않도록 나란하다

푸석푸석하다: 핏기가 없이 부어오를 듯하고 매우 거칠다 困부석부석하다 困
포삭포삭하다

푸석하다: 핏기가 없이 좀 부어오를 듯하고 거칠다 困부석하다 困포삭하다

푹푹하다: 종이나 피륙 따위가 두툼하고 해지기 쉽게 여리다

필용하다(必用): 꼭 쓰이는 데가 있다

하전하다: 좀 느즈러져 죄임성이 없다 𝗲허전하다

함함하다: 아늑하고 탐스럽다 (예) 함함하도록 깨끗하게 쌓인 눈

해연하다(駭然): 몹시 이상스러워 놀랍다

허름하다: 좀 헌 듯하다

허무맹랑하다(虛無孟浪): 말하기 어려울 만큼 비고 거짓되어 실상이 없다

허술하다¹: 낡고 허름하다

허술하다²: 짜임새가 없고 엉성하다

허화하다(虛華): 겉으로만 화려하다

호젓하다: 후미져서 무서움을 느낄 만큼 고요하다

호화찬란하다(豪華燦爛): 호화롭고 찬란하다

혹초하다(酷肖): 꼭 닮다

홀략하다(忽略): 소홀하고 간략하다

홀쭉하다: ① 길이에 비하여 몸통이 가늘고 길다 ② 속이 비어서 안으로 오므라
　　져 있다 ③ 앓거나 지쳐서 몸이 야위다 𝗕훌쭉하다

화락하다(和樂): 화평하고 즐겁다

확실하다(確實): 틀림없이 사실과 같다

회곡하다(回曲): 휘어져 굽다

횡사하다(橫肆): ⩵횡자하다

횡자하다(橫恣): 꺼리거나 어려워함이 없이 제멋대로 막되다 𝗕횡사하다

훌륭하다: 무엇을 한 결과나 작품 따위가 아주 잘 되었다

희번드르르하다: 겉모양이 희멀쑥하고 번드르르하다 𝗙해반드르르하다

희번들하다: 겉모양이 희멀쑥하고 좀 번드르르하다 𝗙해반들하다

5.2.71. 기타

거침없다: 나아가는 중간에 걸리거나 막히는 것이 없이 순조롭다

걸맞다: 두 편이 서로 어울릴 정도로 어금지금하다

경사롭다: 경사스럽다

경사스럽다: 경사되고 기뻐할 만하다

고르다: 정상적인 상태로 순조롭다

고르롭다: 〈북한어〉 한결같이 고른 느낌이 있다

괄다: 〈광업〉 광맥(鑛脈)의 노석(露石)이 치밀하지 못하여 금의 함유량이 적은
　　듯하다

구석지다: 위치가 한쪽으로 치우쳐 으슥하거나 중앙에서 멀리 떨어져 외지다

귀신같다: 참으로 신통하다의 뜻

까맣다: 잊은 정도가 아주 심하다 **예**가맣다

까칫거리다: 매우 가볍게 자꾸 걸리다 **예**가칫거리다 **큰**꺼칫거리다 **비**까칫까 칫하다

깜쪽같다: '감쪽같다'의 잘못

나쁘다: 해롭다 (예) 건강에 나쁘다

날카롭다: 사물을 이해, 판단, 처리하는 힘이 빠르다 **비**예리하다

남부럽잖다: 형편이 좋아서 남이 부럽지 않을 만하다

놀랍다: ① 갑작스러워 두려움이나 흥분에 휩싸일 만하다 ② 훌륭하거나 굉장 하거나 신기하거나 하여 감동을 일으킬 만하다

누리다: 고기에 기름기가 많아 비위가 거슬리며 메스껍다

뉘우쁘다: 뉘우치는 생각이 있다

느리다: 기세나 형세가 약하거나 밋밋하다

다시없다: 그보다 더 나은 것이 없을 만큼 완전하다

되다랗다: 꽤 되다

되디되다: 물기가 적어서 몹시 되다

드세다: 집터를 지키는 귀신이 매우 사납다

막다르다: 더 나아갈 수 없도록 앞이 막혀 있다

무겁다: 기분이나 분위기 따위가 답답하거나 어둡다

바르다: 거짓이나 속임이 없이 솔직하다

비탈지다: 땅이 몹시 가파르게 기울어져 있다 **비**경사지다

뻔질나다: 드나드는 것이 매우 잦다 **비**주살나다

사납다: 사정 따위가 언짢거나 나쁘다

사정없다(事情): 남의 사정을 조금이라도 헤아리려는 친절이 없다

새까맣다: 경험이 아주 없거나 앳되다 **거**새카맣다

설마르다: 덜 마르다

싸다: 들은 말은 진중하게 간직하지 아니하고 잘 떠벌리다

알맞다: 어떠한 기준이나 정도에 지치거나 모자람이 없다

어둡다: 잘 모르다 (예) 세상 물정에 어둡다

왜퉁스럽다: 대단히 엉뚱할 만큼 새삼스럽다

외따롭다: 보기에 외딴 듯하다

외지다: 외따로 있거나 구석지다

우습다: 하잘 것 없다

유난스럽다: 유난한 데가 있다

유별스럽다: 보기에 유별하다

이채롭다(異彩): 색다른 데가 있다

조화롭다: 잘 어울리는 상태가 되다

주살나다: ⊟뻔질나다

징그럽다: 보기에 깜찍하고 흉하다

짙다: 빛깔, 냄새, 농도 따위가 진하다 ⑪진하다 ⑫옅다

짙디짙다: 매우 짙다

철통같다(鐵桶): 튼튼히 에워싸서 조금 허점이 없다

판수익다: 어떤 일의 사정에 아주 익숙하다 ⑫판설다

헤식다: 바탕이 단단하지 못하여 푸슬푸슬 헤지기 쉽다

호화롭다(豪華): 보기에 호화한 데가 있다

호화스럽다: ⑪호화롭다

06. 건강에 관한 형용사

6.1. 강하고 튼튼함을 뜻하는 형용사

가열하다(苛烈): 몹시 세차다

간간하다(衎衎): 강하고 재빠르다

강건하다(康健)[1]: 윗사람의 근력이 탈이 없고 튼튼하다

강건하다(强健)[2]: 몸이나 기력이 실하고 굳세다

강건하다(剛健)[3]: 기상이나 뜻이 꼿꼿하고 건전하다 ⑪건강하다[2]

강건하다(剛蹇)[4]: 호락호락 굽힘이 없이 꼿꼿하다

강견하다(强堅): 굳세고 단단하다

강경하다(剛勁)[1]: 기력이나 체질이 단단하고 꿋꿋하다

강경하다(强勁)[2]: 양보하거나 굽힘이 없이 힘 있고 굳세다

강고하다(强固): 굳세고 튼튼하다

강녕하다(康寧): 건강하며 편안하다

강단지다(剛斷): 보기에 강단이 있다 (예) 꼬장꼬장한 몸매에 강단진 사람

강렬하다(强烈): 강하고 세하다

208

강맹하다(强猛): 굳세고 사납다

강복하다(康福): 건강하고 행복하다

강성하다(强盛): 힘 있고 왕성하다

강왕하다(康旺): 몸이 건강하고 기력이 왕성하다

강용하다(剛勇)[1]: 굳세고 용감하다

강용하다(强勇)[2]: 강하고 용감하다

강장하다(强壯): 힘이 세고 몸이 튼튼하다

강하다(强)[1]: 굳고 힘이 세다

강하다(剛)[2]: 단단하고 굳세다

건강하다(健康)[1]: 몸에 탈이 없이 튼튼하다

건강하다(健剛)[2]: 강건하다

건경하다(健勁): 힘차고 씩씩하다

건용하다(健勇): 건강하고 용맹하다

건장하다(健壯): 몸이 튼튼하고 기운이 세다

건전하다(健全): 건강하고 온전하다

경건하다(勁健): 굳세고 건강하다

까딱없다: 아무런 변동이나 탈이 없이 온전하다

꼬장꼬장하다: 늙은이가 허리도 굽지 않고 몸이 튼튼하다 ㈜꾸정꾸정하다

꾸정꾸정하다: 늙은이의 몸이 곧고 튼튼하다 ㈜꼬장꼬장하다

끄떡없다: 아무런 변동이나 탈도 생기지 않고 온전하다

뇌고하다(牢固): 튼튼하고 굳세다

생동생동하다: 본디의 기운이 그대로 있어 생생하다

생생하다: 상하지 않고 성하다 ㈎쌩쌩하다 ㈍싱싱하다

실팍지다: 실팍한 모양이 있다

실팍하다: 사람이나 물건이 보기에 매우 튼튼하다

안강하다(安康): 편안하고 건강하다

장건하다(壯健): 기골이 장대하고 튼튼하다

장성하다(壯盛): 건강하고 왕성하다

젊다: 혈기가 왕성하다

지건하다(至健): 지극히 건강하다

철석같다: 마음, 의지, 약속 따위가 쇠나 돌처럼 매우 굳고 단단함을 비유하
　　는 말

탱탱하다: 무르지 않고 탄탄하다 ㈎땡땡하다 ㈔댕댕하다 ㈍팅팅하다

텅텅하다: 무르지 않고 튼튼하다 쎈띵띵하다 여딩딩하다 쟉탱탱하다

튼실하다: 튼튼하고 실하다

튼튼하다: ① 무르거나 느슨하지 아니하고 몹시 야무지고 굳세다 ② 사람의
　　몸이나 뼈, 이 따위가 단단하고 굳세거나, 병에 잘 걸리지 아니하는 힘을
　　가지고 있다

효맹하다(梟猛): 건강하고 날래다

6.2. 쇠약함을 뜻하는 형용사

곱다: 신 것이나 찬 것을 먹은 뒤에 이가 시큰시큰하다

과약하다(寡弱): 적고 약하다

내약하다(內弱): 나라가 안으로 쇠약하다

문약하다(文弱): 글만 받들고 실천과는 떨어져 나약하다

보드레하다: 맞설 힘이 없을 만큼 썩 약하다

부석하다: 핏기가 없이 부어 오른 듯하다 거푸석하다

설강하다(舌强): 혀가 굳어서 뻣뻣하다

섬약하다(纖弱): 가냘프고 약하다 비연연하다(軟娟)

섭겁다: '나약하다, 허약하다'의 옛말

쇠곤하다(衰困): 쇠약하고 피곤하다

수척하다(瘦瘠): 야위고 파리하다

쓰리다: 상처 따위가 쑤시는 것 같이 아프다

양허하다(陽虛): 양기가 허약하다

연연하다(軟娟): ⊟섬약하다

옴나위없다: 꼼짝할 만큼의 적은 여유도 없다

위약하다(危弱): 위태로울 만큼 약하다

잔망하다(孱妄): 체질이 몹시 잔약하고 행동이 가볍다

잔졸하다(孱拙): 몹시 약하고 옹졸하다

조잔하다(凋殘): 빼빼 말라서 쇠잔하다

창백하다(蒼白): 해쓱하다

초췌하다(憔悴): 고생이나 병으로 인하여 몹시 피로하고 파리하다

탄망하다(誕妄): 허탈하고 망령되다

파산하다(罷散): 피곤하고 지쳐서 쓸모가 없다

포삭포삭하다: 핏기가 없어 좀 부어 오른 듯하고 매우 거칠다 여보삭보삭하다

큰푸석푸석하다

포삭하다: 핏기가 없이 좀 부어 오른 듯하고 거칠다 예보삭하다 큰푸석하다

할쭉하다: 살이 빠져서 매우 야위다 큰헐쭉하다

허박하다(虛薄): ≡허약하다(虛弱)

허약하다(虛弱): 마음이나 몸이 튼튼하지 못하고 약하다

헐쭉하다: 살이 빠져서 매우 야위다 작할쭉하다

6.3. 피곤함을 뜻하는 형용사

게나른하다: 〈북한어〉 매우 나른하다

깨나른하다: 기운이 없어 나른하고 내키는 마음이 적다 큰께느른하다

께느른하다: 기운이 없어 늘쩍지근하고 내키는 마음이 적다 작깨나른하다

나른하다: 몸이 고단하여 맥이 풀리고 기운이 없다

날짝지근하다: 매우 나른하다 큰늘쩍지근하다

노곤하다(勞困): 지쳐서 나른하다 비곤하다

노근하다: '노곤하다'의 잘못

노긋하다: 힘이 없고 나른하다 큰누긋하다

노자근하다: '노작지근하다'의 준말

노작지근하다: 몹시 노곤하다 준노자근하다

노췌하다(勞瘁): 고달파서 파리하다

녹신하다: 맥이 빠져서 나른하다

녹작지근하다: 온몸에 힘이 없고 맥이 풀려 몹시 나른하다

느른하다: ① 몸이 풀리거나 고단하여 몹시 기운이 없다 ② 힘이 없이 부드럽다
　　작나른하다

대꾼대꾼하다: 눈들이 모두 쏙 들어가고 생기가 없다

대꾼하다: 눈이 쏙 들어가고 생기가 없다 센때꾼하다 큰데꾼하다

떼꾼하다: 눈이 쑥 들어가고 생기가 없다 예데꾼하다 작때꾼하다

맛문하다: 몹시 지쳐 있다 〈순우리말〉 몹시 지치다

비현하다(憊眩): 피곤하여 어지럽다

쇠곤하다(衰困): 쇠약하고 피곤하다

07. 상황형용사

7.1. 보람의 뜻

빛없다: ① 생색이나 면목이 없다 ② 보람이 없다
생광스럽다(生光): 아쉬운 때에 보람이 있다
아름차다: 보람차다 (예) 아름찬 미래
주옥같다(珠玉): 구슬과 옥처럼 보배롭고도 값지다

7.2. 분수의 뜻

과람하다(過濫): 분수에 지나치다
과만하다(過滿): 분수에 넘치다
과분하다(過分): 분에 넘치다
분수없다(分數): ① 무엇을 분별할 만한 슬기가 없다 ② 자기 신분(분수)에
　　맞지 아니하다
참람하다(僭濫): 분수에 맞지 않게 너무 과하다
참망하다(僭妄): 분수에 넘치고 망령되다

7.3. 번거롭다·번잡스럽다

번가하다(煩苛): 번거롭고 까다롭다
번다하다(煩多): 번거롭게 많다
번망하다(煩忙): 번거롭고 어수선하여 매우 바쁘다
번삭하다(煩數): 번거롭게 잦다
번설하다(煩褻): 번잡스럽고 단정하지 못하다
번쇄하다(煩瑣): 너저분하고 자질구레하여 번거롭다
번요하다(煩擾): 번거롭고 요란하다
번잡하다(煩雜): 번거롭고 복잡하다

7.4. 위태롭다

위극하다(危極): ① 몹시 위태하다 ② 사업상의 실패로 파산자가 속출하는

상태

위급하다(危急): 위태롭고 마음을 놓을 수 없이 급하다

위란하다(危亂): 나라가 위태롭고 어지럽다

위의하다(危疑): 의심이 나서 불안하다

위태롭다(危殆): 모기에 위태하다

위태위태하다: 매우 위태하다

위태하다: 위험하여 마음을 놓을 수 없다

위패하다(危悖): 위험하고 패악하다

위험스럽다: 보기에 위험하다

위황하다(危慌): 위태롭고 황망하다

7.5. 기타

간간하다: 아슬아슬하게 위태롭다

괴란하다(乖亂): 사리에 어그러져 어지럽다

군박하다(窘迫): 어려운 고비에 부닥쳐 일의 형세가 매우 급하다

군색하다: 일이 떳떳하지 못하거나 거북하다

급급하다(汲汲): 한 가지 일에만 정신을 쏟아 여유가 없다

꿈같다: 일이 하도 기이하여 현실이 아닌 것 같다

난면하다(難免): 면하기 어렵다

난중하다(難重): 매우 어렵고 중대하다

남모르다: 남이 알지 못하다

남부럽잖다: 형편이 좋아서 남이 부럽지 아니할 만하다

납덩이같다: 분위기가 매우 침울함을 비유하는 말 (예) 그들 중 어느 누구도 그
    납덩이같은 침묵을 깰 수 없었다

너절하다: 하찮고 시시하다

노무용하다(老無用): 늙어서 쓸모가 없다

노폐하다(老廢): 늙거나 낡거나 하여 쓸모가 없다 囲노후하다

노후하다(老朽): 〓노폐하다

누꿈하다: 돌림병이나 해충 따위의 심하게 퍼져 나가던 기세가 조금 죽어지고
    뜸하다

느긋하다: 서두르거나 조급해 하지 않고 여유가 있다 圂늑하다

늑하다: '느긋하다'의 준말

다난하다(多難): 힘겹고 어려운 일이 많다

다번하다(多煩): 번거로움이 많다 ᴮᴵ번다하다(多煩)

대근하다: ① 견디기가 어지간히 힘들고 만만하지 아니하다 ② '고단하다(몸이
　　지쳐서 느른하다)'의 방언(충청)

대차다: 거세고 힘차다

댕댕하다: 힘 따위가 옹글고 단단하다 ᴿ닝딩하다

돌연하다: 갑작스럽다

든든하다: 허전하지 않고 미덥다

등한하다: 소홀하거나 무심하다

따분하다: 착 까부라져서 맥이 없다

로맨틱하다(romantic): 분위기가 달콤하다

마장스럽다(魔障): 보기에 어떤 일에 자꾸 마가 끼어드는 데가 있다

망령스럽다(亡靈): 망령된듯하다

망매하다(茫昧): 경험 따위가 적어서 물정에 어둡고 어리석다

망패하다(妄悖): 망령되고 막되다

맹랑하다: 처리하기가 매우 어렵고 딱하다

묘하다: 어떤 사실이 공교롭다

무고하다(無告)[1]: 괴로운 처지를 하소연할 곳이 없다

무고하다(無辜)[2]: 아무 잘못이나 허물이 없다

무변하다(無變): 변함이 없다

무사가답하다(無辭可答): 사리가 바른 데는 항변할 말이 없다

무세하다(無勢)[1]: 세력이 없다

무세하다(無稅)[2]: 장사에 흥정이 없다

무소식하다(無消息): 소식이 없다

무소용하다(無所用): 소용이 없다 ᴮᴵ무용하다

무신하다(無信): ① 신용이 없다 ② 소식이 없다

무용하다(無用): 쓸모나 쓸데가 없다

무의무탁하다(無依無托): 의지하고 의탁할 곳이 없다

무정형하다(無定形): 안전한 형식이나 형체가 없다

무지무지하다: 몹시 놀랄 만큼 대단하다 (예) 재신이 무지무지하게 많다

무해무덕하다(無害無德): 해로운 것도 없고 이로운 것도 없다

무흠하다(無欠): 사귀는 사이에 허물이 없다

문명하다: ① 사회발전과 물질문화가 높은 수준에 있다 ② 문제가 나고 분명

하다

바드럽다: 빠듯하게 위태롭다

반지빠르다: 어중되어서 처리하거나 쓰기에 거북하다

버성기다: 분위기가 자연스럽지 못하고 어설프다

부산스럽다: 보기에 매우 부산하다

부정하다(不淨): 꺼려서 피할 때 사람이 죽거나 하는 불길한 일이 있다

부질없다: 이로울 것도 길할 것도 없다

부풋하다: 〈순우리말〉 실속은 없이 엉성하게 크다

분분하다(紛紛): 떠들썩하고 뒤숭숭하다

분주스럽다: 보기에 분주한 데가 있다

불순하다(不順): 순조롭지 아니하다

불신실하다: 믿음직하지도 진실하지도 아니하다

불안하다(不安): 분위기 따위가 떠들썩하고 어수선하다

불용하다(不用): ① 쓰지 아니하다 ② 소용이 없다

불편스럽다(不便): 불편한 데가 있다

불편하다(不便): 순조롭지 않거나 편하지 아니하다

빡빡하다: 여유가 없어서 빠듯하다 **큰**뻑뻑하다

뻑뻑하다: 여유가 없어서 뿌듯하다 **작**빡빡하다

뻔질나다: 드나들거나 하는 짓이 매우 잦다 **비**주살나다

뻔찔나다: '뻔질나다'의 힘줌말

사번스럽다: 사번한 듯하다

사번하다: 일이 번거롭다

살벌하다: 행동이나 분위기가 무시무시하다

살살하다: 매우 아슬아슬하다

삼삼하다: 잊히지 않고 눈앞에 떠올라 또렷하다

새퉁스럽다: 어처구니없이 새삼스럽다

생생하다: 눈앞에 보는 것처럼 또렷하다

선연하다(鮮然): 실제로 보는 것같이 생생하다('뚜렷하다'의 순화)

성싶다: 앞말이 뜻하는 상태를 어느 정도 느끼고 있거나 짐작함을 나타내는
말 **비**성하다 (예) 한 번 본 성싶다

성창하다(盛昌): 세력 따위가 왕성하다

성하다(盛): 세력이 한창 왕성하다

성화하다(星火): 독촉 따위가 몹시 급하고 심하다

소명하다(昭明): 분명히 맑고 똑똑하다

소소하다(昭昭): 아주 밝고 또렷하다

소안하다(小安): 잠시 조금 편안하다

소연하다(昭然): 밝고 또렷하다

소저하다(昭著): 뚜렷하고 환하다

소조하다(蕭條): 고요하고 쓸쓸하다

쇠미하다(衰微): 쇠잔하고 미약하다

순화롭다(順和): 순탄하고 평화로운 데가 있다

순화하다(順和): 순탄하고 평화롭다

신후하다(信厚): 미덥고 덕이 두텁다

심중하다(深重): 심각하고 중대하다 (예) 병환이 심중하다

아득하다: 어떻게 하면 좋을지 막연하다

아슬아슬하다: 잘못 될까 봐 두려워서 소름이 끼치도록 위태롭거나 조마조마
하다

안밀하다(安謐): 편안하고 조용하다

안여하다(晏如): =안연하다

안연하다(晏然): ① 불안해하거나 초조해하지 아니하고 차분하고 침착하다 ②
민심이 평화롭고 걱정 없이 편안하다 凹안여하다

안온하다(安穩): 조용하고 편안하다

안일하다(安逸): 조용하고 한가하다

안전하다: 탈이나 위험성이 없다

안한하다(安閑): 편안하고 한가하다

암울하다(暗鬱): 막막하고 침울하다

어둡다: 분위기가 표정 따위가 침울하고 무겁다

어지간하다: ① 생각보다 꽤 무던하다 ② 대중으로 보아 정도가 표준에 꽤
가깝다

어지럽다: ① 사회 형편 따위가 혼란하고 질서가 없다 ② 품행이 단정하지
못하고 어렵다

엔간하다: 대중으로 보아 정도가 표준에 꽤 가깝다 凹어지간하다

여부없다: 의심할 여지가 없다

영무하다(榮茂): 번화하고 무성하다

오닥지다: '오달지다'의 잘못

오달지다: 허수한 데가 없이 야물거나 실속이 있다

오지다: ① ⊟오달지다 ② '올지다'의 전라도 사투리

올지다: ⊟오달지다

왕흥하다(旺興): ⊟흥황하다(매우 번창하고 세력이 왕성하다)

용잡하다(冗雜): 번거롭다

우선하다: 물리거나 급박하던 형편이 펴인 듯하다

유시무종하다(有始無終): 처음은 있고 끝은 없다

유여하다(有餘): 여유가 있다

유장하다(悠長): 서둘거나 조급해 하지 않고 여유가 있다

융융하다(融融): 화평하다

자재하다(自在): 거침새가 없다

잔잔하다: 분위기나 형세 따위가 큰 변화 없이 조용하다

장하다(壯): 단단하거나 성대하다

장황하다(張皇): 번거롭고도 같다

재미없다: 좋은 결과를 가져 올 수 없다

절실하다(切實): 실정에 꼭 들어맞다

절핍하다(切逼): 아주 절망적으로 핍박하다

절험하다(絶險): 몹시 험하다

종작없다: 대중이나 요량이 없다

중난하다(重難): 중대하고도 어렵다

중하다(重): 병, 죄, 해독 따위가 대단하거나 크다

지번하다(支煩): 지루하고도 번거롭다

참렬하다(慘烈): 차마 볼 수 없을 정도로 비참하고 끔찍하다

참절하다(慘絶): 비참하기 짝이 없다

참혹하다(慘酷): 비참하고 끔찍하다

창망하다(悵惘): 근심, 걱정 때문에 경황이 없다

창졸하다(倉卒): 마치 어찌할 사이 없이 매우 급작스럽다

창창하다(蒼蒼): 앞날이 멀고 멀어서 아득하다

창황하다(倉皇): ⊟창졸하다

천하다: 신분이 보잘것없이 낮다 ⨝귀하다

첨예하다(尖銳): 상황이나 사태 따위가 격하고 날카롭다

춘만하다(春滿): 봄기운이 가득하다

치열하다(熾烈): 세력이나 기세가 불길같이 맹렬하다

캄캄하다: ① 희망이 없어 앞길이 암담하다 ② 아는 것이 아주 없다 ③ 전혀

알 길이 없다 回컴컴하다

컴컴하다: 앞날이 거칠고 암담하다 젭캄캄하다

타안하다(妥安): 순조롭게 해결되어 평온하다

턱없다: 신분에 맞지 아니하다

투철하다(透徹): 속속들이 뚜렷하고 철저하다

파다하다(播多): 소문 따위가 널리 퍼져 있다 回짜하다

판설다: 전체의 사정에 아주 서투르다 젭판수익다

편녕하다(便佞): 말로는 모든 것을 잘 할 것 같으나 실속이 없다

평길하다(平吉): 편안하고 좋다

평온하다(平穩): 평화롭고 안온하다

평화롭다: 평화스럽다

핍진하다(逼眞): 둘의 힘이 아주 비슷비슷하다

허망스럽다(虛妄): 헛되고 어이없다

허망하다(虛妄): 어이없고 허무하다

허정하다: 겉으로는 속이 차 보이지만 실속은 아무 것도 없다

험난하다(險難): 위험하고 어렵다

헛되다: 아무 보람이나 실속이 없다

현연하다(現然): 나타남이 뚜렷하다

형편없다: 부정적인 쓰임으로 아주 대단하다

호강하다(豪强): 세력이 뛰어나게 굳세다

호락호락하다: 버틸 힘이 없고 만만하여 다루기가 쉽다

호번하다(浩繁): 넓고 크며 번거롭고 많다

호장하다(豪壯): 세력이 강하고 왕성하다

혼암하다(昏暗): 어리석고 못나서 일에 어둡다

혼흑하다(昏黑): 캄캄하고 어둡다

화기애애하다(和氣靄靄): 화목한 분위기가 넘쳐흐르는 듯하다

화평하다(和平): 나라 사이에 다툼 없이 잘 지내다

황당하다(荒唐): 거칠고 허황하다

흉하다(凶): 보기에 나쁘다

흐드러지다: 한창 성하다

흐리다: 뚜렷하지 못하고 어렴풋하다

흡연하다(翕然): 대중의의시가 한데로 쏠리는 정도가 대단하다

흥왕하다(興旺): 매우 번창하고 세력이 왕성하다

희활하다(稀闊): 소식이 드문드문하다

08. 신구형용사

고비늙다: 지나치게 늙은 데가 있다
과년하다(過年): 여자의 나이가 보통의 결혼할 나이에 지나 있다
구원하다(久遠): 가마득하다
깔깔하다[1]: 마음이 맑고 바르고 깨끗하다
깔깔하다[2]: ① 감촉이 보드랍지 못하고 까칠까칠하다 ② 사람의 목소리나 성미
　　가 보드랍지 못하고 조금 거칠다 ③ 혓바닥이 깔끄럽고 입맛이 없다
낡다: ① 물건이 오래 되어서 헐고 삭다 ② 생각, 제도, 문물 따위가 그 시대에
　　맞지 않게 뒤떨어지다
노대하다(老大): 늙고 크다
노약하다(老弱): 늙고 약하다
늙수그레하다: 보기에 꽤 늙다
늙숙하다: 늙고 점잖은 태도가 있다
늙어빠지다: 몹시 늙다
늙직하다: 좀 늙어 있다
단조하다(單調): ① 가락이나 장단 따위가 변화 없이 단일하다 ② 사물이 단순
　　하고 변화가 없어 새로운 느낌이 없다 (예) 단조한 나날
듬직하다: 나이가 제법 많다
무궁무진하다(無窮無盡): 한도 끝도 없다
무궁하다(無窮): 공간이나 시간 따위의 끝이 없다
무극하다(無極): 끝이 없다
무한년하다(無限年): ◳물한년하다(勿限年)
무한하다(無限): 한도가 없다
물한년하다(勿限年): 햇수의 한정이 없다
배젊다: 나이가 아주 젊다
불로하다(不老): 늙지 아니하다
새뜻하다: 새롭게 산뜻하다
새롭다: ① 지금까지 있어 본 적이 없다 ② 이미 있었던 것과 달리 생생하고
　　산뜻하게 느껴지는 맛이 있다

새삼스럽다: ① 느끼기에 거듭 새롭다 ② 별나게 새롭다

새파랗다: 아주 젊다의 힘줌말

생생하다: ① 상하지 않고 성하다 ② 눈앞에 보이는 것처럼 또렷하다 센쌩쌩하다 른싱싱하다

소소하다(小少): ① 키가 작고 나이가 어리다 ② 소소하다(小小)

신기하다(新奇): 새롭고 기이한 데가 있다

신선하다(新鮮): ① 새롭고 깨끗하다 ② 생생하고 산뜻하다

신신하다(新新): ① 과실이나 채소 따위가 생기가 있고 신선하다 ② 새로운 맛이 있다 ③ 마음에 들게 시원하다

싱싱하다: ① 생기가 매우 왕성하다 ② 빛깔이 맑고 산뜻하다 센씽씽하다 작생생하다

애동대동하다: 매우 애젊다

애젊다: 앳되게 젊다

어리다: ① 나이가 적다 비연소하다 ② 동물이나 식물 따위가 난 지 오래 되지 않아 약하고 작다

연로하다(年老): 늙은 만큼 나이가 많다

연만하다(年晩): 나이가 매우 많다

연상약하다(年相若): 나이가 서로 엇비슷하다

연소하다(年少): 어리다

연천하다(年淺): 나이가 아직 적다

영구하다(永久): 끝없이 오래다

영영무궁하다(永永無窮): 영원무궁하다

영원무궁하다(永遠無窮): 영원히 다함이 없다

영원하다(永遠): 세월이 영구하다

예스럽다: 옛것다운 맛이나 멋이 있다

옛스럽다: '예스럽다'의 잘못

오래다: 지나간 동안이 길다

오래되다: 시간이 지나간 동안이 길다

일다: '이르다'의 준말

잔젊다: 나이보다 젊어 보인다

젊다: ① 나이가 한창때에 있다 ② 제 나이보다 나이가 들지 않은 티가 있다

지긋하다: ① 나이가 비교적 많아 듬직하다 ② 참을성 있게 끈지다

참신하다(斬新): 처음으로 이루어져서 가장 새롭다

220

창고하다(蒼古): 시대의 흐름에 맞지 않게 낡다

창연하다(蒼然): 예스러운 빛이 그윽하다

창원하다(蒼遠): 아주 아득하게 오래다

할끔하다: ① 곁눈으로 살그머니 한 번 할겨 보다 ② 몸이 몹시 고단하거나
　　불편하여서 얼굴이 까칠하고 눈이 쏙 들어가 있다

확삭하다(矍鑠): 늙었어도 오히려 기운이 씩씩하다

제**2**장

비상태성 형용사

01. 견줌 비교의 뜻

기울다: 다른 것과 견주어 그것보다 못하다 센끼울다

끼울다: 다른 것과 견주어 그것보다 매우 못하다 예기울다

못지아니하다: 일정한 수준이나 정도에 뒤지지 않다

못지않다: '못지아니하다'의 준말

못하다: 정도가 덜하거나 낮거나 하다

무류하다(無類): 비길 데가 없다

백불유인하다(百不猶人): 백이면 백 가지 모든 면에서 남보다 못하다

손색없다: 서로 견주어 못한 점이 없다

열약하다(劣弱): 못하고 약하다

02. 나은 뜻

낫다: 질의 정도가 어떤 대상보다 앞서 있다 (예) 얼굴보다는 성품이 훨씬 낫다

뛰어나다: 여럿 가운데서 훨씬 낫다

배승하다(倍勝): 갑절이나 낫다

월등하다(越等): 다른 것에 비하여 크게 낫다

초승하다(稍勝): 수준이나 역량 따위가 조금 낫다

03. 난이함의 뜻

곤란하다(困難): 몹시 딱하고 어렵다
극난하다(極難): 몹시 어렵다
두렵다: 상대방이 위엄이나 위풍이 있어 가까이 대하기에 송구스럽고 어렵다
무난하다(無難): 어려울 것이 없다
심난하다: 몹시 어렵다
양난하다(兩難): 이러기도 어렵고 저러기도 어렵다
유난무난하다(有難無難): 있으나 없으나 다 어렵다
지난하다(至難): 아주 어렵다
편하다(便): 쉽고 만만하다 (예) 쓰기에 편한 연필

04. 느낌

가깜하다: '가깝다'의 방언(평북) 〈북한어〉 '약간 가깝다'의 북한말
감창하다: 느껍고 슬프다
거든거든하다: 여럿이 다 거든하다 쎈거뜬거뜬하다 좌가든가든하다
거든하다: 마음이 후련하고 상쾌하다 쎈거뜬하다 좌가든하다
결연하다(缺然): 서운하다
겸연스럽다(慊然): 쑥스럽거나 미안하여 어색한 느낌이 있다
겸연하다: 미안하여 면목이 없다
경이롭다: 놀랍고 이상한 느낌이 있다
곱다: 눈으로 보거나 귀로 듣고 느끼는 것이 아름답다
괘씸하다: 공손하지 못한 짓이나 모욕·배신 등을 당하여 분하다
괴란하다(愧赧): 얼굴이 붉어지도록 부끄럽다
괴롭다: 몸이나 마음이 편안하지 아니하다
괴이쩍다: 괴이한 느낌이 있다
커살스럽다: 커살쩍은 느낌이 있다 비커성스럽다
커중중하다: 매우 더러운 느낌이 있다

근지럽다: 가려운 느낌이 있다

근지럽다: 무슨 일을 몹시 알고 싶어서 참고 견디기 어렵게 안타깝다

까끌까끌하다: 매우 깔끄러운 느낌이 있다

깔끄럽다: 까끄라기 따위가 살갗에 닿아서 따끔따끔한 느낌이 있다 뢴껄끄럽다

깔쭉깔쭉하다: 거칠고 깔끄럽게 따끔거리는 느낌이 있다 뢴껄쭉껄쭉하다

깜찍스럽다: 보기에 깜찍하다

깜찍하다: 생각보다 너무 영악하여 단작스럽거나 하여 놀랍다

껄끄럽다: 꺼끄러기 따위가 살갗에 닿아 뜨끔뜨끔한 느낌이 있다 좍깔끄럽다

껄끔껄끔하다: 껄끄럽고 찔린 듯한 매우 아픈 느낌이 있다 좍깔끔깔끔하다

날카롭다: 느낌이나 자극을 받는 힘이 빠르다

노엽다: 화가 날 만큼 마음이 섭섭하고 분하다

느껍다: 어떤 느낌이 북받쳐서 벅차다

다감하다(多感): 느낌이 많다

단조롭다(單調): 단조한 느낌이 있다

담연하다(淡然): 맑고 깨끗한 느낌이 있다

더리다: 격에 맞지 아니하여 조금 떠름한 느낌이 있다

덧없다: 헛되고 허전하다

따갑다: ① 살갗이 따끔거릴 만큼 열이 썩 높다 뢴뜨겁다 ②날카로운 끝으로 살을 쑤시는 듯한 느낌이 있다 ③ 마음에 심한 자극을 받아 따가운 듯한 느낌이 있다

따끈따끈하다: 〈북한어〉 어지간히 따갑게 덥다 뢴뜨끈뜨끈하다

따끈하다: ① 상처나 염증이 생긴 자리에서 마치거나 결리거나 찌르는 듯한 아픈 느낌이 있다 ② 마음에 심한 자극을 받아 따가운 듯한 느낌이 있다

떠름하다: 조금 떨떨한 느낌이 있다

떨떠름하다: 몹시 떠름하다 뷔떨떨하다

뜨끈뜨끈하다: 〈북한어〉 어지간히 뜨거운 듯하다 좍따끈따끈하다

맵다: 연기의 기운으로 목구멍이나 눈이 쓰라리다

음울하다: 음침하고 답답하다

05. 동일함의 뜻

같다: ① 서로 한 모양이나 한 성질로 되어 있다 ② 비교되는 것과 서로 비슷하
　　 다 ③ 체언 뒤에 '같은'으로 쓰이어 '그 부류에 들 만한'의 뜻 ⟨반⟩다르다
고러고러하다: 여럿이 다 고러하다
고러하다: 고와 같다
고르다: 여럿이 다 더하고 덜함이 없이 일매지거나 한결같다
균등하다(均等): 고르다
균일하다(均一): 고르다
그러하다: 그와 같다 ⟨좌⟩고러하다 ⟨준⟩그렇다
그렇다: '그러하다'의 준말
근사하다: 거의 같다
대동하다(大同): 크게 따져서 같다
동등하다(同等): 등급, 정도 따위가 같다
동일하다(同一): 같다
똑같다: 조금도 다름이 없이 같다
부동하다(不同): 서로 같지 아니하다
불균형하다(不均衡): 한쪽으로 치우쳐서 고르지 아니하다
불일하다(不一): 고르지 아니하다
씨식잖다: 같잖고 되잖다 ⟨준⟩씩잖다
씩잖다: '씨식잖다'의 준말
약시하다(若是): ⟨≡⟩이러하다
약차약차하다(若此若此): 이러이러하다
약차하다(若此): ⟨≡⟩이렇다, 이러하다
어른스럽다: 아이이면서도 어른 같은 데가 있다
여사여사하다(如斯如斯): 이러이러하다
여사하다: ⟨≡⟩이렇다, 이러하다
여실하다(如實): 사실과 같다
여일하다(如一): 처음부터 끝까지 한결같다
여전하다(如前): 전과 같다
옴포동이같다: 옴포동한 아이와 같다
이러하다: 이와 같다 ⟨준⟩이렇다 ⟨좌⟩요러하다 ⟨비⟩약시하다, 요렇다, 여사하다
이렇다: 상태·모양·성질 따위가 이와 같다, '이러하다'의 준말

저러하다: 저와 같다 ㉯조러하다
하나같다: 여럿이 다 똑같다
한결같다: 처음이나 끝이 꼭 같다
획일하다(劃一): 한결같아서 변함이 없다

06. 됨됨이에 관한 형용사

되잖다: 올바르지 않거나 이치에 닿지 않다
둘되다: 상냥하지 못하고 미련하고 무디게 성기다
박악하다(薄惡): 됨됨이가 변변하지 못하고 아주 나쁘다 (예) 박악한 제품
범소하다(凡小): 됨됨이가 평범하고 작다
별나다: 됨됨이가 보통 것과 아주 다르다
얇다: 됨됨이가 깊지 못하거나 매우 가볍다 ㉰엷다 (예) 얇은 생각
얇디얇다: 매우 얇다
엷다: 됨됨이가 깊지 못하거나 가볍다 (예) 학식이 엷어서 어찌할꼬 ㉯얇다
잘나다: ① 사람 됨됨이가 똑똑하고 뛰어나다 ② 잘 생기다 ㉲못나다
조야하다(粗野): 사람 됨됨이가 무무하고 촌스럽다
좀되다: 사람의 됨됨이나 하는 짓이 지나치게 잘다
천루하다(賤陋): 사람 됨됨이가 낮고 더럽다
천열하다(賤劣): 됨됨이가 낮고 용렬하다
튼튼하다: 됨됨이가 굳고 실하다 ㉯탄탄하다
패만하다(悖慢): 사람됨이 거만하다
허황되다(虛荒): ㉤허황하다
허황하다(虛荒): 사람됨이 들떠서 황당하다 ㉣허황되다
헤식다: 사람됨이 맺힌 데가 없이 싱겁다

07. 두드러짐의 뜻

뛰어나다: 여럿 가운데서 훨씬 낫다
월등하다(越等): 다른 것에 비하여 크게 낫다
초승하다(稍勝)[1]: 수준이나 역량 따위가 조금 낫다

초승하다(超勝)²: 기술 따위가 특히 뛰어나다
표리하다(表裏): 현저하다
표표하다(表表): 눈에 띄게 두드러지다
현저하다(顯著): 드러나게 두드러지다

08. 뛰어남의 뜻

기걸하다(奇傑): 보기에 기이할 정도로 뛰어나다
대단찮다: 그다지 중요하지 않다
대단하다: 아주 뛰어나다
돋나다: 인품이 두드러지게 뛰어나다
동뜨다: 다른 것보다 훨씬 뛰어나다
묘하다: 뛰어나거나 신기하다
불군하다(不群): 견줄 데 없이 아주 뛰어나다
불세출하다(不世出): 좀처럼 세상에 태어나지 않을 만큼 뛰어나다
비범하다(非凡): 보통 수준에서 훨씬 뛰어나다
수월하다(秀越): 빼어나고 뛰어나다
수일하다(秀逸): 뛰어나게 우수하다
승하다(勝): 뛰어나다
영현하다(英賢): 뛰어나고 슬기롭다
우뚝하다: 특별히 뛰어나다 (예) 우뚝한 사람
우수하다(優秀): 여럿 가운데 뚜렷하게 뛰어나다
우월하다(優越): 여럿 가운데서 뚜렷하게 뛰어나다
웅용하다(雄勇): 뛰어나고 용맹하다
일출하다(逸出): 뛰어나다
쟁쟁하다(錚錚): 여럿 가운데서 매우 뛰어나다
절등하다(絶等): 아주 두드러지게 뛰어나다 🔟절륜하다
절륜하다(絶倫): ⊟절등하다
절수하다(絶秀): 썩 뛰어나다
절인하다(絶人): 남보다 훨씬 뛰어나다
정수하다(精秀): 매우 정하고 뛰어나다
청수하다(淸秀): 속되지 않고 뛰어나다

초군하다(超群): 여럿 속에서 뛰어나다

초륜하다(超倫): ⊟초범하다

초매하다(超邁): 훨씬 뛰어나다

초범하다(超凡): 범상한 것보다 뛰어나다

초연하다(超然): 보통 수준보다 높고 뛰어나다

초일하다(超逸): 매우 뛰어나다

초출하다(超出): 우뚝하게 뛰어나다

출군하다(出群): ⊟출중하다

출류하다(出類): 같은 무리에서 특별히 뛰어나다

출중하다(出衆): 여러 사람 가운데서 특별히 두드러지다 ⓑ출근하다

탁월하다(卓越): ⓑ뛰어나다

특수하다(特秀): 특별히 뛰어나다

특출하다(特出): 특별히 뛰어나다

현저하다(顯著): 드러나서 두드러지다

09. 마음에 관한 형용사

가경하다: 놀랄 만하다

가든가든하다: 여럿이 다 가든하다 ⓢ가뜬가뜬하다 ⓛ거든거든하다

가든하다: 마음이 후련하고 상쾌하다 ⓢ가뜬하다 ⓛ거든하다

가뜬가뜬하다: ① 여럿이 모두 가뜬하다 ⓨ가든가든하다 ⓛ거뜬거뜬하다 ②
　　매우 가뜬하다 ⓨ가든가든하다 ⓛ거뜬거뜬하다

가뜬하다: 마음이 아주 가분하고 상쾌하다

가려하다(可慮): 걱정스럽다

감가하다(坎坷): 일이 뜻대로 안 되어 마음이 답답하다

거든거든하다: 여럿이 다 거든하다 ⓢ거뜬거뜬하다 ⓩ가든가든하다

거세다: 거칠고 세다

검다: 마음가짐이 엉큼하다

검쓰다: 마음에 언짢고 섭섭하다

경산하다(驚散): 놀라서 마음이 어수선하다

경편하다: 가볍고 편하다

경황없다(景況): 마음이 상하거나 겨를이 없거나 하여 딴 일을 생각하거나

홍미를 가질 여유가 없다

고맙다: 도움을 받거나 은혜를 입거나 하여 마음이 흐뭇하게 느껍다

고정하다(孤貞): 마음이 외곬으로 곧다

곧다: 마음이 똑 바르다

광망하다(狂妄): 미친 사람처럼 아주 망령되다

교결하다(皎潔): 마음이 깨끗하고 맑다

굳다: 마음이나 생각이 강하다

굴뚝같다: 무엇을 하고 싶은 마음이 매우 간절하다

궁금하다: 무엇이 알고 싶어 마음이 안타깝다

기껍다: 마음속이 기쁘다

깊다: 마음이나 생각이 듬쑥하고 신중하다 [반]얕다

깔깔하다: 마음이 맑고 깨끗하다

껌껌하다: 마음이 음흉하다

꼿꼿하다: 마음이 굳세고 곧다

꽁하다: ① 마음이 옹졸하고 말이 없다 ② 마음속에 양심이 있다 [큰]꿍하다

꿋꿋하다: 마음이 곧고 굳세다 [좌]꼿꼿하다

꿍하다: 마음이 시원스럽지 못하고 말없이 덤덤하다

끌끌하다: 마음이 맑고 바르고 깨끗하다 [좌]깔깔하다

나겁하다: 마음이 여리고 겁이 많다

나슨하다: 마음이 조금 풀려 죄어 칠 힘이 없다 [큰]느슨하다

낙이하다(樂易): 마음이 편안하여 즐겁다

난안하다(難安): 마음 놓기 어렵다

내약하다: 마음과 뜻이 약하다

너그럽다: 마음이 넓고 어질다

너글너글하다: 마음이 넓고 시원하다

넉넉하다: 마음이 넓고 크다

넓다: 마음 씀이 크다 [반]좁다

노리다: 비위가 거슬리도록 마음 쓰는 것이 다랍다 [큰]누리다

느긋하다: 마음에 흡족하다 [준]늑하다

느슨하다: 마음이 풀리어 죄어칠 힘이 없다 [좌]나슨하다

늑하다: "느긋하다"의 준말

담담하다: ① 마음 두지 않고 예사스럽다 [큰]덤덤하다 ② 어떤 느낌이나 무엇에
마음을 쓰지 않고 무관심하다 [큰]덤덤하다 ③ 마음이나 태도가 조용하고

침착하다

담박하다: ① 마음이 깨끗하고 욕심이 없다 閏담백하다 ② 담담하다

담백하다: 마음이나 태도가 조용하고 침착하다

더리다: ① 싱겁고 어리석다 ② 마음이 다랍고 야비하다

덤덤하다: 말할 자리에서 어떤 말이나 반응이 없이 조용하고 무표정하다

도탑다: 남에게 대하여 쓰는 마음이 알뜰하다

돈후하다: 심덕이 두텁다

동동하다(憧憧): 걱정스러운 일로 마음이 가라앉지 않고 움직이는 상태에 있다

두렵다: 좋지 않은 일이 닥칠까 걱정이 생기고 꺼리는 마음으로 불안하다

두텁다: 남에게 대하여 쓰는 마음이 알뜰하고 크다 좐도탑다

뒤숭숭하다: 느낌이나 마음이 어수선하고 불안하다

떠름하다: 마음에 달갑게 여기지 아니하다

뜨악하다: 마음이 선뜻 내키지 않아 꺼림칙하고 싫다

마땅하다: 마음에 들어서 좋다

마뜩찮다: "마뜩하지 아니하다"의 준말

마뜩하다: 제법 마음에 들 만하다

맛깔스럽다: 마음에 맞갖다

맞갖다: 마음이나 입맛에 꼭 맞다

맞갖잖다: 마음이나 입맛에 맞지 아니하다

맹맹하다: 마음이 허전하고 싱겁다 畱멍멍하다

모색하다(茅塞): 욕심 때문에 마음이 답답하고 못마땅하다('마음에 맞지 아니
    하고 무던하다', '마음씨가 순박하고 참되며 너그럽고 무르다', '마음이
    힘이 여리고 약하다')

무사하다(無邪): 사사스러운 마음이 없다

무소기탄하다(無所忌憚): 아무 꺼릴 것이 없다

무소득하다(無所得): 마음에 집착함이 없다

무실하다(無實): 마음가짐이 성실하지 못하다 閏몰실하다

방탕하다(放蕩): 마음이 들떠 걷잡을 수 없다

번조하다(煩燥): 손과 발을 가만히 두지 못할 만큼 마음과 몸이 답답하고 몹시
    열이 높다

부정직하다(不正直): 마음이 바르고 곧지 아니하다

불합하다: 마음에 맞지 아니하다

비루하다(鄙陋): 마음씨나 하는 짓이 못나고 더럽다

비리다: 적어서 마음에 못마땅하다 聲배리다

비창하다(悲愴): 마음이 아프고 서운하다

사무사하다(思無邪): 마음에 비뚤어진 것이 없다

사뿐하다: 몸과 마음이 아주 가볍고 시원하다

사위스럽다: 불길한 느낌으로 마음에 꺼림칙하다

살갑다: 마음씨가 부드럽고 상냥하다 起슬겁다

상비하다(傷悲): 마음이 아프고 슬프다

상통하다(傷痛): 마음이 괴롭고 아프다

새들하다: 마음에 차지 않고 조금 언짢다

석연하다(釋然): 의욕이 풀리어 마음이 시원하다

성일하다(誠一): 마음과 뜻이 곧고 굳다

소마소마하다: 무겁거나 두려워서 마음이 초조하다

솔깃하다: 마음이 쏠리어 그랬으면 싶다

쇄락하다(洒落): 마음이 시원하고 깨끗하다

수통스럽다(羞痛): 부끄럽고 분한 마음이 있다

숭굴숭굴하다: 마음 씀씀이가 다 수더분하고 너그럽다

숭글숭글하다: '숭굴숭굴하다'의 잘못

슬겁다: 마음이 너그럽고 제법 미덥다 起살갑다

슬프다: 원통하거나 불쌍한 일을 겪거나 보고 마음이 쑤시는 것 같이 괴롭고
    아프다

시끄럽다: 마음에 들지 아니하거나 귀찮고 성가시다

시들하다: 마음에 차지 않고 언짢다

시원하다: ① 답답한 마음이 풀리어 흐뭇하고 기쁘다 ②아프거나 답답한 느낌
    이 없어져 마음이 후련하다

시험하다(猜險): 시기하는 마음이 많고 음험하다

신신하다(新新): 마음에 들게 시원하다

신청부같다: 사물이 너무 적거나 부족하여 마음에 차지 않는다

신통하다: 마음에 들 만큼 마땅하다

실뚱머룩하다: 마음에 내키지 않아 덤덤하다

싫다: ① 하고 싶은 마음이 없다 ② 마음이 언짢다

심교하다(心巧): 마음이 곱상하다

심드렁하다: 마음에 탐탁하지 아니하다

심란하다(心亂): 마음이 산란하다

심산하다(心酸)[1]: 마음이 몹시 고통스럽다

심산하다(心散)[2]: 심란하다

심약하다(心弱): 마음이 약하다

심윤하다(心潤): 마음이 고요하다

심통하다(心通): 마음이 아프다 또는 마음의 고통

심험하다(深險)[1]: 마음이 매우 음험하다

심험하다(心險)[2]: 마음이 음흉하고 험상궂다

싱숭생숭하다: 마음이 갈팡질팡 들떠 있다

싸느랗다: 뜻밖에 놀랄 때 마음속이 찬 기운이 나는 것 같이 느껴지다 여사느랗다 큰써느렇다

싸늘하다: 뜻밖에 놀랄 때 마음속이 추운 기운이 나는 것 같이 느껴지다 여사늘하다 큰써늘하다

쌀랑하다: 놀랄 때 싸늘한 바람이 도는 듯한 느낌이 있다 여살랑하다 큰썰렁하다

쌀쌀하다: 마음씨나 태도가 붙임성이 없게 차다

쌈박하다: 마음에 썩 들게 그럴싸하다

써느렇다: 뜻밖에 놀랄 때 마음속이 찬 기운이 나는 것 같이 느껴지다 여서느렇다 작싸느랗다

써늘하다: 뜻밖에 놀라거나 걱정스러울 때 가슴이 덜컥 내려앉아 으스스한 느낌이 있다 여서늘하다 작싸늘하다

썰렁하다: 놀랐을 때 싸늘한 바람이 도는 듯한 느낌이 있다 여설렁하다 작쌀랑하다

아리다: 마음속이 쓰라리다

안되다: 섭섭하거나 가엾어서 마음이 언짢다

알뜰하다: 아끼고 위하는 마음이 참되고 지루하다

암상하다: 샘내는 마음이 많다

앙연하다(怏然): 앙앙한 마음을 품고 있는 듯하다

야리다: 마음이 매우 약하고 무르다 큰여리다

야멸차다: 제 일만 생각하고 남의 사정을 돌보는 마음이 없다

양박하다(凉薄): 마음이 좁고 후덕하지 않다

어령칙하다: 긴가민가하여 마음에 꺼림칙하다

어수선하다: 마음이나 분위기가 뒤숭숭하고 산란하다

어정쩡하다: 마음에 꺼림하고 의심스럽다

어질다: 마음이 너그럽고 착하고 슬기롭고 덕행이 높다

언짢다: 마음에 들지 아니하다

엇구수하다: 마음에 거슬려 마땅하지 아니하다 (예)엇구수한 인상

여리다: 마음이 약하고 무르다 ☞야리다

역하다: 마음에 거슬려 마땅하지 아니하다

염명하다(廉明): 마음이 청렴하여서 밝다

염연하다(恬然): 이해를 떠나서 마음이 흔들리지 않고 안정하다

오밀조밀하다: 사물에 대한 마음씨가 매우 자랑스럽고 꼼꼼하다

오사바사하다: 주견이 없어 변하기 쉬우나 마음이 잘고 부드러워 사근사근
　　하다

온윤하다(溫潤): 마음이 온화하고 몸에 화기가 있다

옹용하다(雍容): 마음이 화락하고 조용하다

옹졸하다: ① 성품이 너그럽지 못하고 생각이 좁다 ② 옹색하고 변변치 아니
　　하다

옹종하다: 마음이 좁고 꼴이 오종종하다

옹하다: ⎿옹졸하다 ⎿옹종하다

외다: 마음이 꼬여 있다 (예)왜 속이 외었는지 알 수 없다

용용하다(溶溶): 마음이 넓고 침착하다

우유하다(優柔):마음이 부드럽고 약하다

우의하다(優毅): 마음이 부드러우면서 굳세다

울도하다(鬱陶): 마음이 답답하고 울적하다

울울하다(鬱鬱): 마음이 매우 답답하다

음하다(陰): 마음이 검다

음하다(陰): 마음이 검하다

의기양양하다(意氣揚揚): 득의한 마음이 얼굴에 가득하다

의기투합하다(意氣投合): 마음이 서로 맞다

의현하다(疑眩): 의심스러워서 마음이 어지럽다

쟁글쟁글하다: 미운 사람이 잘못된 것이 마음에 아주 고소하다

정선하다(正善): 마음이 바르고 착하다

정실하다(貞實): 마음이 곧고 성실하다

조릿조릿하다: 겁이 나거나 걱정이 되어서 마음이 놓이지 아니하고 빠짝빠짝
　　졸아 드는 듯하다

조민하다(躁悶): 마음이 조급하여 가슴이 답답하다

좆같다: 몹시 마음에 안 들거나 보기에 싫다의 뜻으로 이르는 낮은 말

좋다: ① 성질, 기능, 상태 따위가 마음에 들 만하다 ② 마음에 들어 즐겁거나 기쁘다

짐짐하다: 마음에 조금 꺼림한 생각이 있다

짜다: 마음에 달게 여겨지지 않는다

찐덥다: 마음에 떳떳하고 흐뭇하여 남을 대하기가 선선하다

찐하다: 안타깝게 뉘우쳐지며 속이 언짢고 아프다 图짠하다

찜찜하다: 마음에 계면쩍어서 선뜻 말하기가 어렵다

찡찡하다: 마음에 걸리는 것이 있어 계면쩍고 거북하다

찹찹하다: ① 포개어 쌓은 물건이 엉성하지 아니하고 차곡차곡 가지런하게 가라앉아 있다 ② 마음이 들뜨지 않고 조용하다 (예) 찹찹한 생각

창적하다(暢適): 마음이 흐뭇하고 즐겁다

창창하다(悵悵): 마음이 아득하다

창쾌하다(暢快): 마음이 시원하고 유쾌하다

처처하다(悽悽): 마음이 구슬프다

청담하다(淸淡): 마음이 깨끗하고 담박하다

충적하다(沖寂): 마음이 그윽하고 고요하다

충정하다(沖靜): 마음이 편안하고 고요하다

침울하다(沈鬱): 걱정과 근심에 잠겨서 마음이나 기분이 답답하다

침정하다(沈靜): 마음이 가라앉아 차분하고 고요하다

침통하다(沈痛): 무엇에 찔리어 느끼어서 마음이 몹시 아프다

쾌미하다(快美): 마음이 시원하고 아름답다

쾌적하다(快適): 몸과 마음에 알맞아 기분이 매우 좋다

쾌하다(快): 마음이 썩 시원하다

탁하다(濁): 마음이 바르지 못한 데가 있다

탄연하다(坦然): 마음이 평탄하다

탐스럽다: 마음이 끌리도록 보기 좋다

탐탁스럽다: 보기에 탐탁하다

탐탁하다: 모양이나 태도 또는 어떤 일이 마음에 들어맞다

탐탐하다(耽耽): 마음에 들어 즐겁고 좋다

태무심하다: 무엇에 거의 마음을 쓰지 아니하다

평담하다(平澹): 마음이 고요하고 탐욕이 없다

평탄하다(平坦): 마음이 편하고 고요하다 凬탄평하다

평허하다(平虛): 마음이 편하고 걱정이 없다

표리부동하다(表裏不同): 마음씨가 음충맞아서 겉과 속이 다르다

한스럽다(恨): 마음에 한이 되는 느낌이 있다

해낙낙하다: 마음이 흐뭇하여 기쁜 기색이 있다

허우룩하다: 아주 가까운 사람과 영영 이별하여 마음이 섭섭하고 허전하다

헬렐레하다: 마음이나 몸가짐이 흐트러지고 풀어져 있다

현명하다(賢明): 마음이 어질고 깨끗하다

현숙하다(賢淑): 여자의 마음이 어질고 깨끗하다

협애하다(狹隘): 마음보가 아주 좁다

호승하다(好勝): 이기고자 하는 마음이 많다

화열하다(和悅): 마음이 화평하여 기쁘다

화평하다(和平): 마음이 기쁘고 평안하다

확락하다(廓落): 마음이 너그럽고 크다

회홍하다(恢弘): 마음이 너그럽고 도량이 크다

회확하다(恢廓): 마음이 넓다

훈훈하다: 마음을 부드럽게 하는 따뜻함이 있다

훌륭하다: 무엇이 마음에 흡족하도록 매우 아름답다

훗훗하다: 마음을 부드럽게 녹여 주는 훈훈한 기운이 많다

휘영하다: 마음이 텅 비어 허전하다

흉하다: 마음씨가 매우 나쁘고 거칠다

흉험하다(凶險): 마음씨가 그늘지고 험상궂다

흐리다: 마음이나 표정 따위에 어두운 빛이 있다

흔쾌하다(欣快): 마음에 기쁘고 통쾌하다

흔흔하다(欣欣): 마음에 아주 기쁘다

10. 말에 관한 형용사

간묵하다(簡默): 말이 적고 묵중하다

거식하다: 말하는 중에 말이 얼른 입에서 나오지 아니할 때에 그 말을 대신으
　　로 하는 말

구수하다: 말이나 이야기가 듣기에 마음을 끄는 맛이 있다

나다분하다: 쓸데없는 말들이 듣기 싫고 따분하게 수다스럽다 圉너더분하다

난언하다(難言): 뭐라고 말하기 어렵다

너더분하다: 쓸데없는 말들이 듣기 싫고 번거롭게 길다

넌덕스럽다: 너털웃음을 치며 솜씨 있는 말을 늘어놓는 재주가 있다

눌삽하다(訥澁): 말을 더듬어 듣기에 힘들고 답답하다

눌하다(訥): 말소리가 떠듬떠듬하여 똑똑하지 못하다

단직하다: 말이 충성스럽고 곧다

담담하다: 마땅히 말할 만한 자리에서 아무 말 없이 잠자코 있다 [큰]덤덤하다

덤덤하다: 말할 자리에서 아무 말도 없이 조용하다

덥절덥절하다: 말이나 행동 따위가 상냥하여 붙임성이 있다

도도하다(滔滔): 나오는 말이 물 흐르듯 거침이 없다

도뜨다: 말씨나 하는 짓이 정도가 높다

땀직땀직하다: 말이나 행동이 한결같이 매우 땀직하다 [큰]뜸지근하다

땀직하다: 말이나 행동이 속이 깊고 무게가 있다 [큰]뜸직하다

뜨다: 말수가 적다

명쾌하다(明快): 말·글 따위의 명백하여 듣기에 마음이 시원하다

목눌하다(木訥): 고지식하고 말재주가 없다

무디다: 말이나 소리가 투박하다

무언하다: 말이 없이 잠잠하다

묵연하다(默然): 말없이 잠잠하다

묵중하다: 말이 적고 몸가짐이 무겁다

부천하다(膚淺): 지식이나 말이 천박하다

불퉁스럽다: 퉁명스럽고 무뚝뚝하게 말을 불쑥불쑥 하는 듯하다

불퉁스럽다: 퉁명스럽고 야멸차게 말을 불쑥불쑥 하는 듯하다

비리하다(鄙俚): 풍속이나 말 따위가 촌스럽고 속되다

뼈지다: 하는 말이 몹시 여무지다

삽삽하다(澁澁): 말이나 글이 분명하지 못하여 이해하기가 어렵다

생급스럽다: 끄집어 낸 말이 얼토당토않다

수다스럽다: 쓸데없이 말을 많이 하는 느낌이 있다

수다하다: 수선스럽게 말수가 많다

아순하다(雅馴): 말글이 바르고 익숙하다

어궁하다(語窮): 말이 막히고 궁하다

어눌하다(語訥): 말을 유창하게 하지 못하고 떠듬떠듬하는 면이 있다

어둔하다(語遁)[1]: 말이 답답하다

어둔하다(語鈍)²: 말이 둔하다

어떠하다: 꼭 집어서 말하기 어려워 막연하게 말할 때 쓰는 말 준어떻다

어무윤척하다(語無倫脊): 말이 조리에 맞지 아니하다

어색하다: 말이 궁하여 답변할 말이 없다

어정이순하다(語正理順): 말과 사리가 바르다

어졸하다(語拙): 말솜씨가 없다 비언졸하다

언거번거하다: 잡담이 많고 수다스럽다

언경하다(言輕): 말이 가볍고 방정맞다

언졸하다(言拙): 어졸하다

언중하다(言重): 말이 무겁다

엇구수하다: 말이나 이야기가 듣기에 그럴 듯한 맛이 있다

오감스럽다: 말과 짓이 너무 고마운 데가 있다

용만하다(冗漫): 말이나 글이 쓸데없이 길다

윤척하다(倫脊): 말이나 글에서 차례와 조리와 없다

의미심장하다: 말이나 글의 뜻이 매우 깊다

잠잠하다: 말이 없이 가만히 있다

적묵하다(寂默): 조용히 명상에 잠기어 말이 없다

좋다: 말씨, 태도 따위가 상냥하다

쩍말없다: 썩 잘 되어 더 말할 나위 없다

착착하다(鑿鑿): 말이나 일이 조리에 맞아 분명하다

첩첩하다(喋喋): 말을 잘 하여 거침없다

퉁명스럽다: 말이나 얼굴에 못마땅하거나 시답지 않아서 불쑥 나타내는 무뚝
뚝한 기색이 있다

퉁명하다: 못마땅하거나 시답지 않아서 말이나 태도를 불쑥 나타내다

포달지다: 말솜씨가 몹시 사납고 다라지다

한언하다(罕言): 말이 드물다

회삽하다(晦澁): 말이나 문장이 어려워서 뜻을 알 수 없다

11. 멋

간지다: 간드러진 멋이 있다

건드러지다: 멋들어지게 예쁘고 가늘고 부드럽다 작간드러지다

구성하다: 천연스럽고 멋지다
근사하다: 그럴 듯하게 멋지다
멋거리지다: 멋이 깊이 들어 있다
멋들어지다: 아주 멋있다
멋스럽다: 멋진 데가 있다
멋없다: ① 격에 어울리지 않게 싱겁다 ② 멋이 없다
멋있다: 보기에 아주 좋거나 훌륭하다
멋지다: 아주 멋있다
멋쩍다: ① 하는 짓이나 모양이 격에 어울리지 않다 ② 멋이 적다

12. 메마르다

메마르다: ① 땅이 축축한 기가 없고 기름지지 아니하다 圕걸다 ② 윤기가
　　없이 거칠고 보송보송하다 圓건조하다 ③ 인정이 없어 따뜻하거나 부드럽
　　지 못하다
척박하다(瘠薄): 몹시 메마르다
한건하다(暵乾): 비가 오래 오지 않아 메마르다 囝건하다
항조하다(亢燥): 땅이 높아 메마르다

13. 명백하다

명명백백하다(明明白白): 아주 명백하다
명명하다(明明): 또렷하고 똑똑하다
명백하다(明白): 의심할 것 없이 아주 뚜렷하고 환하다
명확하다(明確): 명백하고 확실하다
현현하다(顯顯): 환하고 명백하다
호연하다(皓然): 아주 명백하다

14. 모여 있는 모습

오그르르하다: 작은 벌레, 짐승, 사람 따위가 한 곳에 비좁게 많이 모여 있다
　　른우그르르하다
오글오글하다: 한 곳에 오그르르 모여 움직거리고 있다 른우글우글하다
오보록하다: 작은 풀이나 나무 따위가 한 군데 많이 모여 다보록하다 른우부룩
　　하다
오복하다: 잘고 둥근 물건이 한 데 모여 소복하다
오종종하다: 잘고 둥근 물건이 한 데 모여 있어 빽빽하다
옹기옹기하다: 크기가 비슷한 작은 것들이 담상담상 모여 있다 른웅기웅기
　　하다
옹기종기하다: 크기가 고르지 않는 것들이 담상담상 모여 있다 른웅기중기
　　하다
우글우글하다: 한 곳에 우그르르 모여 움직거리고 있다 좌오글오글하다
웅기웅기하다: 크기가 비슷한 것들이 듬성듬성 모여 있다 좌옹기옹기하다
웅기중기하다: 크기가 고르지 아니한 것들이 듬성듬성 모여 있다 좌옹기종기
　　하다

15. 몸

강강하다(剛剛): 몸과 마음이나 기력이 아주 단단하다
개운하다: 몸이나 기분이 상쾌하여 가뜬하다
고단하다: 몸이 지쳐서 느른하다
고달프다: 매우 고단하다
까마말쑥하다: 까맣고 말쑥하다 여가마말쑥하다 른꺼머멀쑥하다
까마무트름하다: 얼굴이 까무스름하고 토실토실하다 여가마무트름하다 른꺼
　　머무트름하다
까마반드르하다: 까맣고 반드르르하다 여가마반드르하다 른꺼머번드르하다
까마반지르하다: 까맣고 반지르르하다 여가마반지르하다 른꺼머번지르하다
깔밋하다: 조촐하고 말쑥하다 른끌밋하다
깡마르다: 몹시 야위다
꺼머무트름하다: 얼굴이 거무스름하고 투실투실하다 여거머무트름하다

242

꼬장꼬장하다: 가늘고 곳곳하다 團꾸정꾸정하다

날씬날씬하다: 여럿이 다 날씬하다

날씬날씬하다: 여럿이 모두 날씬하다 團늘씬늘씬하다

날씬하다: 몸매가 맵시 있게 가늘다 團늘씬하다

납덩이같다: 몸이 몹시 피곤하여 무겁고 나른함을 비유하는 말 (예) 납덩이 같이
　　무거운 발걸음

늘씬늘씬하다: 모두가 다 늘씬하다 團날씬날씬하다

늘씬하다: 몸매가 가늘고 키가 맵시 있게 크다 團날씬하다

대살지다: 몸이 강마르고 야무지게 보이다

덜퍽스럽다: 보기에 덜퍽지다

덜퍽지다: 몸이 크고 튼튼하여 위엄이 있다

도량직하다: '도리암직하다'의 준말

도리암직하다: 동글납작한 얼굴에 키가 자그마하고 몸매가 얌전하다

도지다: 몸이 여무지고 단단하다

되람직하다: '도리암직하다'의 준말

말랑말랑하다: ① 매우 말랑하다 ② 여럿이 다 말랑하다

말랑하다: 몸이나 성질이 무르고 약하다

맨송맨송하다: 몸에 털이 있어야 할 곳에 나지 아니하여 만만하다

맨숭맨숭하다: 몸에 털이 있어야 할 곳에 털이 없어 반반하다 團맨송맨송하다

몰랑하다: 몸이나 성질이 좀 무르고 약하다

미지근하다: 머리가 띵하고 무겁거나 가슴, 팔다리 따위가 무엇에 눌리는 듯이
　　무겁다

민숭민숭하다: 몸에 털이 있어야 할 자리에 나지 않아 번번하다

배리배리하다: 몸이 배틀어질 정도로 야위고 가냘프다 團비리비리하다

부다듯하다: 몸에 열이 나서 불이 달듯 하게 몹시 뜨겁다

부실하다(不實): 몸, 마음, 행동 따위가 튼튼하지 못하고 약하다

부하다: 살이 쩌서 몸이 뚱뚱하다

불순하다(不順): 몸가짐이나 마음가짐이 고분고분하지 않고 거칠다

불인하다(不仁): 몸의 어느 부분의 마비로 놀리기가 거북하다

불쾌하다: 몸이 찌뿌드드하다

불편하다: 병으로 몸이 괴롭다

비둔하다(肥鈍): ① 살이 쩌서 몸놀림이 날렵하지 못하다 ② 옷을 많이 입어서
　　몸놀림이 거북하다

비리비리하다: 몸이 비뚤어질 정도로 여위고 가냘프다 團배리배리하다
비습하다(肥濕): 몸에 살이 찌고 습기가 많다
빠근하다: 힘이 들어서 지친 몸이 거북스럽고 살이 빠개지는 듯하다 團뻐근하다
뻐근하다: 매우 힘이 들어서 지친 몸이 매우 거북스럽고 살이 빠개지는 듯하다
    團빠근하다
살망하다: 아랫도리가 어울리지 않게 좀 상큼하다 團설멍하다
생때같다: 몸이 건강하고 병이 없다
설멍하다: 아랫도리가 가늘고 성긋하다
성큼하다: 아랫도리가 어울리지 아니하게 퍽 길쭉하다 團상큼하다
성하다: 몸에 병이나 상처가 없다
수꿀하다: 무서워서 몸이 으쓱하다
수련하다: 몸가짐이나 마음씨가 맑고 곱다
신약하다: 몸이 약하다
아슥하다: 〈순우리말〉 까마득하고 아스라이 멀다
안이하다(安易): 아주 편안하다
야물다: 몸과 언행이 옹골차고 야무지다
약하다: 몸이 부실하다
어지럽다: 몸을 가눌 수 없고 정신이 흐리고 얼떨떨하다
영화롭다: 몸이 귀하게 되어서 이름이 있다
영화스럽다: 영화로운 듯하다
우둥퉁하다: 몸집이 크고 퉁퉁하다 團오동통하다
우둥푸둥하다: 우둥퉁하고 푸둥푸둥하다 團우둥푸둥하다 團오동포동하다
위허하다(胃虛): 위가 허약하다
으스스하다: 차고 싫은 기운이 몸에 스르르 돌면서 소름이 끼치는 듯하다
으슥으슥하다: 〈북한어〉 '으슬으슬하다'의 북한어
으슥하다: 무섭거나 춥거나 할 때 갑자기 몸이 움츠려드는 듯하다 團아슥하다
으슬으슬하다: 소름이 끼칠 정도로 매우 차가운 느낌이 잇따라 드는 듯하다
작약하다(綽約): 몸이 가냘프고 태도가 아리땁다
잠잖다: 몸가짐이 묵중하고 높다 團점잖다
전실하다(典實): 몸가짐이 도리에 맞고 성실하다
점잖다: 몸가짐이 묵중하고 높다 團잠잖다
정숙하다(整肅): 몸가짐이나 차림새가 바르고 엄숙하다
정정하다(亭亭): 늙은 몸이 굳세고 강건하다

쥐방울만하다: (속되게) 몸이 작고 앙증스럽다

지난하다: ① 몸에 닿는 감촉이나 중력이 짐스러워 귀찮다 ② '지루하다'의
　　방언(평북)

질둔하다(質鈍): 몸이 뚱뚱하여 행동이 굼뜨다

채신사납다: 몸을 잘못 가지어 꼴이 언짢다 匡치신사납다 旪처신사납다

처신사납다: 채신사납다

체대하다(體大): 몸이 크다 맨체소하다

체소하다(體小): 몸이 작다 맨체대하다

충택하다(充澤): 몸가짐이 크고 살결이 윤택하다

칼칼하다: 목이 말라서 물이나 술 따위를 마시고 싶은 생각이 간절하다 匡컬컬
　　하다

컬컬하다: ① 목이 몹시 말라서 물이나 술 같은 것을 마시고 싶은 생각이 간절
　　하다 잭칼칼하다

쾌연하다: 씩씩하고 시원하다

쾌적하다: 몸과 마음에 알맞아 기분이 매우 좋다

쾌첩하다(快捷): 통쾌하도록 아주 날래다

쾌쾌하다: 씩씩하고 시원스럽다

쾌하다: ① 병이 다 나아 몸이 가볍다 ② 하는 짓이 시원스럽다

쾌활하다: 명랑하고 활발하다

켕하다: 눈이 쑥 들어가 크고 기운 없어 보이다

통통하다: 붓거나 살찌거나 불거나 하여 몸피가 크다 쎈뚱뚱하다 匡퉁퉁하다

퉁퉁하다: 몹시 붓거나 살찌거나 불거나 하여 몸피가 굵다 쎈뚱뚱하다 잭통통
　　하다

파리하다: 몸이 마르고 해쓱하다

편리하다(便利): 편하고 쉽다

편안하다(便安): 몸과 마음이 거북하지 않고 걱정 없이 좋다

편연하다(便姸): 몸이 재고 아리땁다

편이하다(便易): 편하고 쉽다

편찮다: ① 병으로 몸이 괴롭다 ② 편하지 아니하다

편편찮다(便便): 불편하고 거북살스럽다 (예) 잠자리가 편편찮다

편편하다(便便): 거리낌이나 탈이 없어 편안하다

편하다(便): 거북하거나 괴롭지 않다

평순하다(平順): 몸에 병이 없다

풍만하다(豐滿): 몸에 살이 탐스럽게 많다

허랭하다(虛冷): 〈한의〉 양기가 모자라 몸이 차다

허령하다(虛靈): 참된 생각이 없이 마음이 신령하다

호졸근하다: 몸이 지쳐서 기운이 없다 圉후줄근하다

후줄근하다: 몸이 몹시 지쳐서 기운이 없고 나른하다 죄호졸근하다

16. 무늬

무문하다(無紋): 무늬가 없다

아로록다로록하다: 좀 연하게 밝은 여러 가지 빛깔의 무늬가 좀 성기고 고르지
　　않게 배다 셴알로록달로록하다 圉어루룩더루룩하다

아로록아로록하다: 좀 연하게 많은 여러 가지 빛깔의 무늬가 좀 성기고 고르게
　　배다 셴알로록알로록하다 圉어루룩어루룩하다

아로롱다로롱하다: 작고 또렷한 무늬 따위가 좀 성기고 고르지 않게 촘촘하다
　　셴알로롱달로롱하다 圉어루룽더루룽하다

아록다록하다: 좀 연하게 맑은 여러 가지 빛깔의 무늬가 고르지 않게 배다
　　셴알록달록하다 圉어룩더룩하다

아록아록하다: 좀 연하게 밝은 빛깔의 무늬 따위가 고르게 배다 셴알록알록하
　　다 圉어룩어룩하다

아롱다롱하다: 작고 또렷한 무늬 따위가 고르지 않게 촘촘하다 셴알롱달롱하
　　다 圉어룽더룽하다

아롱아롱하다: 작고 또렷한 무늬나 점 따위가 고르게 촘촘하다 셴알롱알롱하
　　다 圉어룽어룽하다

아롱지다: 아롱아롱한 점이나 무늬가 있다 셴알롱지다 圉어룽지다

알라꿍달라꿍하다: 여러 가지 밝은 빛깔의 점이나 줄 따위가 고르지 아니하고
　　촘촘하게 무늬를 이루어 몹시 어수선하다

알락달락하다: 여러 가지 빛깔로 된 점이나 줄 따위의 무늬가 고르지 않게
　　배다 圉얼럭덜럭하다

알락알락하다: 여러 가지 빛깔로 된 점 또는 줄 따위의 무늬가 고르게 배다

알로록달로록하다: 여러 가지 밝은 빛깔의 점이나 무늬 따위가 좀 성기고 고르
　　지 않게 배다 여아로록다로록하다 圉얼루룩덜루룩하다

알로록알로록하다: 여러 가지 밝은 빛깔의 점이나 무늬 따위가 좀 성기고 고르

게 배다 여아로록다로록하다 큰얼루룩덜루룩하다

알로롱달로롱하다: 작고 또렷한 무늬나 점 따위가 좀 성기고 고르지 않게 촘촘
하다 여아로롱다로롱하다 큰얼루룽덜루룽하다

알로롱알로롱하다: 작고 또렷한 무늬나 점 따위가 좀 성기고 고르게 촘촘하다
여아로롱아로롱하다 큰얼루룽얼루룽하다

알록달록하다: 여러 가지 밝은 빛깔의 점이나 무늬 따위가 고르지 않게 배다
여아록다록하다 큰얼룩덜룩하다

알록알록하다: 여러 가지 밝은 빛깔의 점이나 무늬 따위가 고르게 배다 여아록
아록하다 큰얼룩얼룩하다

알롱달롱하다: 작고 또렷한 무늬나 점 따위가 고르지 않게 촘촘하다 여아롱다
롱하다 큰얼룽덜룽하다

알롱알롱하다: 작고 또렷한 무늬나 점 따위가 고르게 촘촘하다 여아롱아롱하
다 큰얼룽얼룽하다

알롱지다: 알롱알롱한 점이나 무늬가 있다

알쏭달쏭하다: 여러 가지 빛깔의 점이나 줄들의 무늬가 마구 뒤섞여 알롱달롱
하다 큰얼쏭덜쏭하다

알쏭알쏭하다: 여러 빛깔이나 무늬들이 뒤섞여 알롱알롱하다 큰얼쏭얼쏭하다

어루룩더루룩하다: 좀 연하게 어두운 여러 가지 빛깔의 무늬 따위가 좀 성기고
고르지 않게 배다 쎈얼루룩덜루룩하다 좩아로록다로록하다

어루룩어루룩하다: 좀 연하게 어두운 여러 가지 빛깔의 무늬가 좀 성기고 고르
게 배다 쎈얼루룩얼루룩하다 좩아로록아로록하다

어루룽더루룽하다: 크고 또렷한 무늬 따위가 좀 성기고 고르지 않게 촘촘하다
쎈얼루룽덜루룽하다 좩아로롱다로롱하다

어루룽어루룽하다: 크고 뚜렷한 무늬 따위가 좀 성기고 고르게 촘촘하다 쎈얼
루룽얼루룽하다 좩아로롱아로롱하다

어룩더룩하다: 좀 연하게 좀 어두운 여러 가지 빛깔의 얼룩이나 무늬 따위가
고르지 않게 배다 쎈얼룩덜룩하다 좩아록다록하다

어룩어룩하다: 좀 연하게 어두운 빛깔의 무늬 따위가 고르게 배다 쎈얼룩얼룩
하다 좩아록아록하다

어룽더룽하다: 크고 뚜렷한 무늬나 점 따위가 고르지 않게 촘촘하다 쎈얼룽덜
룽하다 좩아롱다롱하다

어룽어룽하다: 크고 또렷한 무늬나 점 따위가 고르지 않게 촘촘하다 쎈얼룽얼
룽하다 좩아롱아롱하다

얼럭덜럭하다: 여러 가지 빛깔로 된 점이나 줄 따위의 무늬가 고르게 배다
　재알락달락하다
얼럭얼럭하다: 여러 가지 빛깔로 된 점이나 줄 따위의 무늬가 고르게 배다
　재알락알락하다
얼루룩덜루룩하다: 여러 가지 어두운 빛깔의 얼룩이나 무늬 따위가 좀 성기고
　고르지 않게 배다 여어루룩더루룩하다 재알로록달로록하다
얼루룩얼루룩하다: 여러 가지 어두운 빛깔의 얼룩이나 무늬 따위가 좀 성기고
　고르게 배다 여어루룩어루룩하다 재알로록알로록하다
얼루룽덜루룽하다: 크고 뚜렷한 무늬나 점 따위가 좀 성기고 고르지 않게 촘촘
　하다 여어루룽더루룽하다 재알로롱달로롱하다
얼루룽얼루룽하다: 크고 뚜렷한 무늬나 점 따위가 좀 성기고 고르게 촘촘하다
　여어루룽어루룽하다 재알로롱알로롱하다
얼룩덜룩하다: 여러 가지로 어두운 빛깔의 점이나 무늬 따위가 고르지 않게
　배다 여어룩더룩하다 재알록달록하다
얼룩얼룩하다: 여러 어두운 빛깔의 점이나 무늬 따위가 고르게 배다
얼룽덜룽하다: 크고 뚜렷한 무늬나 점 따위가 고르지 않게 촘촘하다 여어룽더
　룽하다 재알롱달롱하다
얼룽얼룽하다: 크고 뚜렷한 무늬나 점 따위가 고르게 촘촘하다 여어룽어룽하
　다 재알롱알롱하다
얼쑹덜쑹하다: 여러 가지 빛깔의 점이나 줄의 무늬가 마구 뒤섞여서 얼룽덜룽
　하다 재알쏭달쏭하다
얼쑹얼쑹하다: 여러 빛깔이나 무늬들이 뒤섞이어 얼룽얼룽하다 재알쏭알쏭
　하다
욱욱하다: 무늬나 문화 같은 것이 찬란히 빛나다

17. 무지·무식의 뜻

남모르다: 남이 알지 못하다
망측하다(罔測): 상리에 어그러져서 어처구니없다
명완하다(冥頑): 사리에 어둡고 완고하다
몰이해하다(沒理解): 이해함이 없다
몰풍치하다(沒風致): 운치가 없다

무디다: 표현이 날카롭지 못하다

무소부지하다(無所不知): 모르는 것이 없다

무지막지하다(無知莫知): 몹시 무지하고 상스럽다

무지몰각하다(無知沒覺): 밤벰이도 없고 깨우쳐 있는 것도 없다

무지몽매하다(無知蒙昧): 아는 것이 없고 사리에 어둡다

무지스럽다(無知): 보기에 무지한 데가 있다

무지하다(無知): 몹시 감때사납고 우악스럽다 (예) 무지한 생김새

무천하다(蕪淺): 아는 것이 별로 없다

전무식하다(全無識): 아주 무식하다 圓판무식하다

판무식하다(判無識): ▣전무식하다

18. 물에 관한 형용사

도도하다(滔滔): 물이 그득 퍼져 흐르는 모양이 막힘이 없고 기운차다

부둑부둑하다: 매우 부둑하다 웹뿌둑뿌둑하다 좌보독보독하다

부둑하다: 물기가 거의 말라 부숭부숭한 듯하다 웹뿌둑하다 좌보독하다

부숭부숭하다: 물기가 없고 부드럽다 좌보송보송하다 웹뿌숭뿌숭하다

부슬부슬하다: 잘게 부스러지기 쉽거나 또는 물기가 적어서 잘 엉기지 않고
　　　흐트러지기 쉽다 꺼푸슬푸슬하다 좌보슬보슬하다

세다: 물, 불, 바람 따위의 기세가 크거나 빠르다 쀈약하다

약하다: 물, 불, 바람 따위의 기운이 덜하다 쀈세다

영영하다(盈盈): 물이 그득히 고여 있다

왕왕하다(汪汪): 물이 끝없이 넓고 깊다

용용하다(溶溶): 흐르는 물이 질펀하다

자작자작하다: 물이 조금씩 잦아들어 좀 자작하다 룐지적지적하다

자작하다: 액체가 잦아들어 적다

자질자질하다: 물이 마르거나 잦아들어 적다

지적지적하다: 물기가 있어서 진듯하다

징청하다(澄淸): 물 같은 것이 썩 맑고 깨끗하다

찰랑찰랑하다: 논에 물이 넘칠 듯이 많이 고인 모습 룐철렁철렁하다

청련하다(淸漣): 물이 맑고 잔잔하다

청렬하다(淸冽): 물이 맑고 차다

충충하다: 물이나 빛깔이 맑거나 산뜻하지 않아 흐리고 침침하다
칠렁하다: 많은 물이 넘쳐 날 정도로 그득히 괴어 있다
카랑카랑하다: 물 따위를 너무 많이 마셔서 뱃속이 매우 근근하다 엮가랑가랑
　　하다 큰크렁크렁하다
크렁크렁하다: 물을 너무 많이 마셔서 뱃속이 몹시 근근하다 엮그렁그렁하다
　　작카랑카랑하다
탕탕하다(蕩蕩): 물의 흐름 따위가 거세다
호탕하다(浩蕩): 물이 넓어서 끝이 없다
흉흉하다(洶洶): ① 물결이 세차고 시끄럽다 ② 술렁술렁하여 험악하다 (예)
　　인심이 흉흉하다
홍건하다: 물 같은 것이 많이 괴어 있다 준건하다

19. 미더움에 관한 형용사

구덥다: 굳건히 미덥다
당당하다(堂堂): 틀림이 없고 미덥다 (예) 당당한 약속
못미덥다: 미덥지 못하다
미덥다: 믿음성이 있다
미쁘다: 믿음성이 있다
믿음직하다: 믿음직한 데가 있다
부실하다: 믿음성이 적다
허황되다(虛荒): 〓허황하다
허황하다(虛荒): 헛되고 미덥지 못하다 비허황되다

20. 방법을 뜻하는 형용사

갑작스럽다: 생각할 사이 없이 급하다 큰급작스럽다
거든거든하다: 여럿이 다 거든하다 센거뜬거뜬하다 작가든가든하다
거든하다: 쓰거나 다루기에 거볍고 간편하다 센거뜬하다 작가든하다
꼼짝없다: 어떻게 변통할 도리나 여지가 도무지 없다
꼿꼿하다: 어려운 일을 당하여 꼼짝할 도리가 없다

노숙하다(老熟): 오랜 경험을 쌓아서 익숙하다

드리없다: 경우에 따라 변하여 일정하지 않다

만부득이하다(萬不得已): '부득이하다'를 강조하여 이르는 말

무원칙하다(無原則): 원칙이 없다

무작정하다(無酌定): ① 얼마라든지 혹은 어떻게 하리라고 미리 정한 것이 없다 ② 좋고 나쁨을 가림이 없다

미달일간하다(未達一間): 모든 일에 밝아도 오직 한 부분만을 서툴다

미성숙하다(未成熟): 익숙하지 아니하다

부득이하다(不得已): 마지못하여 할 수 없다

분수없다: 아무 요량이 없다

불가부득하다(不可不得): ⊟부득이하다

불감하다(不敢): 감히 할 수 없다

생되다(生): 일에 익지 아니하고 서투르다

생소하다: 다루기에 설다

서름하다: 사물에 익숙하지 못하고 좀 설다

서투르다: ① 일 따위에 익숙하지 못하여 다루기에 설다 ② 전에 만난 적이 없어 어색하다 ③ 생각이나 감정 따위가 어색하고 서먹서먹하다

서툴다: '서투르다'의 준말

설다: 경험이 없어 서툴다

설피다: 거칠고 서툴다

소졸하다(疏拙): 찬찬하지 못하고 서툴다

수월수월하다: 아주 수월하다

수월스럽다: 수월한 기미가 있다

수월하다: 하기에 어렵거나 까다롭지 아니하다

시득시득하다: 시들고 말라서 윤기가 없다 **좍**새득새득하다

시들먹하다: 조금 시든 듯하다

시들부들하다: ① 몹시 시들어서 생기가 없고 부드럽다 ② 새로운 맛이나 생기가 없이 시들하다

시들시들하다: 시들어서 생기가 없다

시뜻하다: 마음에 들지 않거나 시들하다

어련하다: 따로 걱정하지 아니하여도 잘될 것이 명백하거나 뚜렷하다. 대상을 긍정적으로 칭찬하는 뜻으로 쓰나, 때로 반어적으로 쓰여 비아냥거리는 뜻을 나타내기도 한다

어색하다: 보기에 서투르다

어줍다: 손에 익지 아니하여 서투르다

외다: 오른쪽에 놓일 것이 왼쪽에, 왼쪽에 놓일 것이 오른쪽에 놓여 쓰기에
　　거북하다

외손지다: 물체가 한쪽에 다가붙어서 왼손밖에 쓰지 모하여 불편하다

요령부득하다(要領不得): 말이나 글 따위의 요령을 잡을 수가 없다

익다: 자주 겪어서 조금도 서투르지 아니하다 ⊞설다

익달하다: 여러 번 겪어 매우 능숙하거나 익숙하다

익숙하다: 어떤 일을 여러 번 하여 서투르지 않은 상태에 있다

자연스럽다: 꾸밈이 없이 무리한 때가 없다

졸연하다(猝然): 어떤 일의 상태가 갑작스럽다

주밀하다(周密): 무슨 일에나 허술한 구석이 없고 세밀하다

친근하다(親近): ⊟친숙하다

친숙하다(親熟): 친하고 익숙하고 허물이 없다 ⊞친근하다

21. 버릇을 뜻하는 형용사

무람없다: 스스럼없고 버릇없다(예의를 지키지 않으며 삼가고 조심하는 것이
　　없다)

무상하다(無狀): 아무렇게나 함부로 굴어 버릇이 없다

무엄하담: 버릇없다

외설하다(猥褻): 매우 무람없다(버릇없다)

입바르다: 자기가 옳다고 생각하는 말이면 마구하는 버릇이 있다

해찰궂다: 해찰을 부리는 나쁜 버릇이 있다

해찰스럽다: 보기에 해찰궂다

헤프다: 아낌없이 함부로 쓰는 버릇이 있다

22. 법에 관한 형용사

무겁다: 죄와 벌 따위가 크거나 대단하다

무법하다: 법도가 없다

무죄하다: 죄나 허물이 없다
불법하다: 법이나 도리 따위에 어긋나다
적법하다: 법규에 맞다
전아하다(典雅): 법도에 맞고 아담하다
합법하다: 법령 또는 법식에 맞다

23. 병의 뜻

고자누룩하다: 고통스럽던 병세가 누그러져서 좀 그만하다
극중하다(極重): 병세가 몹시 대단하다
급하다: 병세가 위태롭다
냉하다: 차다 〈한의학〉 병으로 아랫배가 차다
너누룩하다: 심하던 병세가 잠시 가라앉아 있다
너눅하다: '너누룩하다'의 준말
누꿈하다: 전염병이나 해충 따위의 퍼지는 기세가 매우 심하다가 조금 누그러
    져 약해지다
다병하다: 병이 많거나 잦다
답답하다: 병이나 근심 따위로 가슴이 답답하다
맵다: 연기의 기운으로 목구멍이나 눈이 쓰라리다
무겁다: 병세 따위가 대단하다
무병하다: 병이 없다
무탈하다: 병세나 사고가 없다
미령하다(靡寧): 어른의 몸이 병으로 편안하지 못하다
반하다: 병세가 좀 고자누룩하다 [센]빤하다 [큰]번하다
번하다: 병세가 고자누룩하다 [센]뻔하다 [좍]반하다
병불이신하다(病不離身): 몸에 병이 떠날 날이 없다
병쇠하다(病衰): 병에 시달려 몸이 약하다
병약하다(病弱): 병에 시달려 몸이 약하다
비영비영하다: 병으로 몹시 야위어 몸을 가눌 만한 힘이 없다
빤하다: 병세가 좀 고자누룩하다 [여]반하다 [큰]뻔하다
뻔하다: 병세가 고자누룩하다 [여]번하다 [좍]빤하다
수슬수슬하다: 천연두나 헌데 따위가 딱지가 붙을 정도로 조금 마르다

심드렁하다: 병이 오래 끌면서 중하지 아니하고 그만그만하다

쓰리다: 쓰리고 아프다

양허하다(陽虛): 〈한의학〉 양기(陽氣)가 부족하다. 얼굴이 창백하고 손발이 차며 대변이 묽고 맥(脈)이 허약한 증상이 나타난다.

옮다: 병 따위가 남에게 번지다

우선하다: 앓던 병이 조금 나아 몸이 가벼운 듯하다

위독하다: 병이 매우 중하여 생명이 위태롭다

위중하다: 병세가 대단히 중하다

찌뿌드드하다: 몸살이나 감기로 몸이 무겁고 거북하다

찡찡하다: 코 안이 막혀서 숨 쉬기가 거북하다

침중하다(沈重): 병이 짙어서 위중하다

쾌하다: 병이 다 나아 몸이 가볍다

24. 복과 관련된 형용사

내복하다(內福): 겉으로 보기엔 그저 그러하나 속은 실하고 유복하다

다보록하다: 풀이나 작은 나무 따위가 탐스럽고 복스럽다

다복스럽다: 보기에 복이 많다

다행다복하다: 운수가 좋고 복되다

박명하다(薄命): 복이 없고 팔자가 사납다

복되다: 됨됨이나 이루어짐이 복이 있어서 만족스럽고 즐겁다

복성스럽다: 생김새가 모난 데 없이 둥그스름하고 도톰하여 복이 많을 듯하다

복스럽다(福): 모난 데가 없이 복이 있어 보이는 데가 있다

상서롭다(祥瑞): 복되고 길한 일이 있다

오보록하다: 자그마한 것들이 한데 많이 모여 다보록하다

오복오복하다: 〈북한어〉 한데 많이 모여 여럿이 다 또는 매우 다보록하다

오복하다: '오보록하다'의 준말

유복하다(有福): 복이 있다

헐복하다: 어지간히 복이 없다

화길하다(和吉): 부드럽고 복성스럽다

25. 분수와 관련된 형용사

과람하다(過濫): 분수에 지나치다
과분하다: 복에 넘치다
어림없다: 분수가 없다
어쭙잖다: 비웃음을 살 만큼 분수에 넘치는 데가 있다
외람되다(猥濫): 하는 짓이 분수에 지나친 데가 있다
외람스럽다(猥濫): 보기에 외람한 듯하다
외람하다(猥濫): 하는 짓이 분수에 지나침이 있다
주책없다: 일정한 요량이나 분수가 없다
참람하다(僭濫): 분수에 맞지 않게 너무 과하다
참망하다(僭妄): 분수에 넘치고 망령되다
치람하다(侈濫): 지나치게 사치하여 분수에 넘치다

26. 비슷하다

고러루하다: 대개 그런 따위와 비슷하다
고만고만하다: 고러한 정도로 서로 비슷비슷하다 **큰**그만그만하다
고만하다: 고 정도로 비슷하다 **큰**그만하다
그러루하다: 대개 그런 따위와 비슷하다 **좌**고러루하다
그만그만하다: 그만한 정도로 그저 비슷비슷하다
방불하다(彷佛): 거의 비슷하다 **비**비슷하다 **비**근사하다
방사하다(做似): 매우 비슷하다
비금비금하다: 견주어 보아 서로 비슷하다
비등비등하다: 견주어 보아서 여럿이 서로 비슷하다
비등하다: 견주어서 보기에 서로 비슷하다
비륜하다(比倫): 비교하여 같은 또래나 종류가 될 만하다
비스름하다: 거의 비슷하다 **좌**배스름하다
비슷비슷하다: 여럿이 다 비슷하다
비슷하다: 거의 같다
비틈하다: 말뜻이 그럴듯하게 어느 정도 비슷하다
상등하다: 서로 비슷하다

상직하다(相敵): 서로 걸맞거나 비슷하다

어반하다(於半): ⊟어상반하다

어상반하다(於相半): 양편의 수준, 분량, 값 따위가 서로 걸맞아 비슷하다 줄어
　　반하다

어슷비슷하다: 별로 차이가 없이 비슷비슷하다

엇비슥하다: 서로 한쪽으로 조금 기울어 있다

엇비슷하다: 서로 어지간히 비슷하다

요러루하다: 대개 정도나 형편 따위가 요러하다 匡이러루하다

요러요러하다: 요러루하여 별로 신기하지 아니하다 匡이러이러하다

요러하다: '요렇다'의 본말 匡이러하다

요렇다: 상태, 모양, 성질 따위가 이와 같다

유례없다: 그와 비슷한 사례가 없다

유사하다: 서로 비슷하다

이러루하다: 정도나 형편 따위가 대개 이러하다 弼요러루하다

저러루하다: 대개 저런 따위와 비슷하다

정당하다: 대충 엇비슷하거나 요령이 있다

조러루하다: 대개 조런 따위와 비슷하다 匡저러루하다

핍진하다(逼眞): 아주 비슷하다

혹사하다(酷似): 아주 비슷하다 ⊟흡사하다

흡사하다(恰似): 거의 같은 정도로 비슷하다

27. 빛에 관한 형용사

광휘하다(光輝): 빛이 눈이 부시다

꺼물꺼물하다: 크고 약한 불빛 같은 것이 몹시 희미해지면서 사라질 듯 말
　　듯하다 옌거물거물하다 弼까물까물하다

난만하다(爛漫): 어지럽게 빛이 선명하고 강하다

눈부시다: ① 빛이 강하여 바로 보기가 어렵다 ② 빛이 썩 황홀하다

당양하다(當陽): 햇볕이 잘 들어 밝고 따뜻하다

양명하다(陽明): 볕이나 성질이 환하게 밝다

양지바르다(陽地): 땅이 볕을 잘 받게 되어 있다

연하다(軟): 빛깔이 옅고 산뜻하다

열다: 빛이 묽다 圈짙다 函얕다

왕연하다(旺然): 빛이 매우 아름답다

육리하다(陸離): 여러 빛이 뒤섞여 아름답다

쨍쨍하다: 볕이 몹시 밝고 따갑다

찬찬하다(燦燦): 번쩍 빛나고 아름답다

창연하다(蒼然): 예스러운 빛이 그윽하다

창창하다(蒼蒼): 빛이 어둑하다

최찬하다(璀璨): 빛이 번쩍거리며 찬란하다

침침하다(沈沈): 무엇이 보일락 말락 할 정도로 빛이 어둡다

해뜩발긋하다: 빛이 해끔하고 발그스름하다

혁연하다(赫然): 빛나는 꼴이 성하다

혁작하다(赫灼): 빛나고 반짝이다

혁혁하다(赫赫): 두드러지게 빛나다

현요하다(眩耀): 눈부시게 빛나다

현혁하다(顯赫): 높이 드러나서 빛나다

형형하다(炯炯): 반짝반짝 빛나면서 밝다

혼란하다(焜爛): 어른어른하는 빛이 눈부시게 아름답다

환하다: 빛이 또렷하게 밝다

휘황찬란하다(輝煌燦爛): 광채가 빛나서 눈이 부시게 번쩍이다

휘황하다(輝煌): 冝휘황찬란하다

28. 빼어나다

고일하다(高逸): 높이 빼어나다

기발하다(奇拔): 진기하게 빼어나다

숭수하다(崇秀): 높고 빼어나다

진수하다(珍秀): 진귀하고 빼어나다

29. 사람에 관한 형용사

기단하다(氣短): ① 사람의 체질이 여리고 기력이 미약하다 ② 숨쉬는 동안이

짧다

꾀죄하다: 사람의 외양이 팔초하고 착살스럽다

드레지다: 사람됨이 가볍지 아니하고 점잖아서 무게가 있다

든직하다: 사람됨이 속이 깊숙하고 무게가 있다

듬쑥하다: 사람의 됨됨이가 되바라지지 않고 속이 깊숙하다

듬직하다: 사람됨이 믿음성이 있게 묵직하다 🔁뜸직하다

못나다: 사람이 똑똑하지 못하다

못되다: 못나거나 부실하거나 하다

묽다: 사람이 야무지거나 맺힌 데가 없이 싱겁다

반드럽다: 사람 됨됨이가 어수룩한 맛이 없고 약삭빠르다 🔁번드럽다

반편스럽다: 보기에 사람됨이 반병신에 가깝다

버성기다: 사람이 사귀는 사이가 버름하다

버슷버슷하다: 여러 사람의 사이가 모두 서로 잘 어울리지 아니하다

버슷하다: 두 사람의 사이가 서로 잘 어울리지 아니하다

번드럽다: 사람 됨됨이가 어수룩한 맛이 없이 바냐위고 같다 🔳뻔드럽다 🔳반
　　드럽다

부잡하다(浮雜): 사람 됨됨이가 들뜨고 추잡하다

비열하다(卑劣): 사람 됨됨이가 못나고 어리석으며 지저분하다

빤드럽다: 사람 됨됨이가 어수룩한 맛이 없이 매우 바냐위고 약다 🔳반드럽다
　　🔁뻔드럽다

뻔드럽다: 사람 됨됨이가 어수룩한 맛이 없이 매우 바냐위고 능갈치다 🔳번드
　　럽다 🔳빤드럽다

실팍하다: 사람이나 물건이 보기에 매우 튼튼하다

아옹하다: 속이 좁고 사람이 뜻에 덜 찬 티가 있다

야무지다: 사람됨이 야물고 오달지다 🔁여무지다

얄팍하다: 사람의 됨됨이가 깊은 데가 없고 해바라지다 (예) 얄팍한 꾀

양양하다(洋洋): 사람의 앞길에 발전할 여지가 매우 많고 크다

용렬하다(庸劣): 사람이 못나고 변변하지 못하다

용졸하다(庸拙): 좀스럽고 못나다

은벽하다(隱僻): 사람의 왕래가 적고 구석지다

좀상좀상하다: 여럿이 모두 좀스럽다

좁다: 사람의 됨됨이가 보통보다 못하다

천은망극하다(天恩罔極): 임금의 은혜가 더할 나위 없이 두텁다

30. 살갗·살결에 관한 형용사

까칠까칠하다: 살갗이 까칠하다 여 가칠가칠하다 큰 꺼칠꺼칠하다

까칠하다: 야위거나 메말라 살갗이나 털이 아주 거칠다 여 가칠하다 큰 꺼칠
하다

분결같다: 주로 젊은 여자의 '살결이 곱고 흼'을 이르는 말

비대하다(肥大): 살찌고 몸집이 크다

하야말갛다: 살갗이 맑고 희다 큰 허여멀겋다

하야말쑥하다: 살빛이 하얗고 맑게 빼어나다 큰 허여멀쑥하다

허여멀겋다: 살빛이 탐스럽게 희고 맑다 비 희묽다

거슬거슬하다: 살갗이나 물체의 거죽이 윤기가 없고 거칠거나 뻣뻣하다 센 꺼
슬꺼슬하다 작 가슬가슬하다

까슬까슬하다: 살결이나 물체의 거죽이 윤기가 없고 매우 까칠하거나 빡빡하
다 여 가슬가슬하다 큰 꺼슬꺼슬하다

까칠까칠하다: 살갗이 까칠하다 여 가칠가칠하다 센 꺼칠꺼칠하다

까칠하다: 야위거나 메말라 살갗이나 털이 아주 거칠다 여 가칠하다 큰 꺼칠
하다

까칫하다: 살갗이나 털이 야위고 윤기가 없이 매우 거칠다 여 가칫하다 큰 꺼칫
하다

깔깔하다: 딱딱하고 까칠까칠하다 큰 껄껄하다

꺼슬꺼슬하다: 살갗이나 물체의 거죽이 윤기가 없고 매우 거칠거나 뻣뻣하다
여 거슬거슬하다 작 까슬까슬하다

꺼칠꺼칠하다: 여러 군데가 모두 꺼칠하다 여 거칠거칠하다 작 까칠까칠하다

꺼칠하다: 몹시 야위거나 메말라 살갗이나 털이 윤기가 없이 매우 거칠다 여 거
칠하다 작 까칠하다

꺼칫하다: 살갗이나 털이 여위고 윤기가 없이 매우 거칠다 여 거칫하다 작 까칫
하다

껄껄하다: 딱딱하고 꺼칠꺼칠하다 작 깔깔하다

꼬실꼬실하다: '까슬까슬하다'의 방언(전남)

진물진물하다: 살갗이 짓물러서 헐어 있다

31. 살림살이

거덜거덜하다: 살림이나 무슨 일이 결단나려고 흔들리어 위태롭다
부윤하다(富潤): 살림이 넉넉하고 윤택하다
불서럽다: 몹시 서럽다
불섬하다(不贍): 살림이 넉넉하지 못하다
빈궁하다(貧窮): 살림살이가 가난하고 궁색하다
살갑다: 집이나 세간 따위가 겉으로 보기보다는 너르다 囵슬겁다
알뜰살뜰하다: 살림을 아끼며 정성껏 꾸려 나가는 규모가 꼼꼼하다
애옥하다: 살림이 안타깝게 가난하다
어렵다: 가난하여 살아가기가 힘들고 고생스럽다 (예) 살림이 어렵다
오붓하다: 살림 따위가 옹골지고 포실하다
요복하다(裕福): 살림이 넉넉하다
요부하다(饒富): 살림이 넉넉하다 囲요실하다, 요족하다
요실하다(饒實): 囙요부하다
요족하다(饒足): 囙요부하다
윤택하다(潤澤): 살림이 넉넉하다
천한하다(賤寒): 지체가 낮고 살림이 가난하다
초실하다(稍實): 살림이 조금 펴서 넉넉하다 囲초요하다
초요하다(稍饒): 囙초실하다
톡톡하다: 살림살이나 재산이 실속 있고 오붓하다 囵툭툭하다
툭툭하다: 살림살이나 재산이 실속 있고 넉넉하다 죄톡톡하다
호강스럽다: 호화롭고 편안한 삶을 누리는 듯하다

32. 생김새

가냘프다: ① 생김새가 호리호리하고 연약하다 ② 소리가 가늘고 약하다
가량가량하다: 얼굴이나 몸이 야윈 듯 하면서도 탄력성이 있게 부드럽다
가슬가슬하다: 살결이나 물체의 거죽이 윤기가 없고 가칠하거나 빳빳하다
가슴츠레하다: 졸리거나 술에 취하거나 하여 눈이 정기가 풀리고 감길 듯하다
강파르다: 몸이 매우 파리하다
고단하다: 몸이 지쳐서 느른하다

커성지다: 커성스럽게 생기다

커염성스럽다: 보기에 커염성이 있다

커인성스럽다: 보기에 커인성이 있다

깔끔하다: 생김새 따위가 깔밋하고 매끈하다 **큰**끌끔하다

끌끔하다: 생김새 따위가 끌밋하고 미끈하다 **좌**깔끔하다

끌밋하다: 칠칠하고 시원스럽다 **좌**깔밋하다

늠름하다: ① 생김새나 태도가 씩씩하고 의젓하다 ② 늠렬하다

다부지다: 생김새가 단단하다

동글납대대하다: 생김생김이 동글고 납작스름하다

동글반반하다: 생김새가 동그스름하고 반반하다

되록되록하다: 군살이 처지도록 뚱뚱하다 **센**뙤록뙤록하다 **큰**뒤룩뒤룩하다

둔탁하다: 생김새가 무게가 있고 무디다

둥글넓적하다: 생김생김이 둥글면서도 넓적하다 **좌**동글납작하다

둥글넙데데하다: 생김생김이 둥글고 넓적스름하다

둥글번번하다: 생김새가 둥글고 번번하다 **좌**동글반반하다

뒤웅스럽다: 생긴 꼴이 뒤웅박처럼 보기에 미련하다

매끈하다: 생김새가 말쑥하고 곱다 **큰**미끈하다

맷맷하다: 생김새가 매끈하게 곱고 길다

모침하다: 몸집이 작고 생김생김이 좀 모자라다

못생기다: 생김새가 보통보다 못하다

몽실몽실하다: 동글동글 살이 쪄서 보드랍고 만만하다 **큰**뭉실뭉실하다

몽실하다: 둥글게 뭉치듯 찐 살이 야드르르하고 보드랍다 **큰**뭉실하다

뭉실뭉실하다: 둥글둥글 살이 쪄서 부드럽다 **좌**몽실몽실하다

뭉실하다: 둥글게 뭉치듯 찐 살이 기름지고 부드럽다 **좌**몽실하다

미끈하다: 생김새가 말쑥하고 훤칠하다 **좌**매끈하다

미렷하다: 살이 쪄서 군턱이 져 있다

밋밋하다: 생김새가 미끈하게 곧고 길다 **좌**맷맷하다

반대하다(胖大): 살이 쪄서 뚱뚱하고 크다

반반하다: 생김생김이 번듯하고 곱상하다

반주그레하다: 겉으로 보기에 생김새가 반반하다

번번하다: 생김생김이 번듯하고 미끈하다 **좌**반반하다

번주그레하다: 큰 것이 겉으로 보기에 생김새가 번듯하고 음전하다

변변하다: 생김새나 행동 따위가 흠이 없이 어지간하다

보동되다: ① 길이가 짧고 가로 퍼지다 ② 키는 작달막하고 통통하다

보동보동하다: 통통하게 살이 찌고 보드랍다 [거]포동포동하다

부둥부둥하다: 퉁퉁하게 살이 찌고 부드럽다 [거]푸둥푸둥하다 [작]보동보동하다

부옇다: 살갗이나 얼굴 따위가 허옇고 멀겋다

비반하다(肥胖): 살이 쪄서 뚱뚱하다

비후하다(肥厚): 살이 쪄서 두툼하다

빤빤하다: 생김생김이 매우 번번하다

사글사글하다: 성장이나 생김새가 보드랍고 상냥하다 [큰]서글서글하다

사납다: 생김새가 흉하거나 무섭다

살팍하다: 살지고 단단하다

앙상하다: 뼈만 남게 말라 까칠하다 [큰]엉성하다

어글어글하다: 생김생김이나 성질이 시원스럽게 서글서글하다

엄전하다: 하는 짓이나 생김새가 정숙하고 점잖다

엉성하다: 살이 빠져서 뼈만 남은 것처럼 꺼칠하다 [작]앙상하다

오돌오돌하다: 오동통하고 보드랍다

오동보동하다: 오동통하고 보동보동하다

오동통하다: 몸집이 작고 통통하다 [큰]우둥퉁하다

오동포동하다: 몸이나 얼굴이 살져 통통하고 매우 보드랍다 [여]오동보동하다
　　[큰]우둥푸둥하다

육후하다(肉厚): 살지다

이드르르하다: 살지고 윤이 나고 부드럽다 [작]야드르르하다

이드를하다: 약간 이드르르하다 [작]야드르르하다

잘빠지다: 여럿 가운데서 가장 미끈하게 잘 생기어 빼어나다

잘생기다: 눈, 코, 입 등 사람의 얼굴 생김생김이 잘 어울리어 보기에 좋다

정안하다(靜逸): 고요하고 심신이 편하다

조랑조랑하다: 아이들이 많이 딸려 있다 [큰]주렁주렁하다 [비]조롱조롱하다

짱짱하다: 생김새가 다부지고 동작이 매우 굳세다

참하다: 생김새가 나무랄 데가 없이 곱고 말쑥하다

천착하다(舛錯): 생김새가 상스럽고 하는 짓이 더럽다

치우하다(癡愚): 못생기고 어리석다

토실토실하다: 살이 보기 좋게 쪄서 통통하다 [큰]투실투실하다

투덕투덕하다: 살이 쪄서 두툼하고 복스럽다

투박하다: 생김새가 맵시 없이 거칠고 두툼하다

투실투실하다: 살이 보기 좋게 쪄서 통통하다 좌토실토실하다

패둥패둥하다: 볼썽사납게 살쪄서 통통하다 큰피둥피둥하다

포동포동하다: 통통하게 살이 많이 찌고 매우 부드럽다 큰푸둥푸둥하다

푸둥푸둥하다: 퉁퉁하게 살이 많이 찌고 매우 부드럽다 여부둥부둥하다 좌포동포동하다

푼더분하다: 생김새가 둥그스름하고 두툼하여 탐스럽다

풍후하다(豐厚): 살이 쪄서 두툼하다

피둥피둥하다: ① 볼썽사나울 만큼 통통하게 살찌다 좌패둥패둥하다 ② 늙은 이의 살이 윤택하게 보이고 살지다

허여멀쑥하다: 빛이 허옇고 생김새가 멀쑥하다 좌하야말쑥하다

험악스럽다: 생김새, 분위기 따위가 험상하게 보이다

환하다: 생김이나 차림새가 해말쑥하다

훤하다: 생김새가 아주 희멀쑥하다 좌환하다

33. 서로 다른 뜻

각이하다(各異): 제 각기 다르다

남다르다: 남보다 두드러지게 다르다

다르다: 같지 아니하다 반같다

다름없다: 견주어 보아 다른 점이 없다

다이하다(多異): 색다른 점이 많다

대동소이하다(大同小異): 거의 같고 조금 다르다

독특하다: 견줄 만한 것이 없이 뛰어나게 다르다

별나다: 됨됨이가 보통 것과 매우 다르다

별다르다: 별나게 다르다

상이하다(相異): 서로 다르다

새롭다: 지금까지의 것과 다르다

색다르다: 보통의 것과 두드러지게 다르다

소이하다(小異): 조금 다르다

엉뚱하다: 짐작이나 생각보다는 훨씬 다르다

오롱조롱하다: 한데 모여 있는 작은 물건 여럿이 생김새나 크기가 제각기 다르다

유다르다: 다른 것보다 두드러지게 다르다

유별나다: 두드러지게 다르다

유별스럽다: 보기에 유별하다

의연하다(依然): 전과 같이 다름이 없다

자별하다(自別): ① 본디부터 남다르고 특별하다 ② 친분이 남보다 특별하다

절이하다(絶異): 아주 훌륭하여 다르다

진배없다: 그보다 못하거나 다른 것이 없다

탁이하다(卓異): 뛰어나게 다르다

특별하다(特別): 예사롭지 않고 썩 다르다

특이하다(特異): 보통 것이나 보통 상태에 비하여 두드러지게 다르다. '훨씬
다르다'로 순화

판다르다: 딴판으로 다르다

판이하다(判異): 비교 대상의 성질이나 모양, 상태 따위가 아주 다르다

현수하다(懸殊): 현격하게 다르다

현절하다(懸絶): 아주 두드러지게 다르다

34. 성격과 관련된 형용사

34.1. 게으르다

가득하다: 어떤 생각이 많다 <u>센</u>가뜩하다 <u>큰</u>그득하다

개르다: '게으르다'의 준말 <u>큰</u>게르다

게그르다: '게으르다'의 방언(경북)

게그맛다: '게으르다'의 방언(경북)

게을러터지다: <u>=</u>게을러빠지다 <u>준</u>겔러터지다 <u>비</u>개을러터지다

겔러터지다: '게을러터지다'의 준말

겔러빠지다: '게을러빠지다'의 준말

게으르다: 일에 움직이기를 싫어하는 성미나 버릇이 있다

게을러빠지다: 몹시 게으르다 <u>비</u>개을러터지다

게을러터지다: <u>=</u>게을러빠지다

개을러터지다: <u>=</u>개을러빠지다

개을러빠지다: 몹시 개으르다

겔러빠지다: '게을러빠지다'의 준말

권태하다(倦怠): 게을러지고 싫증나는 데가 있다

낡다: 생각, 제도, 문물 따위가 그 시대에 맞지 않게 뒤떨어지다

누천하다(陋賤): 생각 같은 것이 치뜰고 얕다

도저하다(到底): ① 생의 정도가 매우 깊다 ② 생각이 빠르고 곧아서 훌륭하다

뜻있다: ① 생각이 있다 ② 속내가 있다

망창하다(茫蒼): 갑자기 큰일을 당하여 우두망찰하니 생각이 아득하다

맥맥하다: 생각이 잘 들지 아니하여 답답하다

무모하다(無謀): 앞뒤를 깊이 헤아려 생각함이 없다

뾰족하다: 성능, 생각이 별나게 신통하다

속없다: 생각에 줏대가 없다 (예) 속없는 말

실큼하다: 싫은 생각이 있다

심밀하다(深密): 생각이 깊고 빈틈이 없다

심중하다(深重): 생각이 깊고 침착하다

알쏭달쏭하다: 생각이 썩 바뀌어 알 듯 알 듯 하면서도 아리송하다 閏얼쑹덜쑹
　　하다

알쏭알쏭하다: 생각이 자꾸 헛갈리어 알듯알듯하면서도 또렷하지 못하다

알쏭하다: 몹시 아리송하다 閏얼쑹하다

암매하다(闇昧): 어리석고 못나서 생각이 어둡다

얕다: 생각 따위가 가볍다 閏옅다 떈깊다

어이없다: 하도 기가 막혀 어찌할 생각이 없다

영영하다(營營): 세력이나 이익 같은 것을 얻으려고 골똘하다

옅다: 생각 따위가 가볍다 죈얕다

옳다: 느낌말로 쓰이어 자기 생각과 꼭 들어맞아 신통함을 나타낸다

옹색하다(壅塞): 생각이 막히어 답답하고 옹졸하다 삐올올하다

옹송옹송하다: 정신이 흐리어 생각이 잘 떠오르지 않고 흐리멍덩하다

옹송망송하다: 曰옹송옹송하다

완만하다(緩慢): 느릿느릿하고 게으르다

유타하다(遊惰): 빈들빈들 놀기만 하고 게으르다

의하다(疑): 생각이 똑똑하지 아니하다

이타하다(弛惰): 마음이 느슨하여 게으르다

지태하다(遲怠): 느리고도 태만하다

침심하다(沈深): 생각과 염려가 깊다

태타하다(怠惰): 게으르다

퇴타하다(頹惰): 해이하고 게으르다

편벽하다(偏僻): 생각 따위가 한쪽으로 치우쳐 있다

하염없다: 이렇다 할 생각이 없다

해만하다(懈慢): 게으르고 거만하다

해태하다(懈怠): 게으르다

허심하다(虛心): 딴 생각이나 거리낌이 없다

34.2. 나쁜 성격

가각하다(苛刻): 가혹하고 각박하다 (예) 놀부 심가 같은 가각한 인심이 또 있을라고

각박하다(刻薄): 모가 나고 인정이 없다

간곡하다(奸曲): 간사하고 꾀바르다

간녕하다(奸佞): 간사스럽고 아첨이 많다

간사스럽다(奸邪)[1]: 보기에 간교하고 바르지 못하다

간사스럽다(奸詐)[2]: 보기에 간교하고 능청맞다

간사하다: 간교하고 바르지 못하다

간특하다(奸慝): 간사하고 악독하다

간험하다(姦險): 간악하고 음험하다

간활하다(奸猾): 간사하고 교활하다

간흉하다(奸譎): 간사하고 음흉하다

강맹하다(强猛): 굳세고 사납다

강박하다(强薄): 우악스럽고 야박하다

강밭다: 몹시 야박하고 인색하다

강악하다(强惡): 억세고 모질다

강파르다: ① 몸이 야위고 파리하다 ② 성질이 까다롭고 괴팍하다 ③ 인정이 메마르고 야박하다

강파리하다: 몸이나 성미가 강파른 듯하다

강퍅하다(剛愎): 성격이 까다롭고 고집이 세다

강포하다(强暴): 몹시 사납고 악하다

강한하다(强悍): 마음이 성질이 굳세고 강하다

개궂다: '짓궂다'의 방언(경북)

개덕시럽다: '변덕스럽다'의 방언(경남)

갱충맞다: 행동 따위가 조심성이 없고 아둔하다

갱충쩍다: ⊒갱충맞다

갱핏하다: 〈북한어〉몸집이나 생김새가 여윈 듯하고 칼칼하다

거슬거슬하다: 성질이 부드럽지 못하여 좀 거칠다 쎈꺼슬꺼슬하다 쫙가슬가
　　슬하다

거악스럽다: '그악스럽다'의 잘못

거악하다: '그악하다'의 잘못

거칠거칠하다: 성질이나 행동이 막되고 사납다

검세다: 성질이 검질기고 억세다

검질기다: 성질이나 행동이 몹시 끈덕지고 질기다

검차다: 성질이나 행동이 검질기고 세차다

곰팡스럽다: 사람의 하는 짓이나 생각 따위가 케케묵어 고리타분하고 괴벽스
　　럽다

괄괄하다: 성질이 거세고 급하다

괘다리적다: ① 성미가 뻔뻔하고 퉁명스럽다 ② 멋없고 거칠다

괘달머리적다: '괘다리적다'를 속되게 이르는 말

괴까다롭다: 괴상하고 까다롭다

괴벽스럽다(乖僻): 보기에 괴까다롭다

괴벽하다(乖僻): 성격 따위가 이상야릇하고 까다롭다

괴팍스럽다(乖愎): 보기에 괴팍하다

괴팍하다(乖愎): 성미가 까다롭고 강팍하다

괴팩하다: '괴팍하다'의 잘못

교고하다(膠固): '갖풀로 붙인 것처럼 굳다'라는 뜻으로 '융통성이 없다'는 말

교활하다(狡猾): 간사하고 꾀가 많다

구리터분하다: 하는 짓이나 성미가 던적스럽다 쎈쿠리터분하다 쫙고리타분
　　하다

구터분하다: '구리터분하다'의 준말

굴터분하다: '구리터분하다'의 준말

궁극스럽다(窮極): 보기에 끝장을 보겠다는 듯이 태도가 극성스러운 데가 있다

궁흉하다(窮凶): 몹시 음흉하다

그악스럽다: ① 보기에 사납고 모진 데가 있다 ② 끈질기고 억척스러운 데가
　　있다

그악하다: ① 장난 따위가 지나치게 심하다 ② 모질고 사납다 ③ 끈질기고

억척스럽다 〈북한어〉 '모질고 사납다'라는 뜻의 북한말

극성맞다(極盛): 성질이나 행동이 몹시 드세거나 지나치게 적극적이다

극성스럽다(極盛): 보기에 극성맞다 (예) 극성스러운 성미 団궁극스럽다

극악스럽다(極惡): 보기에 극악한 데가 있다

극악하다(極惡): 몹시 악하다

급하다(急): 참을성이 없다

기험하다(崎險): 성질이 음험하다

까다롭다: 성미나 취향 따위가 원만하지 않고 별스럽게 까탈이 많다 (예) 성질이
　　까다롭다

까닭스럽다: '까다롭다'의 잘못

까부라지다: 심성이 바르지 아니하다

까슬까슬하다: 성질이 부드럽지 못하고 몹시 까다롭다 団가슬가슬하다

까칫하다: 성미가 아주 거친 듯하다 団가칫하다 턴꺼칫하다

까탈스럽다: 성미나 취향 따위가 원만하지 않고 별스러워 맞춰 주기에 어려운
　　데가 있다

깐작깐작하다: 자꾸 검질기게 굴 만큼 성질이 깐깐하다 턴끈적끈적하다

깐지다: 성격이 깐깐하고 다라지다 団끈지다

깐질기다: 깐깐하고 검질기다 턴끈질기다

깐질깐질하다: 매우 깐질기다 턴끈질끈질하다

끈적끈적하다: 자꾸 검질기게 굴 만큼 성질이 끈끈하다 좌깐작깐작하다

끈질기다: 끈기 있게 검질기다 좌깐질기다

끈질끈질하다: 매우 끈질기다 좌깐질깐질하다

나쁘다: 착하지 아니하다 (예) 나쁜 사람

난삽하다(難澁): 어렵고 까다롭다

난잡하다: 거칠고 막되다

내숭스럽다: 속으로 엉큼하다

냉엄하다(冷嚴): 냉정하고 엄격하다

냉연하다(冷然): 성질이나 태도가 쌀쌀하다

냉정스럽다(冷情): 보기에 냉정하다

냉정하다(冷情): 성질이나 태도가 정다운 맛이 없고 차갑다

냉혹하다(冷酷): 차갑고 혹독하다

넉살맞다: 몹시 넉살이 좋다

넉살스럽다: 넉살 좋게 보인다

능활하다(能猾): 재주와 능력이 있고 교활하다

당돌하다(唐突): 조금도 꺼리거나 어려워함이 없이 올차고 다부지다

더럽다: 못됐거나 인색하다 (예) 심보가 더럽다

더리다: 싱겁다 어리석다

데면데면하다: 성질이 꼼꼼하지 않아서 행동에 조심성이 없다

데설궂다: 성질이 털털하고 걸걸하여 꼼꼼하지 못하다

데설데설하다: 데설궂은 성질이 있다

데퉁맞다: 몹시 데퉁스럽다

데퉁스럽다: 데퉁하게 보인다

데퉁하다: 말과 행동이 거칠고 미련하다

도선하다(徒善): 성품이 착하기만 하고 일을 주선하거나 변통하는 재주가 없다

독살스럽다(毒煞): 악독하고 살기가 있다 ⑪악스럽다

돈바르다: 성미가 너그럽지 못하고 까다롭다

동뜨다: 보통과 다르거나 별나다

둔탁하다(鈍濁): 성질이 굼뜨고 흐리터분하다

둔하다(鈍): 느리고 투박하다

둘하다: 둔하고 미련하다

뒷손없다: 일의 뒤를 마무리하는 성질이 없다

뚝별나다: 걸핏하면 불뚝불뚝 성을 잘 내어 별나다

뚝별스럽다: 특별한 경향이 있다

뚱하다: 말 수가 적고 붙임성이 없다

말랑하다: 몸이나 성질이 무르고 약하다

말쌀스럽다: 보기에 모질고 쌀쌀하다

말짱말짱하다: 사람의 성질이 매우 말짱하다 〔큰〕물쩡물쩡하다

말짱스럽다: 말짱한 듯하다

말짱하다: 사람의 성질이 무르고 만만하다

매끄럽다: 사람이 수더분한 데가 없이 약삭빠르다

매련스럽다: 터무니없는 고집을 부릴 정도로 어리석고 둔한 데가 있다

매몰스럽다: 보기에 매몰하다

매몰차다: 몹시 매몰하다

매몰하다: 인정이나 붙임성이 없이 아주 쌀쌀하다

매섭다: 남이 겁을 낼 만큼 매몰차고 날카롭다

매욱스럽다: 매욱한 듯하다

매욱하다: 하는 짓이나 됨됨이가 어리석고 둔하다

매정하다: 얄미울 만큼 쌀쌀하고 정이 없다

맵다: 성미가 사납고 독하다 (예) 매운 성격

맵짜다: 매섭게 사납다

맹악하다(猛惡): 몹시 사납고 모질다

맹포하다(猛暴): 몹시 억세고 사납다

메꿎다: 고집이 세고 심술궂다

메마르다: 인정이 없어 따뜻하거나 부드럽지 못하다

모지락스럽다: 억세고 모질어 보인다

모질다: 마음씨가 몹시 매섭고 독하다

목강하다(木强): 억지가 세고 만만하지 않다

몰강스럽다: 억세고 모질어서 악착스럽다

못되다: 악하거나 고약하다

몽짜스럽다: 몽짜를 부리는 태도가 있다(몽짜: 음흉하고 심술궂게 욕심을 부리는 짓, 또는 그런 사람)

몽총하다: ① 푸접 없이 새침하고 쌀쌀하다 ② 박력이 없고 대가 약하다

무덕하다(無德): 덕이나 덕망이 없다

무뚝뚝하다: 남의 형편을 잘 살피지 못하고 친절하거나 정다운 맛이 없다

무섭다: ① 성질이나 기세 따위가 몹시 사납다 ② 사람이 모질고 매몰차다 웹매섭다

무시근하다: 성미나 반응 따위가 느리고 흐리터분하다

무식하다(無識): 어리석고 우악스럽다

무양무양하다: 성질이 외곬으로 너무 곧아 주변이 없다

무자비하다(無慈悲): 쌀쌀하고 모질다

무죽다: 야무진 맛이 없다

무지무지하다: 몹시 감때사납고 우악스럽다

무탈하다: 까다로움이나 스스럼이 없다

물렁하다: 몸이나 성질이 매우 무르고 약하다

물썽하다: 몸이 성질이 물러서 만만하게 보이다

물쩡물쩡하다: 사람의 성질이 느리고 무르다 웹말짱말짱하다

물쩡하다: 사람의 성질이 느리고 무르다 웹말짱하다

미련스럽다(未練): 보기에 미련하다

미련하다(未練): 어리석고 둔하다

미욱스럽다: 보기에 미욱하다

미욱하다: 됨됨이나 하는 짓이 어리석고 미련하다

바냐위다: 반지랍고도 아주 인색하다

바자위다: 너그러운 맛이 없다

박덕하다(薄德): 덕이 없다 밴후덕하다

박악하다(薄惡): 각박하고 모질다

박정스럽다(薄情): 인정이 매우 적은 듯하다

박하다: 남을 생각하여 주는 마음 씀씀이나 태도가 너그럽지 못하다

반들반들하다: 어수룩한 데가 조금도 없이 단작스럽고 약삭빠르다 센빤들빤
   들하다 큰번들번들하다

발자하다: 성미가 급하다

밭다¹: 음식을 가려 먹는 것이 심하거나 먹는 양이 적다

밭다²: 지나치게 아끼거나 인색하고 박하다

밴덕맞다: =밴덕스럽다

밴덕스럽다: 요랬다조랬다 변하기를 잘하는 태도나 성질이 있다

뱅충맞다: 약간 똘똘하지 못하고 어리석으며 수줍음을 타는 데가 있다

뱐덕맞다: =뱐덕스럽다

뱐덕스럽다: 요랬다조랬다 변하기를 잘하는 태도나 성질이 있다

범범하다(泛泛): 찬찬하지 아니하고 데면데면하다

범홀하다(泛忽): 데면데면하고 소홀하다

벽루하다(僻陋): 사람의 성질이 괴락하고 고루하다

벽하다(僻): 흔하지 않고 괴벽하다

변덕스럽다: 이랬다저랬다 하는, 변하기 쉬운 태도나 성질이 있다

변모없다(變貌): ① 남의 체면을 돌보지 아니하고 말이나 행동을 거리낌 없이
   함부로 하는 태도가 있다 ② 융통성이 없고 무뚝뚝하다

별스럽다: 성격이 별나다 (예) 성미도 별스러운 사람

봉예하다(鋒銳): 성질이 날카롭고 민첩하다

부단하다(不斷): 결단력이 없다

부덕하다(不德): 덕이 없거나 부족하다 비무덕하다

불선하다(不善): 착하지 아니하다

불성실하다(不誠實): 정성스럽고 참되지 아니하다

불성하다(不誠): =불성실하다

불인하다(不仁): 어질지 못하다

불충실하다(不忠實): 곧은 마음으로 성실하지 아니하다
불충하다(不忠): 충성스럽지 아니하다
불친절하다(不親切): 친절하지 아니하다
비덕하다(非德): 덕이 없거나 천막하다
비린하다(鄙吝): 매스꺼울 정도로 더럽게 인색하다
비벽하다(鄙僻): 성질이 더럽고도 편벽되다
뺏뺏하다: 태도나 성격이 꽤 억세다 튄뻣뻣하다
뻑뻑하다: 고집이 세고 잔재미가 없다
뻣뻣하다: 태도나 성격이 아주 억세다 잭뺏뺏하다
뻣세다: 뻣뻣하고 억세다
뾰롱뾰롱하다: 걸핏하면 남을 톡톡 쏘기를 잘하는 성질이 있어 부드럽지 못하
    고 까다롭다
사곡하다(邪曲): 요사스럽고 교활하다
사납다: 성질이나 행동이 모질고 고약하다
사늘하다: 친절하지 않고 좀 차가운 듯하다 셴싸늘하다 튄서늘하다
사막스럽다: 성질이나 태도가 매우 악한 데가 있다
사막하다: ① 아주 악하다 ② 가혹하여 조금도 용서함이 없다
사박스럽다: 성질이 보기에 독살스럽고 야멸친 데가 있다
사박하다: 독살스럽고 야멸치다
사벽하다(邪僻): 마음이 간사하고 편벽되다
사사하다(邪邪): 간사하고 바르지 못하다
사음하다(邪淫): 요사스럽고 음탕하다
사정없다(事情): 잔인하여 조금도 인정이 없다
사특하다(邪慝): 요사스럽고 간특하다
살살하다: 교활하고 간사하다
살차다: 성질이 붙임성이 없을 만큼 차고 매섭다
살천스럽다: 쌀쌀하고 매섭다
삼하다: 어린 아이의 성질이 순하지 아니하다
삿되다: 요사스럽다
새까맣다: 매우 엉큼하다 겐새카맣다
새암바르다: '샘바르다'의 잘못 〈북한어〉 '샘바르다'의 북한어
샘바르다: 샘이 심하다
서늘하다: 친절하지 않고 꽤 차가운 듯하다 잭사늘하다 셴써늘하다

272

선유하다(善柔): 착하고 곰상스러우나 줏대가 약하다

성급하다(性急): 성질이 급하다

성마르다(性): 참을성이 없고 성질이 조급하다

성악하다(性惡): 성질이 악하다

성조하다(性燥): 성품이 조급하다

성졸하다(性拙): 성품이 옹졸하다

소략하다(疏略): 데면데면하고 간략하다

소루하다(疏漏): 꼼꼼하지 못하다

소사스럽다: 보기에 행동이 좀스럽고 간사한 데가 있다

소심스럽다(小心): 보기에 소심한 듯하다

소심하다(小心): 담이 작고 겁이 많다

속악스럽다: 보기에 속악하다

속악하다: 속되고 고약하다

손쉽다: 일이나 물건을 처리하기가 까다롭지 아니하다

수수롭다: 수심에 잠긴 듯하다

시인하다(猜忍): 시기심이 강하고 잔인하다

시틋하다: 어떤 일에 물리거나 지루하여져서 조금 싫증이 난 기색이 있다

시험하다(猜險): 시기하는 마음이 많고 음험하다

실없다: 말이나 하는 짓이 실답지 못하다

심술궂다: 심술이 몹시 많다

심술스럽다: 심술이 있다

심악하다(甚惡): 가혹하고 야박하다

싸다: 성질이 세고 곧다

쌀쌀맞다: 따뜻한 정이나 붙임성이 없어 성질이나 행동이 여지없이 차갑다

씨식잖다: 같잖고 되잖다

씩잖다: '씨식잖다'의 준말

아망스럽다: 아이가 오기를 부리는 태도가 있다 〈북한어〉 하는 짓이나 모양새
     가 잘고 얄미운 데가 있다

악독스럽다(惡毒): 보기에 악독하다

악독하다(惡毒): 흉악하고 독살스럽다

악지스럽다: 악지가 센 듯하다 图억지스럽다

악하다(惡): 성질이 모질고 사납다

암되다: 남자의 성격이 여성적이고 소극적이다

암상궂다: 매우 암상스럽다

암상스럽다: 보기에 암상하다

암상하다: 남을 시기하고 샘을 잘 내는 마음이나 태도가 있다

암팍하다(暗愎): 엉큼하고 강팍하다

앙달머리스럽다: 어른 아닌 사람이 어른인 체하고 야심스럽다

앙상스럽다: 암상하는 데가 있다

앙큼스럽다: 앙큼한 듯하다 큰엉큼스럽다

애잔하다: 매우 잔약하다

야멸스럽다: 야멸친 데가 있다

야멸치다: 제 일만 생각하고 남의 사정을 돌보는 마음이 없다

야비하다(野卑): 성질이나 행동이 야하고 비루하다

야하다(野): 이곳에만 밝아 진실하고 수수한 맛이 없다

약스럽다: 성질이 괴벽하고 좀 못나다

약하다(弱): 성질이나 마음이 굳세지 못하다

양착하다(量窄): =양협하다

양협하다(量狹): 도량이 좁다 비양착하다

어둡다: 엉큼하거나 음침하다 반밝다

억지스럽다: 억지가 센 듯하다

언죽번죽하다: 조금도 부끄러워하는 기색이 없이 비위가 좋다

역하다: ① 늘 자기에게 이롭게만 꾀를 부리는 성질이 있다 ② 꾀바르고 눈치가
    바르다

열없다: 성질이 묽고 짜이지 못하다

영독하다(獰毒): 성질이 모질고 독살스럽다

영맹하다(獰猛): 모질고 사납다

영악하다(獰惡): 매우 모질고 사납다

영특하다(獰慝): 영악스럽고 사특하다

옥다: 성질이 너그럽지 못하다

올똑볼똑하다: 성미가 변덕스럽고 급하여 말이나 짓이 좀 뚝뚝하고 우악스럽
    다 큰울뚝불뚝하다

올똑올똑하다: 〈북한어〉 성미가 급하여 말이나 짓이 우악스럽다

옹졸하다: 성질이 너그럽지 못하고 좁다

옹하다: =옹졸하다

완고하다(頑固): 모질고 고집이 세다

완명하다(頑冥): 모질고 사리에 어둡다

완미하다(頑迷): 완강하여 사리에 미혹하다

완우하다(頑愚): 융통성이 없고 고집이 세며 어리석다

완하다(頑): ⊟완명하다 ⊟완악하다

왈왈하다: 성질이 괄괄하고 급하다

왈칵하다: 성미가 갑작스럽고 급하다 큰월컥하다

요괴스럽다: 보기에 요괴한 듯하다

요변스럽다: 요사스럽고 변덕스럽다

요사스럽다(妖邪): 요망하고 간사한 데가 있다

요악하다(妖惡): 요사하고 간악하다

우멍하다: '의뭉하다'의 방언(평북)

우악스럽다: 보기에 모질고 우락부락하다

우유부단하다(優柔不斷): 망설이기만 하고 결단성이 없다 (예) 우유부단한 성격

우질부질하다: 성질이 곰살궂지 않고 데설데설하다

울뚝불뚝하다: 성미가 변덕스럽고 급하여 말이나 짓이 뚝뚝하고 우악스럽다
　　좌올똑볼똑하다

울뚝울뚝하다: 성미가 급하여 말이나 짓이 매우 우악스럽다 좌올똑올똑하다

울뚝하다: 성미가 급하여 참지 못하고 말이나 짓이 우악스럽다

울툭불툭하다: 성미가 급하고 변덕스러워 말이나 행동이 매우 우악스럽다

원특하다(怨慝): 원한을 품고 몹시 사특하다

음미하다(淫靡): 음란하고 사치하다

음방하다(淫放): 음란하고 방탕하다

음충맞다: 성질이 매우 음충한 데가 있다

음탕스럽다(淫蕩): 보기에 음탕하다

음탕하다(淫蕩): 음란하고 방탕하다

음특하다(淫慝): 음흉하고 간특하다

음하다(淫): 색정에 대하여 지나치게 욕심이 많다

음학하다(淫虐): 음탕하고 잔학하다

음험하다(陰險): 내숭스럽고 우악하다 비기험하다

음휼하다(陰譎): 음흉하고 간사하다

음흉스럽다(陰凶): 음흉한 데가 있다

음흉하다(陰凶): 음침하고 흉악하다

의뭉스럽다: 보기에 의문한 듯하다

의뭉하다: 겉으로는 어리석은 것처럼 보이면서 속으로는 엉큼하다

이교하다(利巧): 약빠르고 간교하다

이물스럽다(異物): 성질이 음험하여 속을 헤아리기 어렵다

이악스럽다: 보기에 이악하다

이악하다: 이익을 위하여 지나치게 아득바득하는 태도가 있다

이지렁스럽다: 능청맞고 천연덕스럽다

인하다(吝): 좀 인색하다

자긋자긋하다: 몸에 소름이 끼치도록 잔인하다 囻지긋지긋하다

잔독하다(殘毒): 잔인하고 독하다

잔악하다(殘惡): 잔인하고 악독하다

잔열하다(孱劣): 잔악하고 용렬하다

잔인스럽다: 보기에 인정이 없고 아주 모진 데가 있다

잔인하다(殘忍): 인정이 없고 아주 모질다

잔혹하다(殘酷): 잔인하고 혹독하다

재다: 참을성이 적어 입놀림이 가볍다

전미련하다(全): 아주 미련하다

졸렬하다(拙劣): 옹졸하고 천하여 서투르다

졸루하다(拙陋): 졸렬하고 비루하다

주근주근하다: 성질이나 태도가 은근하고 끈질기다 囻추근추근하다

준혹하다(峻酷): 아주 혹독하여 인정이 없다

지긋지긋하다: 몸에 소름이 끼치도록 몹시 잔인하다 囻자긋자긋하다

지더리다: 성품이나 행실이 지나치게 더럽고 야비하다

지독스럽다(至毒): 보기에 지독하다

지독하다(至毒): 아주 독하다 囻혹렬하다

지악하다(至惡): ① 더없이 악하다 ② 아주 극성스럽다

진득진득하다: 성미가 검질기게 끈끈하다 囻찐득찐득하다 囻잔득잔득하다

진망궂다: 경망스럽고 무례하다

질기다: 사람의 성질이 무르거나 부드럽지 않고 잘 견디는 성질이 세다 (예)
   고집이 질기다

짓궂다: 장난스럽게 남을 괴롭고 귀찮게 하여 달갑지 아니하다

짯짯하다: 성질이 딱딱하고 깔깔하다 囻쩟쩟하다

쩟쩟하다: 성질이 뚝뚝하고 깔깔하다 囻짯짯하다

쫀쫀하다: 소갈머리가 좁고 다랍게 짜며 치사하다 (예) 쫀쫀한 사람

차갑다: 인정이 없이 쌀쌀하다 🗟차다

차다: 차갑다 (예) 사람이 너무 차서 가까이 할 수 없다 〈한의학〉 약재에 몸의 열을
　내리게 하는 성질이 있다 🗟냉하다 🗟덥다

차지다: 알차고 깐깐하다 (예) 저 사람을 보니 매우 다라지고 차진 사람인 것 같다

착급하다(着急): 몹시 급하다

찰떡같다: 정(情), 믿음, 관계 따위가 매우 긴밀하고 확실하다

참독하다(慘毒): 참혹하고 지독하다

참악하다(慘惡): 참혹하고 흉악하다

참학하다(慘虐): 🗟참독하다

천협하다(淺狹): 도량도 작고 옹졸하다

초각하가(峭刻): 성격이 까다로워 너그러운 데가 없다

초근초근하다: 성질이나 태도가 깐깐하고 검질기다 🗟추근추근하다

초급하다(峭急): 성품이 날카롭고 급하다

추근추근하다: 성질이나 태도가 끈끈하고 검질기다 🗟초근초근하다

칠칠찮다: 성질이나 하는 짓이 칠칠하지 못하다

침중하다(沈重): 성질이 가라앉아 진득하다

칼칼하다: 성질이 빳빳하고 거세다 🗟컬컬하다

컬컬하다: 성질이 뻣뻣하고 아주 거세다 🗟칼칼하다

컴컴하다: 음흉하게 욕심이 많다 🗟껌껌하다

코리다: 마음 쓰는 것이나 하는 짓이 몹시 다랍다 🗟고리다

코리타분하다: 하는 짓이나 성미 따위가 몹시 다랍다 🗟고리타분하다 🗟쿠리
　터분하다

쿠리다: 하는 짓이 몹시 의심스럽다 🗟구리다

쿠리터분하다: 하는 짓이나 성미 따위가 단정하지 못하고 던적스럽다 🗟구리
　터분하다 🗟코리타분하다

타끈스럽다: 보기에 단작하고 인색하고 욕심이 많다

타끈하다: 단작스럽고 인색하고 욕심이 많다

탁하다(濁): 성질이 흐리터분하다

탐린하다(貪吝): 욕심이 많고 인색하다

탐오하다(貪汚): 욕심이 많고 하는 짓이 더럽다

탐욕스럽다(貪慾): 보기에 탐욕이 있다

탐학하다(貪虐): 탐욕이 많고 포학하다

탐횡하다(貪橫): 탐욕스럽고 횡포하다

탱중하다(撑中): 성낸 기운이나 어떠한 욕심이 가슴속에 가득하다

통극하다(痛劇): 몹시 열렬하다

특별하다(特別): 유별나다

특악하다(慝惡): 간사하고 매우 악하다

패려하다(悖戾): 성질이나 하는 짓이 거칠고 모질고 사납다

팽패롭다: 성질이 부드럽지 못하고 괴팍하다

팽팽하다: 성질이 너그럽지 못하고 팍하다

팍하다: 너그럽지 못하여 걸핏하면 성을 내는 기질이 있다

펄펄하다: 성질이 급하고 매우 팔팔하다 젬팔팔하다

편곡하다(偏曲): 성질이 치우쳐 있고 바르지 못하다

편굴하다(偏屈): 치우치고 비굴하다

편급하다(偏急): 소견이 좁고 성질이 급하다

편루하다(偏陋): 소견이 좁고 고루하다

편애하다(偏隘): 성격이 한쪽에 치우치고 좁다

편협하다(偏狹): 한쪽에 치우쳐 도량이 좁고 너그럽지 못하다

폐롭다(幣): 성질이 까다롭다

포악스럽다(暴惡): 보기에 포악하다

포악하다(暴惡): 사납고 악하다

포학무도하다(暴虐無道): 성질이 포학하고 도덕성이 없다

표독스럽다(慓毒): 사납고 독살스러운 데가 있다

표독하다(慓毒): 살치고 독살스럽다

표한하다(剽悍): 성질이 급하고 사납다

푸접없다: 〈순우리말〉 남에게 대하여 포용성, 붙임성, 또 엉너리가 없고 쌀쌀
    하기만 하다

풀풀하다: 참을성이 적고 괄괄하다

피근피근하다: 좀 뻔뻔스러울 정도로 밉살스럽고 고집이 세다

한악스럽다(悍惡): 보기에 한악하다

한악하다(悍惡): 사납고 악하다

한용하다(悍勇): 사납고 용맹스럽다

해패하다(駭悖): 몹시 막되고 난폭하다

허겁스럽다(虛怯): 보기에 허겁하다

허겁하다(虛怯): 실하지 못하여 겁이 많다

험피하다(險詖): 성질이 험악하고 바르지 못하다

협하다(狹): 성정이 너그럽지 못하고 아주 좁다

호륵하다(豪勒): 매우 세차고 사납다

호탕하다(豪宕): 기품이 호걸스럽고 성질이 방종하다

호한하다(豪悍): 호기가 많고 사납다

혹독하다(酷毒): ① 몹시 심하다 ② 마음씨나 하는 짓이 매우 모질고 악하다

혹렬하다(酷烈): 몹시 모질고 심하다

혹박하다(酷薄): 모질고 박정스럽다

홀지다: 성격이 옹졸한 데가 있다

황하다(荒): 성질이 차근차근하지 않고 아주 거칠다

횡포하다(橫暴): 성질이 거칠고 사납다

효박하다(淆薄): 인정이나 풍속이 아주 각박하다 (예) 효박한 인심

흉녕하다(凶獰): 성질이 흉악하고 사납다

흉맹하다(凶猛): 몹시 사납다

흉물스럽다(凶物): 성질이나 하는 짓이 음흉하게 보인다

흉악하다(凶惡): 성질 따위가 음흉하고 모질다

흉참하다(凶慘): 흉악하고 참혹하다

흉측스럽다(凶測): 보기에 흉측하다

흉측하다(凶測): 몹시 흉악하다

흉특하다(凶慝): 흉악하고 음특하다

흉패하다(凶悖): 험상궂고도 패악하다

흉포하다(凶暴): 흉악하고 포악하다

흉학하다(凶虐): 몹시 모질고 사납다

34.3. 부지런하다·바쁘다

곰바지런하다: 일을 잘 하지는 못하나 꼼꼼하고 바지런하다 [센]꼼바지런하다

그악하다: 억척스럽고 부지런하다

근간하다(勤幹): 부지런하고 성실하다

근근자자하다(勤勤孜孜): 매우 부지런하고 꾸준하다

근근하다(勤勤): 매우 부지런하다

근면하다(勤勉): 부지런하다

근실하다(勤實): 부지런하고 진실하다

근하다(勤): 부지런하다

다망하다(多忙): 매우 바쁘다

드바쁘다: 몹시 바쁘다

망망하다(忙忙): 매우 바쁘다

망박하다(忙迫): 몹시 바쁘다

바쁘다: 많거나 서둘러서 해야 할 일 때문에 딴 겨를이 없다

바지런하다: 하는 일이 약간 재빠르고 꾸준하다 큰부지런하다

부지런하다: 하는 일에 재빠르고 꾸준하다

분망하다(奔忙): 매우 바쁘다

분주하다(奔走): 이리저리 바쁘다

불근하다(不勤): 부지런하지 아니하다

쇄극하다(碎劇): 매우 바쁘다

초초하다(草草): 바쁘고도 급하다

총극하다(悤劇): 매우 바쁘다

총망하다(悤忙): 매우 급하고 바쁘다

총요하다(悤擾): 바쁘고 부산하다

총총하다(悤悤): 몹시 급하고 바쁘다

34.4. 성을 잘 내는 성격

발연하다(勃然): 왈칵 성을 내는 태도나 일어나는 모양이 세차고 갑작스럽다

부루퉁하다: 얼굴에 못마땅하여 성난 빛이 있다 센뿌루퉁하다 잭보로통하다

분연하다(忿然): 벌컥 성을 내면서 분해하고 있다

뽀로통하다: 얼굴에 매우 못마땅하여 꽤 성난 빛이 있다 여보로통하다 큰뿌루
퉁하다

뾰로통하다: 아주 못마땅하여 얼굴에 성난 빛이 얄망궂게 나타나 있다 큰쀼루
퉁하다

뿌루퉁하다: 얼굴이 매우 못마땅하여 무척 성난 빛이 있다 여부루퉁하다 잭뽀
로통하다

쀼루퉁하다: 몹시 못마땅하여 얼굴에 성난 빛이 야살스럽게 나타나 있다 잭뾰
로통하다

울불하다(鬱怫): 성이 나고 답답하다

찌르퉁하다: 잔뜩 성이 나서 몹시 부루퉁하다 여지르퉁하다

찌무룩하다: 마음에 못마땅하게 여기는 빛이 얼굴에 드러나다

찌뿌드드하다: 표정이나 기분이 밝지 못하고 매우 언짢다
찌뿌듯하다: 좀 찌뿌드드하다
혁연하다(赫然): 성내는 꼴이 급작스럽다

34.5. 좋은 성격

가량하다(佳良): 아름답고 착하다
각렴하다(刻廉): 엄격하고 청렴하다
각실하다(慤實): 성실하다
간소하다(簡素): 간략하고 검소하다
간솔하다(簡率): 단순하고 솔직하다
강명하다(剛明): 성질이 꼿꼿하고 머리가 명석하다
강의하다(剛毅): 뜻이나 기질이 굳세다
강인하다(強靭): 힘차고 검질기다
강직하다(剛直): 마음이 꼿꼿하고 곧다
걸걸하다(傑傑): 외양이 준수하고 성질이 쾌활하다
걸쌈스럽다: 남에게 지려고 하지 아니 하고 억척스럽다
검박하다(儉朴): 검소하고 질박하다
검소하다(儉素): 사치하지 아니하고 수수하다
격렬하다(激烈): 몹시 세차다(힘 있고 억세다)
견강하다(堅強): 굳세다
견결하다(堅決): 결기가 있고 굳세다
견실하다(堅實): 하는 일이나 생각, 태도 따위가 믿음직스럽게 굳고 착실하다
결결하다: 지나칠 정도로 결곡하다
결곡하다: 얼굴 생김새나 마음 쓰는 것이 깨끗하고 여무져서 빈틈이 없다
겸렴하다(謙廉): 겸손하고 청렴하다
경직하다(勁直): 뜻이 굳고 곧다
경첩하다(勁捷): 굳세고 재다
곡진하다(曲盡): ① 정성이 지극하다 ② 자세하고 간곡하다 (예) 곡진한 말씀
곧이곧다: 조금도 거짓 없이 바르다
골똘하다: 한 가지 일이나 생각에만 정신을 써서 딴 생각이 없다
곰살갑다: 성질이 사근사근하고 살갑다
곰살곱다: '곰살갑다'의 잘못

곰살궂다: 성질이 부드럽고 친절하다

곰상곰상하다: 성질이나 몸가짐이 상냥하고 부드럽다

곰상스럽다: 보기에 곰상곰상하다

곱다: 상냥하고 순하다

과겸하다(過謙): 지나치게 겸손하다

과묵하다(寡默): 말수가 적고 침착하다

과언하다(寡言): 말수가 적다

관인하다(寬仁): 너그럽고 어질다

관홍하다(寬弘): 너그럽다

관활하다(寬闊): 너그럽고 활발하다

관후하다(寬厚): 너그럽고 후하다

굳건하다: 굳세고 튼실하다

굳다: 재물을 아끼고 지키는 성향이 있다

굳세다: 굳고 힘이 세다

굼슬겁다: 성질이 서근서근하고 슬겁다 ㉽곰살갑다

굼튼튼하다: 성질이 굳어서 재물에 대하여 예사롭지 않고 튼튼하다

극성하다(極盛): 성질이나 행동이 드세거나 지나치게 적극적이다

극엄하다(極嚴): 지엄하다

극진하다(極盡): 정성이 더할 나위없다

근엄하다(謹嚴): 점잖고 엄숙하다

근직하다(謹直): 신중하고 올곧다

기승스럽다(氣勝): 남에게 지지 않으려고 하는 성미가 억세고 억척스럽다

기승하다(氣勝): 남에게 지지 않고자 하는 성미가 굳세고 억척스럽다

꼬장꼬장하다: 성격이 곧고 꼿꼿하다 ㉾꾸정꾸정하다

꼭하다: 성질이 차분하고 정직하며 고지식하다

꼭하다: 조금도 거짓 없이 정직하다

꼼꼼하다: 매우 찬찬하고 자세하다

꼿꼿하다: 마음이 굳세고 곧다

꾸정꾸정하다: 성격이 곧고 꼿꼿하다 ㉽꼬장꼬장하다

꾸준하다: 한결같이 끈기 있다

꿋꿋하다: 세차고 굽힐 수 없이 단단하다 ㉽꼿꼿하다

끈덕지다: 끈기가 있고 꾸준하다

끈지다: 오래 버티어 나가는 끈기가 있다

끈질기다: 끈기 있게 검질기다

끔찍하다: 정성이나 성의 따위가 몹시 대단하고 극진하다

냉철하다(冷徹): 침착하고 사리에 밝다

노긋하다: 성질이 좀 보드랍다 ⓡ누긋하다

녹진하다: 성질이 부드러우면서 끈기가 있다 ⓡ눅진하다

뇌락하다(磊落): 성미가 너그럽고 선선하다

누긋하다: 성질이 느리지 않고 부드럽다

누리다: 성질이 눅어 부드럽다

늡늡하다: 속이 너그럽고 활달하다 (예) 늡늡한 성격

다부지다: 벅찬 일을 견디어 내는 강단이 있다

단단하다: 야무지고 굳세다

단란하다(團欒): 빈 구석이 없이 매우 원만하다

단엄하다(端嚴): 단정하고 엄숙하다

단호하다(斷乎): 꽉 단정하여 흔들림이 없이 엄격하다

당차다: 나이나 몸집에 비하여 야무지고 오달지다

대공지정하다(大公至正): 아주 공변되고 바르다

덕성스럽다(德性): 덕성이 있어 보인다

덕스럽다: 덕이 있어 보인다

덕후하다(德厚): 후덕하다

독실하다(篤實): 열성스럽고 착실하다

되알지다: 몹시 올차고 야무지다

둥글다: 사람의 성격이 모난 데가 없이 두루 너그럽다 ⓐ동글다

든든하다: 여무지고 굳세다

딴딴하다: 매우 야무지고 굳세다 ⓔ단단하다

똑하다: '꼭하다'의 잘못

뜬뜬하다: 어떤 것에 대한 믿음으로 마음이 허전하거나 두렵지 않고 굳세다
　　ⓔ든든하다

말짱하다: 속셈이 있고 약삭빠르다 (예) 꾀가 말짱한 아이

맑다: 진실하고 조촐하다

맹렬하다(猛烈): 기세가 몹시 사납고 세차다

면밀하다(綿密): 꼼꼼하다

명현하다(明賢): 밝고 어질다

모질다: 참고 견디기 어려운 일을 잘 배겨내다

무난하다(無難): 말썽 될 것이나 탈잡힐 것이 없이 무던하다

무던하다: 마음씨가 순박하고 참되어 너그럽다 예쁘다 점잖다

박진하다(迫眞): 진실에 가깝다

보드랍다: 성질이나 태도가 곱고 순하다

부단하다(不斷): 결단력이 있다

부드럽다: 성질이나 태도가 아주 곱고 순하다 쫜보드랍다

빨랑빨랑하다: 성미나 행동이 재빠르고 가뿐가뿐하다 게팔랑팔랑하다 큰뻘렁
　　뻘렁하다

사글사글하다: 성질이나 생김새가 보드랍고 상냥하다 큰서글서글하다

산들산들하다: 사람의 성질이 가볍고 시원스럽다 큰선들선들하다

살뜰하다: 썩 알뜰하다

삼엄하다(森嚴): 무시무시하게 엄숙하다

삼연하다(森然): 엄숙하다

삽삽하다(颯颯): 여자처럼 사근사근하다 큰습습하다

삽상하다(颯爽): 씩씩하여 시원스럽다

상냥스럽다: 씩씩하고 부드러운 듯하다

상냥하다: 성질이 싹싹하고 부드럽다

상하화순하다(上下和順): 위와 아래가 서로 뜻이 맞아 부드럽고 고분고분하다

생기롭다(生氣): 보기에 생기가 있다

생동하다(生動): 살아 움직이는 것 같이 힘이 있다

서그럽다: 성질이 너그럽고 서글서글하다

서근서근하다: 서글서글하고 시원스럽다

서글서글하다: 성질이나 생김새가 부드럽고 상냥하다

선들선들하다: 성질이 시원시원하고 부드럽다 쫜산들산들하다

선선하다: 성질이 쾌활하고 태도가 시원시원하다

선하다(善): 착하고 도리에 맞다

섬세하다(纖細): 아주 찬찬하고 세밀하다

성근하다(誠勤): 성실하고 정직하다

세다: 성격이나 뜻이 굳다

세밀하다(細密): 자세하고 꼼꼼하다

세심하다(細心): 꼼꼼하고 찰찰하다

소광하다(疏狂): 지나치게 소탈하다

소들소들하다: 풀이나 뿌리 따위가 시들어서 좀 생기가 없다 큰수들수들하다

수더분하다: 성질이 순하고 소박하여 무던하다

수세다: 매우 세차다

숙부드럽다: ① 심성이 착하고 부드럽다 ② 얌전하고 점잖다

숙숙하다(肅肅): 엄숙하고 고요하다

숙연하다(肅然): 고요하고 엄숙하다

숙청하다(淑淸): 성품과 행동이 깨끗하다

순고하다(淳古): 옛 사람과 같이 순박하다

순근하다(醇謹): 성품이 순박하고 조심성이 많다

순량하다(馴良)[1]: 길이 잘 들어서 순하다(동물의 성격)

순량하다(順良)[2]: 부드럽고 순하다

순박하다(淳朴): 순진하고 순수하다

순순하다(順順): 성질이 아주 온순하다

순실하다(純實): 순진하고 참되다

순정하다(順正): 순진하고 정직하다

순직하다(純直): 마음이 순진하고 곧다

순진하다(純眞): 꾸밈이 없고 참되다

순평하다(順平): 성질이 온순하고 화평하다

순하다(順): 성질이 부드럽다

순후하다(淳厚): 온순하고 인정이 두텁다

숫되다: 약지 아니하고 순진하여 어수룩하다

숫스럽다: 숫된 듯하다

숫접다: 순박하고 진실하다

숫지다: 후하고 순박하다

숫하다: 순박하고 진실하다

신선하다(新鮮): 생생하고 산뜻하다

신중하다(愼重): 꼼꼼하고 조심스럽다

실답다: 진실하고 미덥다

실직하다(實直): 성실하고 정직하다

실하다: 믿을 수 있을 만큼 옹골차다

싱둥하다: 싱싱하게 생기가 있다

싱싱하다: 생기가 매우 왕성하다

쌩쌩하다: 매우 생기가 팔팔하다 예생생하다 큰씽씽하다

씨억씨억하다: 기질이 억세고 활발하다

씩씩하다: 굳세고 위엄스럽다

씽씽하다: 생기가 왕성하다 [여]싱싱하다 [작]쌩쌩하다

아졸하다(雅拙): 성품이 단아하고 고지식하다

아칙하다(雅飭): 성품이 아담하고 조심성스럽다

악세다: 뜻한 바를 이루려는 짓이 악착스럽고 세차다

악착같다: 악착스러운 데가 있다 [큰]억척같다

악착스럽다: 보기에 악세게 기를 쓰는 데가 있다 [큰]억척스럽다

안차다: 두려움 없고 야무지다

알뜰하다: 헤프지 않고 실속이 있다

암팡스럽다: 야무지고 다부지다

애틋하다: 정답고 알뜰한 맛이 있다

야무지다: 몹시 야물다

어기차다: 한 번 먹은 뜻을 굽히지 않고 매우 굳세다

어련무던하다: 별로 힘이 없고 무던하다

어마어마하다: 엄숙하고 두렵다

어지간하다: 꽤 무던하다 (예) 상투에 대한 집념도 어지간하다

억척같다: 억척스러운 데가 있다 [작]악착같다

억척스럽다: 어떠한 일에도 굽히지 아니하고 억세게 해내는 굳은 끈기가 있다
　　　[작]악착스럽다

엄각하다(嚴刻): ﹦엄혹하다

엄격하다(嚴格): 말, 태도, 규칙 따위가 매우 엄하고 철저하다

엄명하다(嚴明): 엄격하고 명백하다

엄숙하다(嚴肅): ① 장엄하고 정숙하다 ② 위엄 있고 정중하다

엄엄하다(嚴嚴): 매우 엄하다

엄의하다(嚴毅): 엄하고 굳세다

엄장하다(嚴壯): 엄하고 장하다

엄정하다(嚴正): 엄하고 바르다

엄준하다(嚴峻): 준엄하다

엄중하다(嚴重): 몹시 엄하다

엄혹하다(嚴酷): 매우 엄하고 모질다

여낙낙하다: 성미가 부드럽고 곱고 상냥하다

여무지다: 빈틈없이 여물고 오지다

열렬하다(熱烈): 대단히 맹렬하다

열성스럽다(熱誠): 열성이 있다

염검하다(廉儉): 청렴하고 검소하다

염결하다(廉潔): 청렴하고 결백하다

염경하다(廉勁): 청렴하고 강직하다

염정하다(廉正): 청렴하고 공정하다

염직하다(廉直): 청렴하고 정직하다

염평하다(廉平): 청렴하고 공평하다

염하다(廉): 청렴하다

영미하다(英美): 성질이 영민하고 걸출하다

영혜하다(英慧)¹: 성질이 영민하고 지혜롭다

영혜하다(靈慧)²: 성질이 신령스럽고 지혜롭다

오달지다: 허술한 데가 없이 야무지고 실속이 있다

오지다: '오달지다'의 준말

온공하다(溫恭): 온화하고 공손하다

온량하다(溫良): 성질이 온량하고 순량하다

온순하다(溫順)¹: 고분고분하고 양순하다

온순하다(溫純)²: 온화하고 순하다

온유하다(溫柔): 온화하고 부드럽다

온자하다(溫慈): 부드럽고 인자하다

온화하다(溫和): 성격, 태도 따위가 온순하고 부드럽다

온후하다(溫厚): 성품이 온화하고 후덕하다

올바르다: 곧고 바르다

옹골차다: 어떤 일이든 감당할 수 있을 만큼 다부지다 [준]옹하다

완약하다(婉弱): 성질이 부드럽고 모양이 아리잡직하다

요밀요밀하다: 썩 자세하고 꼼꼼하여 빈틈이 없다

용하다: 성질이 순하고 어리석다

우렁차다: 매우 씩씩하고 힘차다

인혜하다(仁惠): 어질고 은혜롭다

인후하다(仁厚): 어질고 후덕하다

자비롭다(慈悲): 남을 사랑하고 가엾이 여기는 마음이 지극하다

자비스럽다(慈悲): 사랑하고 가엾게 여기는 마음이 지극하다

자비하다(慈悲): 동정심이 많고 자애롭다

자상스럽다(仔詳): 보기에 자상하다

자상하다(仔詳): 자세하고 찬찬하다

자세하다: 꼼꼼하고 찬찬하다 (예) 자세한 성격

자애롭다(慈愛): 아랫사람에게 대한 도타운 사랑의 정이 많다

장대하다(壯大): 씩씩하고 크다

장엄하다(莊嚴): 씩씩하고 엄숙하다

저분저분하다: 성질이 찬찬하고 부드럽다

절직하다(切直): 아주 정직하다

정겹다: 몹시 다정하다

정대하다(正大): 바르고 옳아서 사사로움이 없다

정숙하다(靜肅): 조용하고 엄숙하다

정순하다(貞順): 정숙하고 유순하다

정실하다(正實): 바르고 참되다

정직하다(貞直)^1: 곧고 곧다

정직하다(正直)^2: 마음이 바르고 곧다

정진하다(正眞): 바르고 아주 참되다

정친하다(情親): 정답고 친절하다

제제하다(濟濟): 삼가고 조심하여 엄숙하다

준열하다(峻烈): 매우 엄격하고 격렬하다

준호하다(俊豪): 도량이 크고 호탕하다

지강하다(至剛): 지극히 강직하다

지극하다(至極): 더할 나위 없이 극진하다

지멸있다: 꾸준하고 성실하다, 또는 직심스럽고 참을성 있다

지성스럽다(至誠): 지극히 지성스럽다

지순하다(至順): 매우 고분고분하다

지엄하다(至嚴): 매우 엄하다

지인하다(至仁): 더없이 인자하다

지자하다(至慈): 더없이 자비하다

지정하다(至正): 똑바르다

지충하다(至忠): 아주 충성스럽다

직실하다(直實): 올곧고 착실하다

직심스럽다(直心): 굳게 지켜 나가는 성질이 있다

직하다(直): 성격이나 행동이 외곬으로 곧다

진드근하다: 매우 진득하다 죄잔드근하다

진득하다: 몸가짐이 무게가 있고 참을성이 있다

진솔하다(眞率): 진실하고 솔직하다

진실하다(眞實): ① 마음에 거짓이 없이 순수하고 바르다 ② 〈불교〉 헛되지
　　아니함, 절대의 진리

질실하다(質實): 꾸밈이 없고 진실하다

질직하다(質直): 질박하고 정직하다

집요하다(執拗): 고집스럽게 끈질기다

차근차근하다: 조리가 있고 찬찬하다

차근하다: 찬찬하거나 차분하다

차끈차끈하다: 잇달아 차근한 느낌이 있다

차분차분하다: 한결같이 매우 찬찬하고 차분하다

차분하다: 마음이 가라앉아 조용하다 (예) 차분한 성격

착실하다(着實): ① 침착하고 실답다 ② 마음씨나 행동이 바르고 어질다

착하다: 마음이나 행동이 바르고 어질다

찬찬하다: 성질이 자세하고 차근차근하다

참답다: 거짓이나 꾸밈이 없이 착하다

참되다: 거짓이 없고 바르다 𝕭거짓되다

참따랗다: 딴 생각을 아니 가지고 아주 참되다

참하다: 성질이 찬찬하고 얌전하다

천진난만하다(天眞爛漫): 거짓이나 꾸밈이 없이 아주 천진하다

천진무구(天眞無垢): 조금도 때 묻음이 없이 아주 천진하다

천진스럽다: 보기에 천진하다

청검하다(淸儉): 청렴하고 검소하다

청백하다(淸白): 청렴하고 결백하다

청빈하다(淸貧): 청백하여 가난하다

청직하다(淸直): 성질이 청렴하고 정직하다

초직하다(峭直): 성품이 굳세고 곧다

추레하다: 깨끗하지 못하고 생기가 없다

축하다(縮): 풀이 죽어 생기가 없다

충근하다(忠勤): 충성스럽고 근실하다

충담하다(沖澹): 성질이 맑고 깨끗하다

충량하다(忠良): 충성스럽고 선량하다

충렬하다(忠烈): 충성스럽고 절의가 있다

충순하다(忠純)[1]: 충직하고 순실하다

충순하다(忠順)[2]: 충직하고 양순하다

충실하다(忠實): 충직하고 성실하다

충정하다(忠貞): 충성스럽고 지조가 굳다

충직하다(忠直): 충성스럽고 정직하다

충후하다(忠厚): 충직하고 순후하다

침잠하다(沈潛): 성질이 깊고 차분해서 겉으로 드러나지 아니하다

쾌연하다(快然): 씩씩하고 시원하다

쾌쾌하다(快快): 씩씩하고 시원하다

쾌활하다(快活): 명랑하고 활발하다

탄솔하다(坦率): 성품이 너그럽고 대범하다

탑탑하다: 성미가 까다롭지 않고 소탈하다 ﹝큰﹞텁텁하다

털털하다: 사람의 성격이나 하는 짓이 모나거나 까다롭지 않고 소탈하다

텁텁하다: 성미가 까다롭지 않고 소탈하다 ﹝작﹞탑탑하다

통렬하다(痛烈): 몹시 날카롭고 매섭다 ﹝비﹞맹렬하다

튼실하다: 튼튼하고 실하다

틀수하다: 성질이 너그럽고 침착하다

팔팔하다: 힘차고 매우 생기가 있다 ﹝큰﹞펄펄하다

펄펄하다: 날 듯이 생기가 있다 ﹝작﹞팔팔하다

평순하다(平順): 성질이 유순하고 화평하다 ﹝비﹞순평하다

평이하다(平易): 까다롭지 않고 쉽다

평정하다(平正): 치우침이 없다 올바르다

푼푼하다: 시원스러우며 너그럽다

하차묵지않다: 성질이 조금 착하다

항직하다(伉直): 강직하다

행직하다(行直): 성질이 굳세고 꼿꼿하다 (예) 행직한 성품

헌량하다(憲量): 도량이 매우 크고 넓다

헌앙하다(軒昂): 헌거하다(풍채가 좋고 의기가 당당하다)

헙헙하다: 활발하고 융통성이 있고 인색하지 아니하다

현량하다(賢良): 매우 대담하다

현이하다(賢異): 성품이 어질고 재주가 뛰어나다

호건하다(豪健): ① 아주 잘나고 굳세다 ② 세차고 꼿꼿하다

호담하다(豪膽): 매우 대담하다

호방하다(豪放): 기개가 있고 털털하다

호상하다(豪爽): 호기롭고 시원시원하다

호종하다(豪縱): 호방하다

호쾌하다(豪快): 호탕하고 쾌활하다

호호탕탕하다(浩浩蕩蕩): 거침없이 세차다

호활하다(豪活): 호방하고 쾌활하다

혼연하다(渾然): 차별이나 결함이 없이 원만하다

혼후하다(渾厚): 화기가 있고 인정이 두텁다

화순하다(和順): 온화하고 순하다

확호하다(確乎): 아주 든든하고 굳세다

환하다: 표정이나 성격이 밝고 맑다

활여하다(豁如): 도량이 넓다

활협하다(闊俠): ① 남을 도와주는데 인색하지 않고 시원스럽다 ② 주변성이 많고 활동력이 강하다 너그럽다

희떱다: ① 실속은 없어도 마음이 넓고 손이 크다 ② 말이나 행동이 분에 넘치며 버릇이 없다 圓희다

35. 소리에 관한 형용사

가랑가랑하다: 목소리가 쇳소리처럼 높고 맑다

갈강갈강하다: 감기가 있어 보이면서 가랑가랑하다

갱연하다(鏗然): 쇠붙이나 풀 따위의 부딪치는 소리가 맑고 곱다

거쉬다: 〈북한어〉 목소리가 쉰 듯하면서 굵직하다

거칠다: 소리가 부드럽지 못하거나 고르지 아니하다

걸걸하다: 소리가 부드럽지 못하거나 우렁우렁 힘차다

굉연하다(轟然): 꽝꽝꽝꽝 소리가 요란하다

궁글다: 소리가 웅숭깊다

나긋하다: 소리가 은근하게 부드럽다

나지막하다: 꽤 나직하다

나직하다: 좀 낮다

낭랑하다(朗朗)¹: 소리가 맑고 또랑또랑하다

낭랑하다(琅琅)²: 옥이 서로 부딪쳐 울리는 소리가 아주 맑다

낮다: 소리의 진동수가 적다 ▣높다
느리다: 소리가 늘어져 길다 (예) 느린 가락
둔중하다: 소리가 낮으면서도 크고 무겁다 (예) 둔중한 종소리
둔탁하다: 소리가 굵고 거칠며 웅숭하다
둔하다: 소리가 무겁고 무디다
듣그럽다: 떠드는 소리가 듣기 싫다
매몰차다: 소리가 날카롭고 옹골차다
먹먹하다: 소리가 잘 들리지 아니하여 귀먹은 것 같다
벽력같다: 으르대거나 하는 소리가 몹시 우렁차다
삽삽하다(颯颯): 바람소리가 쌀쌀하다
아렴풋하다: 소리가 또렷하게 들리지 아니하고 흐릿하다 ▣어렴풋하다
어렴풋하다: 소리가 뚜렷이 들리지 아니하고 흐릿하다 ▣아렴풋하다
여리다: 소리나 빛깔 따위가 약하거나 덜하다 ▣야리다
영령하다: 물소리, 바람소리, 거문고 소리, 목소리 따위가 듣기에 맑고 시원
    하다
우렁차다: 소리의 울림이 굉장하다
은은하다(隱隱)[1]: 먼 데로부터 울려서 들려오는 소리가 똑똑하지 아니하다
은은하다(殷殷)[2]: 멀리서 들려오는 소리가 크고 우렁차다
자냥스럽다: 재잘거리는 소리가 듣기에 똑똑한 데가 있다
잔잔하다: 큰 소리가 나지막하거나 가늘다
쟁쟁하다: 지나간 소리가 잊히지 않고 귀에 울리는 듯하다

36. 소문에 관한 형용사

낭자하다: 떠들썩하거나 파다하다 (예) 주위의 소문이 낭자하다
대단하다: 관심, 소문 따위가 매우 높거나 자자하다 (예) 소문이 대단하다
따들싹하다: 소문이 퍼져서 좀 왁자하다 ▣떠들썩하다
떠들썩하다: 소문이나 사건 따위로 분위기가 수선스럽다
뜨르르하다: 널리 잘 알려져서 소문이 자자하다
왁자하다: ① 정신이 어지러울 만큼 떠들썩하다 ② ▣왜자하다
왜자하다: 소문이 여러 사람의 입을 건너 널리 퍼지어 요란하다 ▣왁자하다
유소문하다: 소문이 있다

자자하다(藉藉): 여러 사람의 입에 오르내려 떠들썩하다

짜하다: 퍼진 소문이 왁자하다 비파다하다

짝짜그르하다: 소문이 널리 퍼져서 떠들썩하다

파다하다(播多): 소문 따위가 널리 퍼져 있다

37. 수단을 뜻하는 형용사

거추장스럽다: 주체하기가 어렵게 다루기 어렵다

노련하다: 오랜 경험을 쌓아 익숙하고 능란하다

노성하다(老成): 노련하고 익숙하다

다르르하다: 어떤 일에 익숙하여 막힘이 없다 센따르르하다

두수없다: 〈순우리말〉 달리 주선이나 변통할 여지가 없다

따르르하다: 어떤 일에 아주 익숙하여 조금도 막힘이 없다 여다르르하다 큰뜨
　　르르하다

빡빡하다: 융통성이 없고 조금 고지식하다

수숙하다(手熟): 손에 익숙하다

수활하다(手滑): 손에 익숙하여 손이 재빠르다

신랄하다(辛辣): 수단, 방법이 몹시 날카롭고 매섭다

엉거능측하다: 능청스럽게 남을 속이는 수단이 있다

38. 신기·교묘함의 뜻

38.1. (교)묘하다

경묘하다: 경쾌하고 묘하다

공교하다(工巧): 재치 있고 교묘하다

교묘하다(巧妙): 솜씨나 슬기가 썩 묘하다

교지하다(巧遲): 묘하기는 하나 느리다

교하다(巧): 물건을 만드는 솜씨가 교묘하다

교혜하다(巧慧): 교묘하고 슬기롭다

극묘하다(極妙): 지묘하다

기묘하다(奇妙): 기이하고 묘하다

묘려하다(妙麗): 기묘하고 곱다

묘절하다(妙絶): 아주 교묘하다

묘하다: 이상야릇하고 별스럽다

미묘하다: 아름답고 묘하다

승묘하다(勝妙): 뛰어나게 기묘하다

신묘하다(神妙): 신기하고 묘하다

신통하다: 신기할 정도로 묘하다

우묘하다(尤妙): 더욱 묘하다

절묘하다(絶妙): 아주 묘하다

정교하다(精巧): 정밀하고 교묘하다

정긴하다(精緊): 정묘하고 기묘하다

정묘하다(精妙): 오밀조밀하다

지묘하다(至妙): 아주 묘하다

진묘하다(珍妙): 유별나게 기묘하다

38.2. 신기하다·기이하다

고기하다(古奇): 예스럽고 기이하다

공교하다(工巧): 우연히 생기거나 어긋나거나 하는 일이 꽤 기이하다

기하다(奇): 기이하다

신이하다(神異): 신기하고 이상하다

요괴하다(妖怪): 요사스럽고 괴이하다

요러요러하다: 요러루하여 별로 신기하지 아니하다 <mark>큰</mark>이러이러하다

용하다: 기특하고 장하다

이러이러하다: 이러루하여 별로 신기하지 아니하다 <mark>작</mark>요러요러하다

저러저러하다: 저러루하여 별로 신기하지 아니하다 <mark>작</mark>조러조러하다

절기하다(絶奇): 아주 신기하다

조러조러하다: 조러루하여 별로 신기하지 아니하다 <mark>큰</mark>저러저러하다

진기하다(珍奇): 진기하고 기이하다

38.3. 신통하다·신령스럽다

수령하다(秀靈): 뛰어나게 신령스럽다
신령스럽다: 보기에 신기하고 영묘한 듯하다
신령하다: 신기하고 영묘하다
신성하다(神聖): 성스럽고 거룩하다
신통스럽다: 보기에 신통하다
신통하다: 신기롭게 깊이 통달하다
영묘하다(靈妙): 신령스럽고 기묘하다
영이하다(靈異): 신령스럽고 이상하다
지신하다(至神): 더할 수 없이 신통하다

38.4. 이상야릇하다·기이하다

괴괴하다(怪怪): 이상야릇하다
괴교하다(怪巧): 괴상하고 교묘하다
괴기하다(怪奇)[1]: 괴상하고 기이하다
괴기하다(魁奇)[2]: 뛰어나고 기이하다
괴상스럽다: 보기에 괴상하다
괴상야릇하다(怪常): 괴상하고 야릇하다
괴상하다(乖常)[1]: 상리에 어그러지고 있다
괴상하다(怪常)[2]: 이상야릇하다
괴이찮다: 괴이하지 아니하다
괴이하다(怪異): 이상야릇하다
괴하다: 이상야릇하다
극괴하다(極怪): 몹시 이상야릇하다
기고하다(奇古): 기이하고 예스럽다
기괴하다(奇怪): 이상야릇하다
기교하다(奇巧): 기이하고 교묘하다
기기괴괴하다(奇奇怪怪): 매우 기이하고 괴상하다
기기묘묘하다(奇奇妙妙): 매우 기묘하다
기이하다(奇異): 기묘하고 이상하다
기절하다(奇絶): 아주 기이하다

무괴하다(無怪): 이상야릇한 것이 없다
불가사의하다(不可思議): 도저히 생각할 수 없게 이상야릇하다

39. 신체 등의 형용사

39.1. 신체

걸까리지다: 사람의 몸 부피가 크다
곤하다: 노근하다
똥똥하다: 키가 작고 살이 쪄서 몸집이 가로 퍼지고 굵다 [거]통통하다 [큰]뚱뚱
하다
뚱뚱하다: 키가 크고 살이 쪄서 몸집이 가로 퍼지고 굵다
모착하다: 아래 위를 자를 듯이 짤막하고 뚱뚱하다

39.2. 입

방긋방긋하다: 여럿이 다 방긋하다 [센]빵긋빵긋하다 [큰]벙긋벙긋하다
방긋하다: 입이나 문 따위가 가볍게 조금 열려 있다 [센]빵긋하다 [큰]벙긋하다
벙끗벙끗하다: 여럿이 다 벙끗하다 [작]방끗방끗하다
벙끗하다: 입이나 문 따위가 조금 거볍게 열려 있다 [작]방끗하다
뻐득뻐득하다: 입안이 매끄럽지 못하고 떫은맛이 있다
뿌덕뿌덕하다: 떫은맛이 있어 입안이 텁텁하다
쓰다: 입맛이 없다
아귀차다: ① 입아귀를 놀릴 수 없을 만큼 입안에 가득하다 ② 매우 아귀가
세다
탑탑하다: 입안이나 음식 맛이 조금 시원하거나 깨끗하지 못하다 [큰]텁텁하다
합죽하다: 이가 빠져서 입술과 볼이 오므라져 있다
해발쪽하다: 입 따위가 해바라져 발쪽하다 [큰]헤벌쭉하다

39.3. 가슴·귀·근육

번울하다(煩鬱): 가슴속이 답답하고 갑갑하다

뻐근하다: 어떤 느낌으로 꽉 차서 가슴이 뻐개지는 듯하다

어줍다: 근육이 저리어서 그 자리를 마음대로 놀리지 못하여 자유롭지 아니
하다

쫑긋쫑긋하다: 여럿이 다 쫑긋하다 웹쫑긋쫑긋하다 (입술이나 귀 따위를 잇달
아 쫑그리다)

쫑긋하다: 빳빳하게 세워져 있거나 나와 있다 (예) 귀가 쫑긋하다

39.4. 눈·눈물

간잔지런하다: 졸리거나 술에 취하여 두 눈시울이 맞닿을 듯이 가느다랗다

거슴츠레하다: 눈이 졸리거나 하여 정기가 풀리고 감길 듯하다 웹가슴츠레하
다 웹게슴츠레하다

게게므레하다: '거슴츠레하다'의 방언(평북)

게겜츠레하다: '거슴츠레하다'의 방언(평북)

글썽글썽하다: 매우 글썽하다 웹갈쌍갈쌍하다

글썽하다: 눈물이 눈에 그득하게 고이다 웹갈쌍하다

깔딱하다: 눈까풀이 말리어서 가슴츠레하게 켕하다 웹껄떡하다

껄떡하다: 눈까풀이 말리어 거슴츠레하게 켕하다 웹깔딱하다

되록되록하다: 열기 있게 움직거리는 눈알이 또렷또렷하다 웹뙤록뙤록하다
웹뒤룩뒤룩하다

말똥말똥하다: 눈알이 생기가 있고 매우 또랑또랑하다 웹멀뚱멀뚱하다

말똥하다: 눈알이 생기가 있고 말갛다 웹멀뚱하다

멀뚱멀뚱하다: 눈알이나 정신이 생기가 있고 매우 멀겋다 웹말똥말똥하다

멀뚱하다: 정신이나 눈이 생기가 있고 멀겋다 웹말똥하다

묘연하다(杳然): 그윽하고 멀어서 눈에 아물아물하다

반하다: 바라보는 눈매가 두렷하다 웹뻔하다 웹번하다

번하다: 바라보는 눈매가 두렷하다 웹뻔하다 웹반하다

부리부리하다: 눈망울이 무섭게 크고 열기가 있다

빠득빠득하다: 눈이 보드랍지 못하고 빡빡하다 웹뻐득뻐득하다

빤하다: 바라보는 눈매가 또렷하다 웹반하다 웹뻔하다

뻐득뻐득하다: 눈이 부드럽지 못하고 빡빡하다 웹빠득빠득하다

뻔하다: 바라보는 눈매가 뚜렷하다 웹번하다 웹빤하다

뿌덕뿌덕하다: 눈까풀 같은 살갗이 거북살스럽게 뻣뻣하다

상큼하다: 까칠하고 대꾼하다

서투르다: 눈에 익지 않거나 다루기에 설다

선하다: 잊어지지 아니하고 눈앞에 뚜렷이 보이는 듯하다

수리수리하다: 눈에 보이는 것이 어렴풋하고 희미하다

시다: 센 빛을 받아 눈이 부시어 슴벅슴벅하고 얼떨하다

억실억실하다: 얼굴 특히 눈 따위의 생김새가 시원시원하다

얼씬없다: 눈앞에 잠깐 나타났다 사라지는 일이 없다

왕연하다(汪然): 흐르는 눈물이 그지없다

왕왕하다(汪汪): 눈물이 눈에 가득 괴다

익숙하다: 늘 보고 들어서 눈에 환하다

째긋하다: 좀 짜그린 듯하다 <big>큰</big>찌긋하다

초롱초롱하다: 눈망울에 정기가 돌고 맑다

침침하다: 물건이 똑똑하게 보이지 않을 정도로 눈이 어둡다

퀭하다: 눈이 크고 정기가 없다

탑탑하다: 눈이 개운하거나 깨끗하지 못하다 <big>큰</big>텁텁하다

텁텁하다: 눈이 깨끗하지 못하다 <big>작</big>탑탑하다

헐떡하다: 몹시 지쳐서 눈이 껄떡하다

현란하다(絢爛): 눈이 부시도록 찬란하다

현목하다(眩目): 눈이 아찔아찔하다

현연하다(眩然): 눈이 캄캄하다

황홀하다(恍惚): 눈물이 줄줄 흘러 있는 상태이다, 또는 눈물을 흘리며 운
    상태이다

회동그랗다: 놀라거나 두려워서 크게 뜬 눈이 동글다 <big>큰</big>휘둥그렇다

회동그스름하다: 무섭거나 놀랐을 때 크게 뜬 눈 모양이 둥그스름하다 <big>큰</big>휘둥
    그스름하다

휑하다: 눈이 쑥 들어가 보이고 정기가 없다

휘둥그렇다: 놀라거나 두려워서 눈이 크게 뜨이어 둥글다 <big>작</big>회동그랗다

휘둥그스름하다: 무섭거나 놀랐을 때 크게 뜬 눈 모양이 둥그스름하다 <big>작</big>회동
    그스름하다

흘기죽죽하다: 흘겨보는 눈에 못마땅한 빛이 드러나 있다 <big>작</big>할기족족하다

39.5. 얼굴

가칠가칠하다: 여러 군데가 다 가칠하다 **쎈**까칠까칠하다 **큰**거칠거칠하다

가칠하다: 여위거나 메말라 살갗이나 털이 윤기가 없이 좀 거칠다 **쎈**까칠하다 **큰**거칠하다

가칫하다: 살갗이나 털이 여위고 윤기가 없이 좀 거칠다 **쎈**까칫하다 **큰**거칫하다

거덕치다: 꼴이 상되거나 거칠고 막되다 **쎈**꺼덕치다

거칠거칠하다: 여러 군데가 모두 거칠하다 **쎈**꺼칠꺼칠하다 **작**가칠가칠하다

거칠다: 바탕이 곱거나 부드럽지 못하고 메마르고 지저분하다

거칠하다: 야위거나 메말라 살갗이나 털이 윤기가 없이 거칠다 **쎈**꺼칠하다 **작**가칠하다

거칫하다: 살갗이나 털이 야위고 윤기가 없이 거칠다

건삽하다: 마르고 윤택이 없이 껄껄하다

꾀꾀하다: 얼굴이 바싹 말라 생기가 없다

나뱃뱃하다: 작은 얼굴이 나부죽하고 덕스럽다 **큰**너벳벳하다

나부대대하다: 얼굴이 동글반반하고 나부죽하다 **비**납대대하다 **큰**너부데데하다 (예) 얼굴이 나부대대하다

나부죽하다: 얼굴이 나부죽하다 **큰**너부죽하다

납덩이같다: 얼굴이 핏기가 없어져 납빛과 같다

낯설다: 얼굴이 눈에 익지 아니하다 **반**낯익다 (예) 낯선 얼굴

낯익다: 얼굴이 눈에 익다 **반**낯설다

너벳벳하다: 큰 얼굴이 너부죽하고 덕스럽다 **작**나뱃뱃하다

너부데데하다: 얼굴이 여기저기 얄팍하고 평평하며 조금씩 넓다 **작**나부대대하다

너부렁넓적하다: 큰 얼굴이 얄팍하고 평평한 듯하게 좀 넓다

넙데데하다: '너부데데하다'의 준말

뇌랗다: 생기가 없이 노랗다 (예) 뇌란 얼굴 **큰**뉘렇다

동탕하다(動蕩): 얼굴이 두툼하고 아름답다

만면하다(滿面): 얼굴에 가득 차 있다

만조하다: 얼굴이나 모습이 초라하고 채신없다

면난하다(面赧): 부끄러워서 얼굴이 붉다

면숙하다(面熟): 낯익다

번화하다: 얼굴이 높고 귀하게 될 빛이 있고 환하다

보송보송하다: 얼굴이나 살결이 때가 빠지고 보드랍다 젠뽀송뽀송하다 큰부숭부숭하다

부석부석하다: 얼굴이 조금 부어오른 듯한 느낌이 있다 거포삭포삭하다 큰부석부석하다

불콰하다: 술기운을 띠거나 혈기가 좋아서 얼굴빛이 보기 좋게 불그레하다

생광스럽다(生光): 낯이 난 듯하다

생소하다(生疏): 낯설다

서머서머하다: 매우 서머하다

서머하다: 미안하여 내밀 낯이 없다

선연하다(嬋娟): 얼굴이 곱고 아름답다

숨숨하다: 얼굴에 굵고 얕게 얽히는 자국이 듬성듬성 있다 좌솜솜하다

숭굴숭굴하다: 얼굴이 귀염성이 있고 덕성스럽다

양박하다(涼薄): 얼굴에 살이 없다

어글어글하다: 얼굴에 난 구멍들의 생김새가 다 널찍널찍하다

오종종하다: 얼굴이 작고 옹졸한 데가 있다

조쌀하다: 늙었어도 얼굴이 깨끗하고 조촐하다

청수하다(淸秀): 얼굴이 깨끗하고 준수하다

초강초강하다: 얼굴의 생김새가 갸름하고 살지지 아니하다

칼칼하다: 얼굴이 메마르고 강파르다

캉캉하다: 얼굴이 몹시 강파르다

탁하다: 얼굴이 훤히 트이지 못하고 궁한 기운이 있다

팔초하다: 얼굴이 좁고 턱이 뾰족하다

풍염하다(豊艶): 얼굴의 생김새가 두툼하고 곱다

할끔하다: 얼굴이 까칠하고 눈이 때꾼하다

할딱하다: 심한 고생이나 병으로 얼굴이 좀 여위고 핏기가 없다 큰헐떡하다

할쑥하다: 얼굴이 야위고 핏기가 없다 큰헐쑥하다

해납작하다: 얼굴이 하얗고 납작하다 큰희넙적하다

해말쑥하다: 얼굴빛 따위가 맑고 깨끗하다

해반주그레하다: 얼굴이 해말쑥하고 반주그레하다 큰희번주그레하다

해반지르르하다: 얼굴이 해말쑥하고 반지르르하다 큰희번지르르하다

해사하다: 얼굴이 맑고 깨끗하다

해쓱하다: 얼굴에 핏기가 없어 파르께하다 비창백하다

헬쑥하다: 얼굴에 핏기가 없고 파리하다

헐떡하다: 얼굴이 여위고 핏기가 없다

헐쑥하다: 얼굴이 여위고 핏기가 없다 좩할쑥하다

험상궂다: 몰골이 매우 험상하다

험상스럽다: 험상궂게 보이다

험하다: 나타난 꼴이 보기 싫게 무섭다

홀쪽하다: '홀쭉하다'의 잘못

홀쭉하다: 얼굴이 좁고 갸름하다 큰홀쭉하다

홈홈하다: 얼굴에 흐뭇한 표정이 나타나 있다

홍윤하다(紅潤): 얼굴빛이 불그레하고 보드랍다

홀쭉하다: 얼굴이 홀쭉하고 갸름하다

훔훔하다: 얼굴에 매우 흐뭇한 표정을 띠고 있다 좩홈홈하다

흘끔하다: 얼굴이 꺼칠하고 눈이 때꾼하다

희넓적하다: 얼굴이 허옇고 넓적하다 좩해납작하다

희묽다: 얼굴이 희고 여부지지 못하다

희번주그레하다: 얼굴이 희멀쑥하고 번주그레하다 좩해반주그레하다

희번지르르하다: 얼굴이 희멀겋고 번지르르하다 좩해반지르르하다

39.6. 다리

파근파근하다: 다리가 걸음마다 파근하다

파근하다: 다리 힘이 지쳐서 맥이 없고 내딛기가 무섭다

팍팍하다: 다리가 지쳐 꼼짝 못 할 정도로 힘이 없다 큰퍽퍽하다

퍽퍽하다: 다리가 아주 지쳐 꼼짝 못 할 정도로 힘이 없다 좩팍팍하다

하전하전하다: 다리에 힘이 없어 쓰러질 것 같은 느낌이 좀 있다 큰허전허전
하다

허전허전하다: 다리에 힘이 없어 쓰러질 듯한 느낌이 있다 좩하전하전하다

39.7. 걸음걸이

보무당당하다(步武堂堂): 걸음걸이가 씩씩하고 버젓하다

사붓사붓하다: 소리가 거의 나지 않을 정도로 걸음걸이나 움직임이 아주 가볍
고 보드랍다 센사뿟사뿟하다 큰서붓서붓하다

사뿐사뿐하다: 소리가 크게 나지 않을 정도로 걸음걸이나 움직임이 가볍다 囝사푼사푼하다 囵서뿐서뿐하다

사뿐하다: 소리가 크게 나지 않을 정도로 걸음걸이나 움직임이 가볍다 囵서뿐하다

사뿟사뿟하다: 소리가 크게 나지 않을 정도로 걸음걸이나 움직임이 아주 가볍고 빠르다 囝사풋사풋하다 여사붓사붓하다 囵서뿟서뿟하다

사푼사푼하다: 발소리가 거의 나지 아니할 정도로 걸음걸이나 매우 가볍다 囵서푼서푼하다 쎈사뿐사뿐하다

사풋사풋하다: 소리가 거의 나지 않을 정도로 걸음걸이나 움직임이 매우 가볍고 빠르다 쎈사뿟사뿟하다 여사붓사붓하다 囵서풋서풋하다

서붓서붓하다: 소리가 거의 나지 아니할 정도로 걸음걸이나 움직임이 거볍고 부드럽다

서뿐서뿐하다: 소리가 크게 나지 아니할 정도로 걸음걸이나 움직임이 가볍다 囝서푼서푼하다 쟈사뿐사뿐하다

서뿟서뿟하다: 소리가 크게 나지 아니할 정도로 걸음걸이나 움직임이 거볍고 빠르다 囝서풋서풋하다 여서붓서붓하다 쟈사뿟사뿟하다

서푼서푼하다: 소리가 거의 나지 아니할 정도로 걸음걸이나 움직임이 거볍고 빠르다 쎈서뿟서뿟하다 여서붓서붓하다 쟈사풋사풋하다

39.8. 머리

알딸딸하다: 머리가 울리고 어지럽다 囵얼떨떨하다
얼떨떨하다: 머리를 세게 부딪쳐서 골이 울리고 매우 어지럽다 쟈알딸딸하다
준민하다(俊敏): 머리가 좋고 날렵하다

39.9. 코

맥맥하다: 코가 막히어 숨쉬기가 갑갑하다
맹맹하다: 코가 막히어서 말을 할 때 코의 울림소리가 나면서 갑갑하다
산비하다(酸鼻): 콧마루가 시큰시큰하다

40. 언행과 관련된 형용사

건들건들하다: 말이나 짓이 들뜨고 거칠다

단지럽다: 말이나 행동이 다랍다 <큰>던지럽다

두루뭉실하다: '두루뭉술하다'의 잘못 〈북한어〉 '두루뭉술하다'의 북한어

두루뭉술하다: 언행 또는 태도나 성격 따위가 이것도 아니고 저것도 아니게 뚜렷하지 않다

막돼먹다: '막되다'의 낮은말

막되다: 말이나 행실이 불손하고 난폭하다

메떨어지다: 말이나 짓이 어울리지 아니하고 촌스럽다

메수수하다: ①말과 하는 짓이 어울리지 않고 시골티가 있다 ②에부수수하다

무무하다(貿貿): 무식하고 예의범절을 잘 몰라서 말과 행동이 서투르다

반지빠르다: 말이나 하는 짓이 수더분한 맛이 없고 얄밉게 반드랍다

방광하다(放曠): 말이나 행동에 거리낌이 없다

방정스럽다: 말이나 행동이 찬찬하지 못하고 가벼운 데가 있다

번버듬하다: 말이나 행동이 좀 거만하다

변모없다: 남의 체면을 돌보지 않고 말이나 행동에 거리낌이 없다

별미쩍다: 말이나 하는 짓이 어울리지 않게 멋이 없다

부자연스럽다: 말이나 행동 따위에 꾸민 데나 어색한 데가 있다

부탄하다(浮誕): 말이나 하는 짓이 들뜨고 허황하다

빠득빠득하다: 말이나 행동이 고분고분하지 아니하고 빡빡하다 <큰>뻐득뻐득하다

뻐득뻐득하다: 언행이 고분고분하지 아니하고 뻑뻑하다 <작>빠득빠득하다

사풍맞다(邪風): 말이나 행동이 경솔하다

사풍스럽다: 말이나 행동이 경망스럽다

산망스럽다: 말이나 짓이 경망스럽고 잘달다

살똥스럽다: 말이나 짓이 독살스럽고 당돌하다

생게망게하다: 생급스럽고 터무니없다

생급스럽다: 뜻밖의 행동이나 말이 갑작스럽다

생뚱맞다: 매우 생뚱스럽다

생뚱스럽다: 보기에 생뚱한 데가 있다

생뚱하다: 하는 행동이나 말이 상황에 맞지 아니하고 엉뚱하다 (예) 생뚱한 거

짓말

서털구털하다: 말이나 행동이 침착하지 못하고 서투르다

설피다: 언행이 덜렁덜렁하고 거칠다

소락소락하다: 말이나 하는 짓이 요량 없이 가볍다 🗨수럭수럭하다

수럭수럭하다: 말이나 하는 짓이 씩씩하고 시원시원하다 🗨소락소락하다

수럭스럽다: 보기에 수럭수럭하다

시원하다: 말이나 하는 짓이 쾌한 느낌을 주게 명랑하다

실쌈스럽다: 말이나 행실이 부지런하고 착실한 점이 있다

싱겁다: 말이나 짓이 좀 멋쩍다

아기뚱하다: 〈북한어〉 말이나 짓이 남달리 거만하고 앙큼한 데가 있다 🗨어기
    뚱하다

아니꼽다: 말이나 행동에 눈꼴이 사나와 불쾌하다

아수룩하다: 말이나 하는 짓이 약간 숫되고 추한 듯하다 🗨어수룩하다

앙똥하다: 말이나 짓이 분수에 맞지 않게 지나쳐 좀 얄망스럽다 🗨엉뚱하다

얌전스럽다: 얌전한 듯하다

얌전하다: 성품이 안온하고 말과 짓이 단정하다

어기뚱하다: 말이나 짓이 남달리 교만하고 엉큼한 데가 있다 🗨아기뚱하다

어수룩하다: 말이나 하는 짓이 숫되고 후하다 🗨아수룩하다

어줍다: 말이나 짓을 어떻게 하면 좋을지 몰라 자유롭지 못하고 어색하다

엄벙하다: 말과 행동이 착실하지 못하고 실속이 없다

엄연하다(儼然): 언행이 씩씩하고 점잖다

엉뚱스럽다: 엉뚱한 듯하다

엉뚱하다: 제 분수에 지나치는 말이나 짓이 많다 🗨앙똥하다

여유작작하다(餘裕綽綽): 말이나 짓이 너그럽고 침착하다

열퉁적다: 말이나 짓이 데퉁스럽다

온건하다(穩健): 말, 행동, 생각 따위가 온당하고 건실하다

온아하다(溫雅): 온화하고 아담하다 (예) 말이나 행동이 온아하다

음전하다: 말이나 행동이 곱고 점잖다

전중하다(典重): 말과 짓이 규구에 맞고 점잖다

조용하다: 말이나 하는 짓이 왁자지껄하지 않고 매우 얌전하다

지저분하다: 말이나 행동이 잡되고 더럽다

패려궂다: 말이나 하는 짓이 비꼬이고 거칠다

허황하다(虛荒): 말이나 행동이 헛되고 황당하며 미덥지 못하다

호도깝스럽다: 말과 행동이 방정맞고 급하다

호들갑스럽다: 말이나 하는 짓이 야단스럽고 방정맞다

41. 여자에 관한 형용사

남성지다(男性): 여자가 남자의 성질과 비슷하다

유한하다(幽閑): 여자의 인품이 그윽하고 조용하다

정숙하다(整肅)[1]: 몸가짐이나 차림새가 바르고 엄숙하다

정숙하다(貞淑)[2]: 여자의 몸가짐이 조촐하고 마음씨가 맑고 곱다

정숙하다(靜淑)[3]: 여자의 성품과 몸가짐이 조용하고 얌전하다

정순하다(貞順): 정숙하고 유순하다

정정하다(貞靜): 여자의 행실이 곱고 깨끗하며 성질이 조용하다

42. 영화로움의 뜻

광영하다(光榮): 영광스럽다

당당하다(堂堂): 위세나 형세가 단단하다

망중하다(望重): 명망이 높다

명예롭다: 명예로 여길 만하다

명예스럽다: 명예로운 듯하다

불명예스럽다: 불명예가 되는 점이 있다

성스럽다(聖): 거룩하고 고결하고 위대하다

수위하다(秀偉): 뛰어나게 위대하다

영걸스럽다(英傑): 영걸한 데가 있다

영걸하다: 영특하고 기상이 걸출하다

영광되다: 영광이 가득하다

영광스럽다(榮光): 영광이 있다

영귀하다(榮貴): 지체가 높고 귀하다

영예롭다(榮譽): 영예로 여길 만하다

영예스럽다: 영예로울 만하다

영위하다(英偉): 영걸스럽고 위대하다

영윤하다(榮潤): 신분이 귀하고 재물이 넉넉하다
영현하다(英顯): 영화롭고 현달하다
위여하다(偉如): 위대하다
존영하다(尊榮): 지위가 높고 영화롭다
찬연하다(燦然): 매우 영광스럽고 훌륭하다
현영하다(顯榮): 높은 지위에 올라 영화롭다

43. 예의·도리와 관련된 형용사

거폐스럽다: 크게 폐스럽다
과감하다(過感): 지나칠 정도라고 느낄 만큼 고맙다 圓오감하다
똑바르다: 도리나 사리에 꼭 맞다
망극하다(罔極): 그지없다
맥쩍다: 대하기에 좀 부끄럽고 미안하다
몰염치하다(沒廉恥): 염치가 없다
무도하다(無道): 도리를 어겨 막되다
무례하다: 예의가 없다
무리하다: 도리나 이치에 맞지 아니하고 억지스럽다
무법하다: 예법이 없다
무사하다(無似): 자신이 아버지나 할아버지만 못하다는 뜻으로 스스로를 낮추
    어 이르는 말
미안스럽다: 미안한 데가 있다
미안쩍다: 미안한 마음이 있다
미안하다: ① 남에게 대하여 마음이 편치 못하고 부끄럽다 ② 겸손히 양해를
    구하는 뜻을 나타내는 말
미타하다(未妥): ① 온당하지 않다 ② 든든하지 못하고 미심쩍은 데가 있다
바르다: 도리나 사리에 맞아 그릇됨이 없다
본데없다: 보아서 배운 것이 없다 곧 예의범절에 어긋나다
볼썽사납다: 체면 또는 예의가 없어서 남이 보기에 언짢다
부제하다(不悌): 윗사람에게 공손하지 아니하다
불감하다(不敢): 남의 대접을 받아들이기가 어렵고 황송하다
불화하다: ① 의가 좋지 아니하다 ② 의가 좋지 않게 지내다

속절없다: 어찌할 도리가 없다

송괴스럽다(悚愧): 죄송스럽고도 부끄럽다

송괴하다(悚愧): 죄송스럽고도 부끄럽다

송황하다(悚惶): 황송하다

순당하다(順當): 도리에 맞아 알맞다

순정하다(順正): 도리에 어긋나지 않고 바르다

압설하다(狎褻): 너무 사이가 가까워서 예의가 없다

약략하다(略略): 매우 약소하다

역륜하다(逆倫): 패륜하다

염결하다(廉潔): 청렴하고 결백하다

염백하다(廉白): ⊟염결하다

염의없다(廉義): 염치와 의리가 없다

예모답다(禮貌): 예모(예의를 지키는 짓)에 맞다

예바르다: 예절 바르다

예번하다(禮煩): 예의가 번폐스럽다

오감하다: ⊟과감하다

우악하다(優渥): 은혜가 매우 없고 두텁다 (예) 임금의 우악한 유시

우애롭다(友愛): 우애가 깊은 듯하다

유현하다(幽玄): 도리가 깊어서 알기 어렵다

은혜롭다: 은혜를 입어서 고맙다

죄만스럽다(罪萬): 마음이 매우 죄만한 상태에 있다

죄만하다: ⊟죄송만만하다

죄송만만하다(罪悚萬萬): 더할 수 없이 죄송하다

죄송스럽다: 느끼기에 죄송하다

죄스럽다: 죄를 지은듯하여 마음이 불안하다

철면피하다(鐵面皮): 뻔뻔하고 염치가 없다

태오하다(怠傲): 거드름스러워 예법이 없다

파렴치하다(破廉恥): 염치를 어기다

하릴없다: 어떻게 할 도리가 없다

합례하다(合禮): 예절에 맞다

현묘하다(玄妙): 도리나 기예가 깊어서 퍽 미묘하다

황감하다(惶感): 황송하고 감격하다

황송하다(惶悚): 황공하다

44. 옷에 관한 형용사

나닥나닥하다: 군데군데 자그마하고 지저분하게 깁거나 덧붙인 데가 많다 🔁 너덕너덕하다

너덕너덕하다: 군데군데 깁거나 덧붙인 데가 많다 🔁나닥나닥하다

노닥노닥하다: 해지거나 뚫어져서 자질구레하게 깁거나 덧붙인 데가 많다 🔁 누덕누덕하다

누덕누덕하다: 해지고 찢어진 곳이 여기저기 너저분하게 기워지거나 덧붙여져 있다 🔁노닥노닥하다

드레시하다(dressy-): 옷 따위의 생김새 차림이 맵시가 있다('근사하다', '멋있다', '우아하다'로 순화)

든든하다: 입은 옷이 충분하다

무시무시하다: 무서운 느낌을 자꾸 생기게 하는 기운이 있다

살망하다: 옷이 몸에 맞지 않고 강동하다 🔁설멍하다

상크름하다: 옷감의 발이 좀 가늘고 성글다 🔁성크름하다

설멍하다: 옷이 몸에 맞지 않고 짜름하다 🔁살망하다

성크름하다: 시원해 보이도록 옷감의 발이 가늘고 퍽 성글다 🔁상크름하다

쌍그렇다: 찬바람 불 때에 베옷 따위를 입은 모양이 매우 쓸쓸하다

옴포동하다: 입은 옷의 솜이 도도록하여 어린 아이처럼 포동포동하다

탁탁하다: 옷감 따위의 바탕이 올차고 치밀하다 🔁툭툭하다

파사하다(婆娑): 춤추는 소매의 나부끼는 모양이 가볍다

풍신하다: 옷의 크기가 몸에 비해 넉넉하다

할랑하다: 옷, 신발 따위가 몸에 비하여 크다 🔁헐렁하다

헐렁하다: 옷, 신발 따위가 몸에 비하여 크다 🔁할랑하다

헙수룩하다: 옷차림이 허름하다

호졸근하다: 옷 따위가 몸에 착착 감기게 약간 젖거나 풀기가 빠져서 초라하다 🔁후줄근하다

후줄근하다: 옷 따위가 몸에 척척 감기게 젖거나 풀기가 빠져서 추레하다 🔁호졸근하다

휘주근하다: 옷 따위가 풀기가 빠져서 축 늘어져 있다

45. 요긴함·긴요함의 뜻

건실하다: 긴요하고 절실하다
긴요하다(緊要): 아주 요긴하다
긴절하다(緊切): 긴요하고 절실하다
긴하다: 긴요하다
끽긴하다(喫緊): 매우 긴요하다
불긴하다: 긴하지 아니하거나 반갑지 아니하다
요긴하다(要緊): 긴요하다
일긴하다(一緊): 가장 긴요하다
정긴하다(精緊): 정요하고 긴요하다
정요하다(精要): ⬜=정긴하다
종요롭다: 없어서는 아니 될 만큼 긴요하다

46. 욕심을 뜻하는 형용사

개염스럽다: 보기에 개염이 있다 🔳게염스럽다 (개염: 부러운 마음으로 탐내
　　는 욕심)
게걸스럽다: 보기에 게걸들린 듯하다
게걸하다: 몹시 게걸스럽다 (게걸: 염치없이 먹으려고 탐내는 마음)
게검스럽다: 욕심껏 음식을 먹어 대는 꼴이 던적스럽다 🔳개감스럽다
게염스럽다: 보기에 게염이 있다 (게염: 부러운 마음으로 탐내는 욕심이 있다)
　　🔳개염스럽다
과욕하다(寡慾): 욕심이 적다
다욕하다(多慾): 욕심이 많다
무욕하다(無慾): 욕심이 없다
부전부전하다: 남의 바쁜 것을 생각지 않고 제가 하고자 하는 일에만 서두르는
　　데가 있다
소욕하다(少慾): 욕심이 적다
염담하다(恬淡): 욕심이 없고 마음이 깨끗하다
염아하다(恬雅): 욕심이 없고 얌전하다

영검스럽다(靈): 보기에 사람의 기원대로 되는 신기한 징험이 있는 듯하다
영검하다(靈): 사람의 기원대로 되는 신기한 징험이 있다 **준**영하다
영하다(靈): **=**영검하다
허령하다(虛靈): 포착할 수는 없으나 그 영험이 불가사의하다

47. 운명·인연의 뜻

길하다: 운이 좋거나 일이 상서롭다
단명하다(短命): 명이 짧다
단수하다(短壽): 단명하다
명완하다(命頑): 목숨이 모질다
무연하다(無緣): 아주 인연이 없다
흉하다: 인연이 아주 나쁘다

48. 음식에 관한 형용사

48.1. 가루

보드랍다: 가루 따위가 잘고 곱다 **큰**부드럽다
부드럽다: 가루 따위가 매우 잘고 곱다 **작**보드랍다

48.2. 곡식

몽글다: 곡식의 낟알이 까끄라기나 허섭스레기가 붙지 않고 알속 있게 깨끗
  하다
살강살강하다: 덜 삶아진 곡식이나 열매 따위가 가볍게 씹히는 듯한 느낌이
  있다 **센**쌀강쌀강하다 **큰**썰겅썰겅하다
쌀강쌀강하다: 덜 삶아진 곡식이나 열매 따위가 좀 세게 씹히는 듯한 느낌이
  있다 **예**살강살강하다 **큰**썰겅썰겅하다
썰겅썰겅하다: 덜 삶아진 곡식이나 열매 따위가 세게 씹히는 듯한 느낌이 있다
  예설겅설겅하다 **작**쌀강쌀강하다

48.3. 과일

대그르르하다: 과일 따위가 그리 크지 않으나 고르고 야무지다 쎈때그르르
하다

디그르르하다: 과일 따위가 굵직하여 고르고 여무지다 쫙대그르르하다 쎈띠
그르르하다

때그르르하다: 과일 따위가 그리 크지 않으나 아주 고르고 야무지다

띠그르르하다: 과일 따위가 굵직하여 아주 고르고 여무지다 여디그르르하다
쫙때그르르하다

미숙하다(未熟): 열매가 채 익지 못하다

신신하다(新新): 과실이나 채소 따위가 생기가 있고 신선하다

하박하박하다: 과일 따위가 끈기가 없어 파삭파삭하다 큰허벅허벅하다

허벅허벅하다: 과일 따위가 물기나 끈기가 없어 푸석푸석하다 쫙하박하박하다

48.4. 국물

중탁하다(重濁): 탕약이나 국물 있는 물질이 걸쭉하고 뻑뻑하다

카랑카랑하다: 건더기는 적고 국물이 너무 많아 걸맞지 않다 여가랑가랑하다
큰크렁크렁하다

크렁크렁하다: 건더기는 적은데 국물이 많아서 걸맞지 아니하다 여그렁그렁
하다 쫙카랑카랑하다

톱톱하다: 국물이 묽지 아니하고 아주 바특하다 쫙톱톱하다

흥덩흥덩하다: 국물은 많고 건더기는 드문드문하다

48.5. 반죽

되다: 반죽, 밥 같은 것이 물기가 적고 빡빡하다

얼멍덜멍하다: 죽이나 풀 따위가 잘 풀리지 않아서 덩어리가 여기 저기 있다

울먹줄먹하다: 크고 두드러진 덩어리 따위가 고르지 않게 많다 쫙올막졸막
하다

잘박하다: 반죽이나 진흙 따위가 물기가 좀 많이 보드랍고 질다 큰질벅하다

잘카닥하다: 묽은 반죽이나 진흙 따위가 매우 잘칵하다 큰질커덕하다

잘칵잘칵하다: 매우 잘칵하다

잘칵하다: 묽은 반죽이나 진흙 따위가 좀 거칠게 질다 [큰]질컥하다
잘파닥잘파닥하다: 매우 잘파닥하다 [큰]질퍼덕질퍼덕하다
잘파닥하다: 반죽이나 진흙 따위가 매우 잘파닥하다 [큰]질퍼덕하다
잘팍잘팍하다: 매우 잘팍하다 [여]잘박잘박하다 [큰]질퍽질퍽하다
잘팍하다: 진흙이나 반죽 따위가 아주 보드랍고 질다 [여]잘박하다 [큰]질퍽하다
질팍하다: 〈북한어〉 '질파닥하다'의 준말
질파닥하다: 〈북한어〉 진흙이나 반죽 따위가 물기가 많아 성가시게 질다
차지다: 반죽이나 밥, 떡 같은 것이 쩍쩍 붙도록 끈기가 있다 [반]메지다

48.6. 밥

고들고들하다: 밥알 따위가 잘 익었으나 물기가 걷혀서 오돌오돌하다
고슬고슬하다: 밥이 지지도 않고 되지도 않고 알맞게 보드랍다
구들구들하다: 밥알 따위가 속은 잘 익었으나 물기가 걷히어 우들우들하다
    [센]꾸들꾸들하다 [작]고들고들하다
구슬구슬하다: 밥이 질지도 되지도 않고 알맞게 부드럽다 [작]고슬고슬하다
꼬들꼬들하다: 밥알들이 잘 익었으나 물기가 걷혀서 몹시 오들오들하다 [여]고
    들고들하다 [큰]꾸들꾸들하다
꾸들꾸들하다: 밥알 따위가 잘 익었으나 물기가 걷히어 몹시 우둘우둘하다
    [여]구들구들하다 [작]꼬들꼬들하다
대그르르하다: 밥이 급히 끓어서 밥알이 끈기가 없이 오돌오돌하다 [큰]디그르
    르하다
대글대글하다: 밥알이 설익거나 너무 되거나 말라서 꼬들꼬들하다 [큰]디글디
    글하다
디그르르하다: 밥이 급히 끓어서 밥알이 우둘우둘하다
디글디글하다: 밥알이 설었거나 너무 되거나 말라서 꾸들꾸들하다 [작]대글대
    글하다
왜그르르하다: 된 밥이나 굳은 물건 따위가 헤어져 흐슬부슬하다
왜글왜글하다: 된 밥이나 굳은 물건 따위가 자꾸 흐슬부슬 헤어지다

48.7. 밥 이외의 먹이

살캉살캉하다: 설익은 밥이나 감자, 고구마 따위가 작게 씹히는 듯한 느낌이

있다 센쌀캉쌀캉하다 큰설컹설컹하다

쌀캉쌀캉하다: 설익은 밥이나 감자 따위가 좀 세게 씹히는 듯한 느낌이 있다
　여살캉살캉하다 큰썰컹썰컹하다

썰컹썰컹하다: 설익은 밥이나 감자 따위가 세게 씹히는 듯한 느낌이 있다 여설
　컹설컹하다 좌쌀캉쌀캉하다

얼멍덜멍하다: 죽이나 풀 따위가 잘 풀리지 않아서 덩어리가 여기 저기 있다

얼멍얼멍하다: 죽이나 풀 따위가 잘 풀리지 않은 채 있다

차지다: 반죽이나 밥, 떡 따위가 쩍쩍 붙도록 끈기가 있다

차질다: 차지게 질다

타박타박하다: 가루음식 같은 것이 물기나 진기가 적어 씹기에 좀 팍팍하다
　큰터벅터벅하다

터벅터벅하다: 가루음식 같은 것이 진기나 물기가 없어 씹기에 조금 퍽퍽하다
　좌타박타박하다

파근파근하다: 가루나 음식 따위가 보드랍고 조금 팍팍하다

홀홀하다: 죽, 미음 따위가 매우 묽다 좌홀홀하다

48.8. 생선

모름하다: 생선이 싱싱한 맛이 없고 조금 타분하다

악세다: 생선의 뼈다귀나 식물의 줄기 또는 잎 따위가 빳빳하다 큰억세다

억세다: 생선의 뼈나 식물의 줄기, 잎들이 뻣뻣하다 좌악세다

타분하다: 생선, 고기 따위의 음식 맛이 새뜻하지 아니하고 입맛이 깨끗하지
　아니하다 큰터분하다

48.9. 술

거나하다: 술에 취한 정도가 어지간하다

건드레하다: 거나하게 취하여 정신이 흐릿하다

도도하다(滔滔): 벅찬 감정이나 주흥 따위를 막을 길이 없다

도연하다(陶然): 거나하다 (예) 도연한 주흥을 이기지 못하다

민숭민숭하다: 술을 먹었어도 취한 기분이 조금도 없다 좌맨송맨송하다

반취반성하다(半醉半醒) 술이 깬 듯 만 듯하다

싱겁다: 술, 담배 따위의 맛이 약하다

알근하다: 술이 취하여 정신이 좀 아렴풋하다 (큰)얼근하다

알딸딸하다: 술이 돌거나 흥에 겨워 기분이 좋다

알알하다: 술에 취하여 정신이 내둘리듯이 아리송하다 (큰)얼얼하다

약하다: 주량이나 알코올 농도가 적다

얼근하다: 술이 매우 거나하여 정신이 어렴풋하다 (작)알근하다

얼얼하다: 술이 몹시 취하여 정신이 내둘리듯이 어리숭하다 (작)알알하다

주체궂다: 몹시 주체스럽다(술에 취하다) (예) 술병이 주체궂어서 내버릴까 하는
　　중에…

준하다(峻): 술맛 따위가 매우 진하다

훈훈하다(醺醺): 술 취한 기운이 얼근하다

48.10. 열매

조랑조랑하다: 작은 열매 따위가 많이 매달려 있다 (큰)주렁주렁하다 (비)조롱조
　　롱하다

조롱조롱하다: (=)조랑조랑하다

주렁주렁하다: 열매 따위가 많이 달려 있다

48.11. 음식의 맛

느끼하다: ① 비위에 맞지 아니할 만큼 음식에 기름기가 많다 ② 먹은 음식이
　　기름기가 있어 비위를 거슬리는 느낌이 있다.

미숙하다(未熟): 음식 따위가 덜 익다

밍밍하다: 음식 따위가 제 맛이 나지 않고 아주 싱겁다

사납다: 음식물 따위가 거칠고 나쁘다

새척지근하다: 음식이 쉬어서 맛이 매우 새콤하다 (큰)시척지근하다 (비)새치근
　　하다

새치근하다: '새척지근하다'의 준말 (큰)시치근하다

설미지근하다: 음식물 따위가 설고 미지근하다

시서늘하다: 음식물 따위가 식어서 매우 차다

시원하다: 음식의 국물이 차고 산뜻하다

시지근하다: 음식이 쉬어서 맛이 시금하다

시척지근하다: 음식이 쉬어서 맛이 시큼하다

시치근하다: '시척지근하다'의 준말
실미적지근하다: 좀 설미지근하다
앙그러지다: 음식이 먹음직스럽다
양착하다(量窄): 음식 먹는 양이 적다

48.12. 쫄깃쫄깃하다

존득존득하다: 끈기가 있어 졸깃졸깃하다 **큰**준득준득하다
졸깃졸깃하다: 매우 졸깃하다 **큰**줄깃줄깃하다
졸깃하다: 씹히는 것이 좀 차지고도 질기다 **센**쫄깃하다 **큰**줄깃하다
쫀득쫀득하다: 매우 끈기 있고 쫄깃쫄깃하다 **여**존득존득하다 **큰**쭌득쭌득하다

49. 의리의 뜻

꿀떡같다: 몹시 가지거나 하고 싶다
무의무신하다(無義無信): 의리도 없고, 믿음도 없다
무의하다(無義): 신의나 의리가 없다
불의하다(不義): 의리, 도리, 정의에 어긋나서 옳지 못하다
어쑷하다: 호협하여 작은 일에 거리끼지 않고 의협심이 있다
척당하다(倜儻): 뜻이 크고 기개가 있다

50. 이익의 뜻

걸쩍지근하다: 욕을 함부로 하여 매우 걸다
다욕하다(多辱): 욕됨이 많다
무익하다: 이롭거나 도움이 될 만한 것이 없다
유익하다: 이롭다

51. 인품 등의 형용사

겸전하다: 지·덕을 갖추다
비겁하다: 인격이 낮고 겁이 많다
외외하다(巍巍): 인격이 높고 뛰어나다
울먹하다: 울 듯하다
존엄하다(尊嚴): 인품이나 지위가 높아서 범할 수 없다
톡톡하다: 꾸중, 망신 따위의 정도가 심하다
희떱다: 한 푼 돈이 없고도 손이 크며 마음이 넓다

52. 일에 관한 형용사

갈골하다(渴汨): 일에 파묻혀 몹시 바쁘다
난처하다(難處): 일을 처리하기가 안타깝고 어렵다
다사스럽다(多事): 온갖 일에 참여하기를 좋아하다
다사하다(多事): 일이 많다 다사스럽다
다행스럽다: 느낌에 다행하다
다행하다: 일이 잘 되어 좋다
단출하다: 일이나 차림차림이 간편하다
더럽다: ('어렵게'로 쓰이어) 일이 순조롭지 못하게 '고약하다'의 뜻
덕거칠다: '덧거칠다'의 잘못
덧거칠다: 일이 순조롭지 못하거나 까탈이 심하다
되다: 일이 힘에 벅차다
드세다: ① 어떤 일이 견디기 힘들게 거칠고 세차다 (예) 시집살이가 드세다, 팔자
　　가 드세다, 바람이 드세게 몰아치다
딱하다: 일을 처리하기가 안타깝고 어렵다 🗊난처하다
떫다: 어떤 일이 마음에 차지 않고 언짢다
뜨르르하다: 어떤 일에 아주 익숙하여 전혀 막힘이 없다 🗊따르르하다
무위무책하다(無爲無策): 하는 일도 없고 할 방책도 없다
미명하다(未明): 일이 분명히 밝혀지지 아니하다
미숙하다(未熟): 일에 서툴다
미심쩍다: 마음이 놓이지 않을 만큼 일이 분명하지 못하다

반하다: 일의 결과가 어떻게 될 것이 도렷하다 셴빤하다 큰번하다

방오하다(旁午): 일이 매우 복잡하다

부실하다: 일에 성실하지 못하다

불투명하다: 일이 되어 가는 모양이나 앞날이 확실하지 아니하다

비일비재하다: 같은 일이 한 두 번이나 하나 둘이 아니다

빠삭하다: 어떤 일을 낱낱이 잘 알고 있어서 그 일에 환하다

빤하다: 일의 결과가 어떻게 될 것이 또렷하다 예반하다 큰뻔하다

뻐근하다: 무슨 일이 힘에 겨울 만큼 벅차다 좌빠근하다

뻔하다: 일의 결과가 어떻게 될 것이 뚜렷하다 예번하다 좌빤하다

사지하다(事知): 일에 퍽 익숙하다

세부득이하다: 일이 그렇게 아니할 수 없다

소만하다(疏慢): 일에 등한하다

순조롭다: 아무 탈이나 말썽이 없이 일이 잘 되어 지장이 없다

순편하다(順便): 일이 거북하지 아니하다

순하다: 일이 까다롭지 아니하다

아물다: 일이 잘 되어 탈이 없다 큰여물다

알뜰하다: 일을 정성스럽고 규모 있게 하여 빈틈이 없다

여의찮다(如意): 일이 마음먹은 대로 되지 않다

용번하다(冗煩): 쓸데없는 일에 바쁘다

우습다: 공교롭고 이상하다

우이하다(偶爾): 뜻밖에 일이 저절로 이루어져서 공교롭다

원만하다: 일이 잘 되어 만족스럽다

원활하다(圓滑): 일이 거침없이 잘 되어 가다

유사하다: 일이나 사연이 있다

유시유종하다(有始有終): 한 번 시작한 일이 끝맺음이 좋다

조만조만하다: 일이 조러한 형편에 있다 큰저만하다

조만하다: 일이 조러한 형편에 있다 큰저만하다

짭짤하다: 일이나 행동이 규모 있고 야무지다

찜없다: 일이 잘 어울려서 아무 틈이 생기지 아니하다

접찔하다: 일이 되어 가는 꼴이나 뒤끝이 못마땅하다

접접하다: 행한 일이 (속되게) 개운하지 않고 무엇인가 마음에 걸리는 데가
　　있다

초근초근하다: 일을 하는 데 꼼꼼하고도 느럭느럭하다

케케묵다: 일이나 물건이 썩 오래 묵어서 쓸모가 없다

탕탕하다(蕩蕩): 다가올 일 따위가 순조롭다

팔달하다(八達): 온갖 일에 형통하다

평탄하다(平坦): 일이 되어 가는 것이 순조롭다 囲탄평하다

하리다: 하는 일이나 태도 따위가 좀 떳떳하지 못하다 큰흐리다

하리마리하다: ① 일을 하였는지 아니 하였는지 생각이 분명하지 아니하다
　　② 무엇이 있었는지 없었는지 두드러지지 않다

하리망당하다: 하는 일이나 행동 따위가 분명하지 않다 큰흐리멍덩하다

헐하다: 일이 생각한 것보다 힘이 덜 들다

형편없다: 일의 결과, 내용 등이 대단히 좋지 못하다

확락하다(廓落): 일이 뜻대로 되지 않아 풀이 죽어 있다

훤하다: 무슨 일의 조리나 속내가 뚜렷하다 쨘환하다

흉하다: 일이 매우 언짢거나 나쁘게 궂다

흐리멍덩하다: 하는 일이나 행동이 분명하지 아니하다 쨘하리망당하다

흘미죽죽하다: 일을 야무지게 끝맺지 못하고 흐리멍덩하게 질질 끄는 데가
　　있다

희박하다: 일이 그렇게 될 희망이나 가망이 적다

53. 자세함에 관한 형용사

미상하다(未詳): 자세하지 아니하다

미세하다(微細): 몹시 자세하고 꼼꼼하다

불상하다(不詳): 囲미상하다

상명하다(詳明): 자세하고 분명하다

상밀하다(詳密): 자상하고 세밀하다

상세하다(詳細): 자상하고 세밀하다

상아하다(詳雅): 세심하고 찬찬하며 단아하다

상확하다(詳確): 자세하고 확실하다

세밀하다(細密): 자세하고 꼼꼼하다

세세하다(細細): 썩 자세하다

소상하다(昭詳): 분명하고 자세하다

안상하다(安詳): 찬찬하고 자세하다

위세하다(委細): □상세하다

자상스럽다(仔詳): 보기에 자상하다

자상하다(仔詳): 자세하고 찬찬하다

자세하다(仔細): ① 속속들이 분명하다 (예) 자세한 설명 ② 꼼꼼하고 찬찬하다

　　(예) 자세한 성격

정세하다(精細): 정밀하고 자세하다

치밀하다(緻密): 자세하고 꼼꼼하다

54. 자잘함·자질구레함에 관한 형용사

극세하다(極細): 몹시 잘거나 가늘다

미미하다(微微): 보잘것없이 썩 자질구레하다

미쇄하다(微瑣): 자질구레하고 보잘것없다

번설하다(煩屑): 귀찮게 번거롭고 자질구레하다

번쇄하다(煩瑣): 너저분하고 자질구레하다

세세하다(細細): 일 따위의 내용이 너무 잘아서 보잘것없다

소소하다(小小): 자질구레하다

자잘하다: 여러 개가 다 잘다

잔다랗다: 꽤 잘다

잘다랗다: '잔다랗다'의 잘못

잘달다: 하는 짓이 잘고 인색하다

잘디잘다: 꽤 잘다

잘잘하다: '자잘하다'의 방언(전남)

잡다하다(雜多): 잡스러운 것이 뒤섞여 너저분하다

잡되다: ① 됨됨이가 조촐하지 못하고 잡스럽다 ② 잡탕으로 뒤섞여 순수하지

　　않다

잡상스럽다: 잡되고 상스럽다

잡스럽다: 잡되고 상스럽다

55. 잦음·빈도에 관한 형용사

번삭하다(煩數): 번거롭게 잦다
빈번하다(頻繁): 번거로울 정도로 잦다
빈빈하다(頻頻): 잇달아 잦다
빈삭하다(頻數): 매우 잦다
뻔질나다: 드나드는 것이 매우 잦다
뻔질나다: 드나들거나 하는 짓이 매우 잦다 🕮주살나다
잦다: ① 여러 차례로 거듭되는 동안이 짧다 ② 잇달아 자주 있다 🕮드물다
주살나다: ≡뻔질나다

56. 재미·흥미에 관한 형용사

간간하다: 마음이 간질간질하게 재미있다
냉수스럽다(冷水): 사람이나 일이 매우 싱겁고 묽어서 재미가 없다
달근달근하다: 재미스럽고 탁탁하다
따분하다: 재미가 없어 지루하고 답답하다
맛없다: 재미나 흥미가 없다
무미건조하다(無味乾燥): 재미나 멋이 없이 메마르다
무미하다(無味): 재미가 없다
싱겁다: 재미롭지 못하다
아기자기하다: ① 오순도순 잔재미가 있고 즐겁다 ② 여러 가지가 오밀조밀
　　어울려 예쁘다
옥실옥실하다: 아기자기한 재미 따위가 많다
자미스럽다(滋味): '재미스럽다'의 잘못
재미스럽다: 보기에 재미가 있다
재미스럽다: 아기자기하게 즐겁고 유쾌한 데가 있다
재미없다: 아기자기한 맛이 없다
재미있다: 아기자기하게 즐거운 맛이 있다
재밌다: '재미있다'의 준말
진진하다(津津): 재미 따위가 매우 있다
흥미롭다: 흥미가 있다

흥미진진하다(興味津津): 넘쳐흐를 정도로 흥미가 매우 많다

57. 적당함의 뜻

가당하다(可當): ① 대체로 합당하다 ② 당할 수 있다

가합하다(可合): 무던히 합당하다

당찮다(當): 말이나 행동이 이치에 마땅하거나 적당하지 아니하다

마치맞다: '마침맞다'의 방언(경북, 전남)

마침맞다: 어떤 경우나 기회에 아주 꼭 알맞다

맞춤하다: 맞춘 것처럼 알맞다

무조건하다(無條件): 어떤 일을 함에 있어 아무런 조건이 없다

부적당하다(不適當): 알맞지 아니하다

불일치하다(不一致): 서로 어긋나서 맞지 아니하다 囷불일하다

불합당하다(不合當): 딱 알맞지 아니하다

빠듯하다: 헐렁거리지 않게 꼭 맞다 예바듯하다

빡빡하다: 꼭 끼거나 맞아서 헐겁지 아니하다 큰뻑뻑하다

어중간하다: 이것에도 저것에도 알맞지 아니하다

어중되다: 넘고 지쳐서 알맞지 아니하다

어지빠르다: 정도가 넘고 처져서 어느 한쪽에도 맞지 아니하다 囷엇빠르다
　　비엇되다

얼맞다: 정도에 넘치거나 모자라지 아니하고 잘 들어맞다 좌알맞다

얼토당토아니하다: 도무지 가당하지 아니하다

얼토당토않다: '얼토당토아니하다'의 준말

엇되다: ≡어지빠르다

영낙없다: '영락없다'의 잘못

영락없다: 조금도 틀리지 않고 꼭 들어맞다

의합하다(宜合): 적합하다

일정하다: 어느 정도와 걸맞다

적당하다: 정도에 알맞다

적실하다(適實): 실제에 꼭 들어맞다

적절하다(適切): 꼭 알맞다

적정하다(適正): 알맞고 바르다

적중하다(適中): 지나침이나 모자람이 없이 알맞다

적합하다(適合): 알맞게 들어맞다

적호하다(適好): 알맞고 좋다

절중하다(節中): 사리나 형편에 꼭 알맞다

좋다: 알맞거나 괜찮다

최적하다(最適): 가장 알맞다

칭당하다(稱當): 무엇에 꼭 알맞다

팽하다: 꼭 알맞다

합당하다(合當): 딱 알맞다

해절하다(該切): 가장 적절하다

호적하다(好適): 썩 알맞다

58. 정갈함의 뜻

닥작닥작하다: 먼지나 때 따위가 좀 두껍게 끼어 있다 큰덕적덕적하다

닥지닥지하다: 때나 먼지 따위가 더럽게 많이 끼거나 올라 있다 큰덕지덕지
　　하다

더북더북하다: 군데군데 먼지 따위가 일어나서 자욱하다

정갈스럽다: 보기에 깨끗하고 깔끔한 데가 있다

정갈하다: 깨끗하고 깔끔하다

정결하다(淨潔): 매우 깨끗하고 깔끔하다

깨끗하다: ① 더럽지 않다 ② 빛깔 따위가 흐리지 않고 맑다 ③ 가지런히 잘
　　정돈되어 말끔하다

깔끔하다: 생김새 따위가 매끈하고 깨끗하다

59. 정당함의 뜻

괴당하다(乖當): 정당하지 아니하다

괴려하다(乖戾): 사리에 어그러져 온당하지 아니하다

마땅하다: 그렇게 하거나 되는 것이 옳다

온건하다(穩健): 말, 행동, 생각 따위가 온당하고 건실하다

온당하다(穩當): 사리에 어그러지지 아니하고 마땅하다

정당하다(正當): 바르고 마땅하다

정선하다(正善): 마음이 바르고 착하다

정의롭다(正義): 정의에 벗어남이 없이 올바르다

정정하다(井井)[1]: 질서나 조리가 정연하다

정정하다(正正)[2]: 바르고 가지런하다

정정당당하다(正正堂堂): 정당하고 떳떳하다

정정방방하다(正正方方): 조리가 발라서 조금도 어지럽지 아니하다

60. 정도에 관한 형용사

격심하다(激甚): 몹시 심하다

그만저만하다: ① 이미 된 정도로 그만하다 ② 보통의 정도이다

그만하다: ① 정도가 웬만하다 ② 그 정도만 하다 ③ 그럴 만하다

그악하다: 지나치게 심하다

그지없다: 이루 다 말할 수 없다

극심하다(極甚): 몹시 심하다

급격하다(急激): 급하고 격렬하다

까맣다: 모여든 정도가 대단히 많다

너무하다: 좋지 않은 일의 정도가 지나쳐 심하다

늘씬하다: 몸을 가누지 못할 정도로 축 늘어져 있다(맞다, 때리다와 함께 쓰이어 '심하게'의 뜻으로 쓰인다)

단단하다: 보통 정도보다 심하다 (예) 감기가 단단하게 걸렸다

대단찮다: 정도가 그다지 중요하지 않다

대단하다: 정도가 보통보다 훨씬 더하다

더럽다: '더럽게'로 쓰이어 어떤 정도가 '심하게'의 뜻 (예) 기다리는 차가 더럽게도 안 온다

더하다: 견주어 보아 한 쪽이 정도가 크다

되다: 몹시 심하다 (예) 된 감기에 걸렸다

막심하다(莫甚): 매우 심하다

매섭다: 정도가 심하다 (예) 매서운 바람 [큰]무섭다

무던하다: 정도가 어떤 기준에 거의 가깝다 (예) 신랑감으로는 무던하다

무등하다(無等): 정도가 그 위에 더할 수 없다

무섭다: 정도가 매우 심하다 (예) 무서운 고통

새까맣다: 모여든 정도가 아주 대단하다 ㈜새카맣다

세다: 어떤 정도가 지나치게 높거나 심하다

심하다: 보통의 정도보다 더하다

야심스럽다(惹甚): 야심한 데가 있다

야심하다(惹甚): 지나치게 심하다 ㈜이심하다

약하다: 어떤 정도가 낮거나 덜하다 (예) 경쟁률이 약한 학과

얕다: 정도나 수준 따위가 낮거나 적다 ㈜옅다 ㈝깊다

어금버금하다: ㈎어금지금하다

어금지금하다: 서로 엇비슷하여 정도나 수준에 큰 차이가 없다 ㈝어금버금
하다

어연간하다: '엔간하다'의 본말

어지간하다: 정도가 표준에 꽤 가깝다

엄청나다: 생각하였던 것과 실제와는 다른 정도가 매우 심하다

엄청스럽다: 보기에 엄청나다

엔간찮다: '어연간하지 아니하다'가 줄어든 말

엔간하다: 대중으로 보아 정도가 표준에 꽤 가깝다

여북하다: 정도가 매우 심하거나 상황이 좋지 않다

옅다: 정도나 수준 따위가 보잘것없다 ㈜얕다

오죽하다: 정도가 매우 심하거나 대단하다(주로 '오죽하며, 오죽하면, 오죽하
여, 오죽하랴' 따위의 활용어로 쓰이어 그 정도가 '얼마나 심했으면' 또는
'얼마나 심했으랴'의 뜻을 나타낸다)

요란하다: 어수선할 만큼 정도가 지나치다 (예) 옷차림이 요란하다

요마마하다: 요 정도만 하다 ㈜이마만하다

요만조만하다: 요만하고 조만하다 ㈜이만저만하다

요만하다: 요 정도만 하다 ㈜이만하다

우심하다(尤甚): 더욱 심하다

이만하다: 정도가 이것과 같다 ㈜요만하다

이심스럽다(已甚): 이심한 듯하다

이심하다(已甚): 지나치게 심하다

익심하다(益甚): 더욱 심하다

일심하다(日甚): 날로 심하다

자심하다(滋甚): 더욱 심하다

저만저만하다: 일의 정도나 사태가 보통이 아니다 㽭조만조만하다

저만하다: ① 크지도 작지도 또는 더하지도 덜하지도 아니하고 정도가 비슷하
다 ② 정도가 저와 같다 㽭조만하다

짧다: 정도나 수준에 모자라다

착실하다(着實): 일정한 기준이나 정도에 모자람이 없이 넉넉하다

태심하다(太甚): 너무 심하다

허름하다: 사람이나 물건이 표준 정도에 약간 미치지 못한 듯하다

혹심하다(酷甚): 매우 심하다 (예) 추위가 혹심하다

61. 정밀함에 관한 형용사

박이부정하다(博而不精): 널리 알되 정밀하지 못하다

정상하다(精詳): 정밀하고 자상하다

정세하다(精細): 정밀하고 자세하다

지정하다(至精): 더할 나위 없이 깨끗하다

정일하다(精一): 정세하고 순일하다

정미하다(精微)[1]: 정밀하고 미세하다

정미하다(精美)[2]: 정세하고 아름답다

정민하다(精敏): 정세하고 민첩하다

세밀하다(細密): 자세하고 꼼꼼하다

62. 정신의 뜻

기신없다(氣神): 기력이 없고 정신이 흐리다

깔딱하다: 약간 얼이 빠져 있다 㰀껄떡하다

껄떡하다: 몹시 얼이 빠져 있다 㽭깔딱하다

노혼하다(老昏): 늙어서 정신이 흐리다

당황하다: ① 놀라거나 다급하여 정신이 어리둥절하다 ② 놀라거나 다급하여
어쩔 줄을 모르다

덩둘하다: 어리둥절하여 멍하다

떨떠름하다: 몹시 떠름하다 비떨떨하다

떨떨하다: =얼떨떨하다

띵하다: 머리가 아파서 정신이 깨끗하지 아니하다

말똥말똥하다: 정신이 생기가 있고 매우 또랑또랑하다 큰멀뚱멀뚱하다

말똥하다: 정신이 생기가 있고 말갛다 큰멀뚱하다

말짱하다: 정신이 맑고 또렷하다 큰멀쩡하다

맑다: 정신이 또렷하다

맨송맨송하다: 술을 마시고도 취하지 아니하여 정신이 말짱하다

맨숭맨숭하다: =맨송맨송하다

먹먹하다: 갑자기 귀가 막힌 듯이 소리가 잘 들리지 않다

멀뚱멀뚱하다: 정신이 생기가 없고 매우 멀겋다 작말똥말똥하다

멀뚱하다: 정신이 생기가 없고 멀겋다 작말똥하다

멀쩡하다: 정신이 맑고 뚜렷하다

멍멍하다: ① 정신이 빠진 것같이 어리벙벙하다 ② '먹먹하다'의 잘못 ③ 〈북한어〉 '먹먹하다'의 북한어

멍하다: 정신이 빠진 것 같다

몽롱하다(朦朧): 정신이 흐리멍덩하다

미현하다(迷眩): 정신이 어지럽고 어수선하다

수선하다: 갈피를 잡을 수 없게 정신이 어지럽다

수수하다: 정신이 어지럽도록 시끄럽고 떠들썩하다

아득하다: 정신이 흐리멍덩하다 (예) 정신이 아득하다

아뜩아뜩하다: 자꾸 또는 매우 아뜩하다 예아득아득하다 큰어뜩어뜩하다

아뜩하다: 갑자기 어지러워 정신을 잃고 까무러칠 듯하다 예아득하다 큰어뜩하다

아리아리하다: 정신이 아릿거릴 만큼 여러 가지가 아리송하다 큰어리어리하다

알딸딸하다: 뜻밖의 일을 당하거나 여러 가지 일이 복잡해서정신을 가다듬지 못하다

어득하다: 너무 멀어서 정신이 어찔어찔하다 작아득하다

어리둥절하다: 정신을 차릴 수 없도록 얼떨떨하다

어리마리하다: 잠이 든 둥 만 둥 하여 정신이 흐릿하다

어리벙벙하다: 어리둥절하여 갈피를 잡을 수 없다

어리빙빙하다: 정신이 어찔어찔하여 어떻게 하여야 좋을지 모르고 있다

어리뻥뻥하다: 어리둥절하여 도무지 갈피를 잡을 수 없다 예어리벙벙하다

326

어리삥삥하다: 어떻게 해야 좋을지 몰라서 정신이 몹시 얼떨떨하다

어지럽다: ① 몸을 가눌 수 없고 정신이 흐리고 얼떨떨하다 ② 마음이 가든그리지 않고 어수선하다

어질어질하다: 어질증이 나서 자꾸 정신이 어지럽다 🕑어찔어찔하다 🕒아질아질하다

어찔어찔하다: 몹시 어찔하다 🕁어질어질하다 🕒아찔아찔하다

어찔하다: 갑자기 정신이 내둘리어 쓰러질 듯이 어지럽다 🕒아찔하다

얼떨떨하다: 뜻밖의 일로 당황하거나 여러 가지 일이 복잡하여 정신이 매우 얼떨하다 🕨떨떨하다

얼떨떨하다: 뜻밖의 일이나 복잡한 일로 정신을 가다듬지 못하고 매우 얼떨하다 🕒알딸딸하다

얼뜨다: 다부지지 못하여 정신이 없어 보이다

옹송망송하다: 생각이 잘 떠오르지 아니하고 정신이 흐릿하다 🕨옹송옹송하다

요란하다: 마음이나 정신이 어지럽다

요요하다(擾擾): 정신이 뒤숭숭하고 어수선하다

초롱초롱하다: 정신이 맑고 또렷또렷하다

치매하다(癡呆): 〈의학〉 말씨나 행동이 느리고 정신 작용이 완전하지 못하다

핑하다: 갑자기 정신이 어찔하고 몹시 흐리멍덩하다 🕁벙하다

하리망당하다: 정신이 아른아른하고 맑지 못하다 🕢흐리멍덩하다

현란하다(眩亂): 정신이 어지럽고 어수선하다

혼곤하다(昏困): 정신이 흐릿하고 고달프다

혼몽하다(昏懜): 정신이 흐릿하여 가물가물하다

혼미하다(昏迷): 정신이 헷갈리고 흐리멍덩하다

혼혼하다(昏昏): 정신이 아득하여 희미하다

황홀하다(恍惚): 놀랍거나 갑작스럽거나 하여 정신이 어지럽다

흐리멍덩하다: 정신이 맑지 못하고 흐리다 🕒하리망당하다

63. 지식의 뜻

깊다: 지식, 경험, 연구 따위가 많다 🕁얕다

다식하다(多識): 아는 것이 많다

도저하다(到底): 지식의 정도가 매우 깊다

박문하다(博文): 학문을 많이 닦아 지식이 너르다
박식하다(博識): 지식이 넓고 아는 것이 많다
부섬하다(富贍): 재물이나 지식이 아주 넉넉하다
부천하다(膚淺): 지식이나 말이 천박하다
얕다: 지식, 경험, 연구 따위가 적다 囲깊다
천단하다(淺短): 지식이나 생각 따위가 얕고도 짧다
천박하다(淺薄): 지식이나 생각 따위가 얕다

64. 지조의 뜻

경개하다(耿介): 지조가 굳다
고개하다(孤介): 홀로 지조가 굳다
굳세다: 한번 세운 뜻을 급하거나 바꾸는 일이 없이 그대로 밀고나가는 힘이
　　있다
단단하다: 뜻이나 생각이 매우 굳다

65. 지혜에 관한 형용사

다기하다(多技): 기술이나 손재주가 많다
도저하다(到底): 기술의 정도가 매우 깊다
둔박하다(鈍朴): 둔하고 순박하다
무디다: 느끼고 깨닫는 힘이 느리고 둔하다
배다: 소견이 없다
불민하다(不敏): 둔하고 재빠르지 못하다
빠르다: 알아차림이 날쌔다
뻑뻑하다: 소견이 트이지 못하고 비좁다 囹뻭뻑하다
쇠양배양하다: 요량이 적고 분수가 없어 아둔하다
얇다: 빤히 들여다보일 만큼 소견이 좁다 囲엷다
용통하다: 소견머리가 좁고 미련하다
재롱스럽다: 재롱을 부려 귀엽거나 재미있다
지현하다(至賢): 매우 현명하다

황연하다(晃然): 환하게 깨닫다

66. 질김의 뜻

잘깃하다: 꽤 질긴 듯하다 웬짤깃하다 큰질깃하다
준득준득하다: 끈기 있고 질깃질깃하다 웬쭌득쭌득하다 좍존득존득하다
줄기차다: 끊임없이 몹시 질기다
질기다: 물건이 쉬 끊어지거나 떨어지거나 하지 않고 견디는 힘이 세다
질깃질깃하다: 매우 질깃하다 웬찔깃찔깃하다 좍잘깃잘깃하다
질깃하다: 씹히는 것이 차지고 질기다 웬찔깃하다 좍잘깃하다
쫄깃쫄깃하다: 씹히는 것이 매우 쫄깃하다 여졸깃졸깃하다 큰쭐깃쭐깃하다
쫄깃하다: 씹히는 것이 아주 차지고 질기다 여졸깃하다 큰쭐깃하다
쭌득쭌득하다: 매우 끈기 있고 찔깃찔깃하다 여준득준득하다 좍쫀득쫀득하다
쭐깃쭐깃하다: 씹히는 것이 매우 쫄깃하다 여줄깃줄깃하다 좍쫄깃쫄깃하다
쭐깃하다: 씹히는 것이 매우 차지고 질기다 여줄깃하다 좍쫄깃하다
찌득찌득하다: 물건이 잘 베어지거나 쪼개어지지 아니할 정도로 매우 검질기
    다 좍짜득짜득하다
찐득찐득하다: ① 끈적끈적하게 진기가 많다 ② 몹시 검질기게 끈끈하다 여진
    득진득하다 좍짠득짠득하다
찔깃찔깃하다: 매우 찔깃하다
찔깃찔깃하다: 매우 찔깃하다 여질깃질깃하다
찔깃하다: 꽤 아주 질긴 듯하다 여질깃하다

67. 질서에 관한 형용사

무잡하다(蕪雜): 사물이 뒤섞여서 어지럽고 어수선하다
무질서하다(無秩序): 질서가 없다
문란하다(紊亂): 질서 따위가 흐트러져서 어지럽다
번거롭다: ① 어수선하고 복잡하다 ② 꽤 어수선하다
번거하다: ① 매우 어수선하고 복잡하다 ② 꽤 수선스럽다
부산하다: 여러 가지 일로 어수선하다

분란하다(紛亂): 어수선하고 떠들썩하다

분분하다(紛紛): 흩날리는 모양이 뒤섞여서 어수선하다

분요하다(紛擾): 어수선하고 소란스럽다

분잡하다(紛雜): 많은 사람이 북적거리며 어수선하다

산란무통하다(散亂無統): 흩어지고 어지러워 질서가 없다

스산하다: ① 거칠고 쓸쓸하여 어수선하다 ② 안정되지 아니하고 몹시 어수선
하다

어수선산란하다: 몹시 얽히고 뒤섞이어 어지럽고 뒤숭숭하다

에넘느레하다: 종이나 헝겊 따위가 여기저기 난잡하게 늘어져 있어 어수선
하다

에부수수하다: 정돈되지 아니하여 어수선하고 엉성하다 (예) 에부수수한 머리
[거]에푸수수하다 [비]부수수하다

에푸수수하다: 정돈되지 아니하여 몹시 어수선하고 엉성하다 [여]에부수수하다
[비]푸수수하다

왁자지껄하다: 매우 떠들썩하고 어수선하다

왁자하다: 정신이 어지럽도록 떠들어서 어수선하다

요요하다(擾擾): 떠들썩하고 시끄러워서 어수선하다

잡박하다(雜駁): 마구 얽히거나 뒤섞여서 일정한 질서가 없다

지저분하다: 어수선하고 거칠다

푸수수하다: 잘 정돈되지 않아 어수선하고 엉성하다

호란하다(胡亂): 뒤섞이어 어수선하다

68. 집안·친족·자손 등의 형용사

강근하다(强近): 친척의 촌수가 가깝다

다족하다(多族): 친족이 많다

단출하다: 식구가 많지 않아서 홀가분하다

멀다: 촌수가 아주 많다

무손하다(無孫): 자손이 없다

무주하다(無主): 임자가 없다

무후하다(無後): 대를 이어갈 자손이 없다

미렷하다: 턱이 뾰족하고 두툼하다

번족하다(繁族): 자손이 많아 집안이 번성하다

안가하다(安家): 집안이 두루 평안하다

울세다: 〈순우리말〉 일가나 친척이 많고 번성하다

울이세다: 일가나 친척이 많다

위허하다(胃虛): 위가 허약하다

절손하다(絶孫): 자손이 끊어지다

조랑조랑하다: 어린 아이들이 많이 딸려 있다 圁주렁주렁하다 圄조롱조롱하다

지열하다(枝劣): (비유적으로) 자손이 조상보다 못하다

쭝긋쭝긋하다: 입술이나 귀 따위를 한 번 쭝그리다

해발쪽하다: 입이나 구멍 따위가 속이 들여다보일 정도로 조금 넓게 바라진
　　상태이다

헤벌쭉하다: 입 따위가 헤벌어져 벌쭉하다 圂해발쪽하다

화하다: 입안이 얼얼한 듯하면서 시원스러운 느낌이 있다

69. 체면에 관한 형용사

난연하다(赧然): 수줍어서 낯빛이 붉다

남부끄럽다: 창피하여 남을 대하기가 부끄럽다

남세스럽다: 圁남우세스럽다

남우세스럽다: 남에게 놀림과 비웃음을 받을 듯하다

노대하다(老大): 나이와 경륜이 많고 위신이 있다

망신스럽다(亡身): 망신을 당하는 듯하다

면괴스럽다(面愧): 圁면구스럽다

면괴하다(面愧): 圁면구하다

면구스럽다(面垢): 낯을 들고 대하기에 부끄러운 데가 있다 圂면괴스럽다

면구하다: 남을 마주 대하기가 부끄럽다 圂면괴하다

무료하다(無聊): 부끄럽고 열없다

무색하다(無色): 겸연쩍고 부끄럽다

무안스럽다(無顔): 무안한 데가 있다

무안하다(無顔): 부끄러워 볼 낯이 없다

무참스럽다(無慚): ① 보기에 매우 부끄러운 데가 있다 ② 부끄러운 줄을 모르
　　는 데가 있다

무참하다(無慚): ① 매우 부끄럽다 ② 부끄러운 줄을 모른다

무치하다(無恥): 부끄러움이 없다

무폐하다(無弊): 아무 폐단이 없다

민망스럽다(憫惘): ⊟면구스럽다

바끄럽다: '부끄럽다'를 홀하게 일컫는 말

부끄럽다: ① 양심에 거리낌이 있어 남을 대하는 것이 떳떳하지 아니하다 ②
　　스스러움을 느껴서 수줍다

붓그럽다: '부끄럽다'의 옛말

빛접다: 떳떳하고 번듯하여 부끄러운 것이 없다

손뜨겁다: ⊟손부끄럽다

손부끄럽다: 무엇을 주거나 받으려고 손을 내밀었다가 허탕이 되어 무안하고
　　부끄럽다 🄱손뜨겁다

수괴하다(羞愧): 부끄럽고 창피하다

수삽스럽다: 부끄럽고 수줍은 데가 있다

수삽하다: 부끄럽고 수줍다

수참하다(羞慚): 매우 부끄럽다

수통하다(羞痛): 부끄럽고 가슴 아프다

쑥스럽다: 자연스럽지 못하여 부끄럽다

염치없다(廉恥): 체면도 부끄러움도 없다

욕되다: 부끄럽고 명예스럽지 못하다

우멍하다: 쑥스럽다

우세스럽다: ⊟남우세스럽다

임의롭다(任意): 서로 친하게 체면 차릴 것이 없다

점직하다: 부끄럽고 미안하다

점하다: '점직하다'의 준말

짓쩍다: 부끄러워서 면목이 없다

참분하다(慚憤): 부끄럽고 분하다

창피스럽다: 창피한 느낌이 있다

창피하다: ① 낯이 깎이거나 아니꼬움을 당하여 부끄럽다 ② 모양이 사납다

피둥피둥하다: 말을 듣지 않고 엇나갈 만큼 체면이 없다

해참하다(駭慚): 해괴하여 남부끄럽다

황괴하다(惶愧): 황공하고 부끄럽다

70. 탐스러움의 뜻

걸쌍스럽다: 일솜씨가 뛰어나거나 먹음새가 좋아서 보기에 탐스럽다
난만하다(爛漫): 아주 탐스럽거나 한창 성하다
도담하다: 야무지고 탐스럽다 〈순우리말〉 탐스럽고 아담하게 도드라지다
복슬복슬하다: 살이 찌고 털이 많아 탐스럽다
소담스럽다: 소담한 듯하다
소담하다: 풍족하고 아름다워 탐스럽다
탐스럽다: 마음이 몹시 끌리도록 보기에 소담스러운 데가 있다
허들지다: '탐스럽다'의 잘못
흐드러지다: 매우 탐스럽다

71. 탐탁함의 뜻

달근달근하다: 재미스럽고 탐탁하다
엉성하다: 탐탁하지 아니하다 ⺫공소하다 (예) 엉성한 웃음
어설프다: 탐탁하지 아니하다 (예) 어설픈 부탁
어정뜨다: 마땅히 할일을 제대로 하지 아니하여 탐탁하지 않다

72. 태도에 관한 형용사

가살스럽다: 보기에 가살을 부리는 태도가 있다
가실지다: 가살을 부리는 태도가 있다
가즈럽다: 가진 것도 없으면서 체하며 뻐기는 태도가 있다
거드름스럽다: 보기에 거드름을 피우는 태도가 있다
거만스럽다: 보기에 거만하다
거만하다(倨慢): 잘난 체하며 남을 업신여기는 데가 있다
거벽스럽다(巨擘): 보기에 사람됨이 억척스럽고 묵직한 데가 있다
거세다: 거칠고 세다
거세차다: 몹시 세차다
거오하다(倨傲): 거만하고 오만하다

건방지다: ① 잘난 체하거나 남을 낮추어 보듯이 행동하는 데가 있다 ② 허우대가 크고 행동이 드레지다

건실하다: 건전하고 성실하다

게정스럽다: 불평스러운 말과 행동을 드러내는 태도가 있다

결연하다(決然): 마음가짐이나 행동에 있어 태도가 움직일 수 없을 만큼 확고하다

겸공하다(謙恭): 자기를 낮추고 남을 높이는 태도가 있다

겸허하다(謙虛): 겸허한 태도가 있다

경건하다(敬虔): 공경하는 마음으로 깊이 삼가하는 태도가 있다

경경하다(輕輕): 말이나 행동이 가볍다(경솔한 태도)

경망스럽다(輕妄): 보기에 경망하다

경박하다: 언행이 가볍고 얕다

경선하다(徑先): 앞지르기를 잘하고 경솔하다

경솔하다: 말이나 행동이 가볍다

경홀하다(輕忽): 말이나 행동이 가볍다

고분고분하다: 말이나 하는 짓이 공손스럽고 부드럽다

고항하다(高亢): 뜻이 높아 남에게 굽실거리지 않는 태도가 있다

곤복하다(悃愊): 진실하고 정성스럽다

곱다: '곱게'로 쓰이어 얌전하게 점잖게

공검하다(恭儉): 공손하고 검소하다

공공연하다: ① 아주 공변되고 떳떳하다 ② 거리낌이나 숨김이 없이 그대로 드러나 있다

공공하다(公公): ▣공변되다 ▣공공연하다

공근하다(恭勤)[1]: 공손하고 부지런하다

공근하다(恭謹)[2]: 공손하고 조심성이 있다

공명정대하다(公明正大): 아주 공정하고 떳떳하다

공명하다: 공정하고 명백하다

공변되다: 행동이나 일 처리가 사사롭거나 편벽되지 아니하고 공평하다 ▣공공하다

공순하다: 공손하고 온순하다

공의롭다: 공평하고 의롭다

공직하다(公直): 공변되고 정직하다

공편하다(公便): 공평하고 편리하다

공평하다(公平): 공편하게 나누다

괴덕스럽다: 실없고 수선스럽다

괴란쩍다(愧赧): 얼굴이 붉어지도록 부끄러운 느낌이 있다

괴망스럽다: 보기에 괴망하다

괴망하다: 기괴하고 망측하다

교거하다(驕倨): 보기에 교만하다

교만스럽다(驕慢): 보기에 교만하다

교만하다(驕慢): 잘난 체하여 겸손하지 못하고 건방지게 행동하다

교사스럽다(巧詐): 보기에 교사하다

교사하다(巧詐): 교만하고 사치스럽다 ⓑ교치하다

교일하다(驕逸): 교만하고 방자하여 버릇이 없다

교지하다(巧遲): 교묘하기는 하지만 느리다

교치하다(驕侈): ⊟교사하다

교하다(驕): ⊟교만하다

교한하다(驕悍): 교만하고 사납다

교항하다(驕亢): 교만하여 혼자 잘날 체하다

구구하다(區區): ① 잘고 많아서 일일이 언급하기가 구차스럽다 ② 떳떳하지 못하고 졸렬하다

구둔하다(口鈍): 말하는 것이 굼뜨다

구험하다(口險): 입이 험하다

굳다: 태도나 표정이 딱딱하거나 뻣뻣하다

극공하다(極恭): 아주 공손하다

깍듯하다: 인사를 차리는 태도가 극진하다

냉연하다(冷然): 성질이나 태도가 쌀쌀하다

냉정하다: 성질이나 태도가 정다운 맛이 없고 차갑다

너볏하다: 남에게 보이기에 번듯하고 의젓하다

노성하다(老成): 숙성하고 의젓하다

느글느글하다: 행동이나 태도가 능글맞고 끈덕지다

늠름하다: 생김새나 태도가 씩씩하고 의젓하다

능갈치다: 매우 능청맞다

능글능글하다: 능청스럽고 능갈치다

능글맞다: 매우 능글능글하다

능청맞다: 엉큼한 속마음을 감추고 시치미를 뚝 떼는 태도가 뚜렷하다

능청스럽다: 엉큼한 속마음을 감추고 시치미를 떼는 데가 있다

다라지다: 끈질기고 야무지다

다소곳하다: 말없이 고개를 소속이 하고 온순한 태도가 있다

다심스럽다: 다심한 태도가 있다

단연하다(斷然): 결단하는 태도가 있다

단작스럽다: 하는 짓이 보기에 치사하고 다라운 데가 있다 (큰)던적스럽다

단정하다: 얌전하고 바르다

담담하다: 마음이나 태도가 조용하고 침착하다

담백하다: 마음이나 태도가 조용하고 침착하다 (예) 솔직하고 담백한 태도

당돌하다: ① 꺼리거나 어려워하는 마음이 조금도 없이 올차고 다부지다 ②
　　윗사람에게 대하는 것이 버릇이 없고 주제넘다

대담스럽다: 보기에 대담한 태도가 있다

대범스럽다: 보기에 대범한 태도가 있다

댕가리지다: 사람의 됨됨이가 깜찍스럽게 다라지다

데면데면하다: 친밀감이 없이 대하는 태도가 예사롭다

도고하다(道高): 스스로 높은 체하여 교만스럽다

도도하다: 잘난 체하여 주제넘게 거만하다

도량스럽다: 보기에 함부로 날뛰어 버릇없는 태도가 있다

도섭스럽다: 능청맞게 변덕을 부리는 태도가 있다

독경하다(篤敬): 말과 행실이 착실하고 삼가는 태도가 있다

독민하다(篤敏): 성실하고 민첩하다

돈하다: 매우 되고도 세다

되양되양하다: 하는 짓이나 말이 무게가 없고 경솔하다

되양스럽다: 보기에 되양되양하다

뒤넘스럽다: ① 되지 못하게 건방지다 ② 어리석고 주제넘다

뒤스럭스럽다: 말과 짓이 수다스럽고 부산한 데가 있다

등한시하다(等閑視): 소홀하게 보아 넘기다

등한하다: 소홀하거나 무심하다

딱딱하다: 태고나 말씨 또는 분위기 따위가 꺽꺽 하고 거세다

떳떳하다: 어연번듯하여 조금도 틀리거나 굽힘이 없다 (예) 떳떳한 권리

뚱딴지같다: 행동이나 사고방식 따위가 너무나 엉뚱하다 〈순우리말〉 엉뚱한
　　면이 있다

뚱하다: 못마땅하여 시무룩하다

뜨뜨미적지근하다: '뜨뜻미지근하다'의 북한어

뜨뜻미지근하다: 태도에 결단성과 적극성이 없다

만홀하다(漫忽): 등한하고 소홀하다

망망연하다(望望然): 수줍어서 얼굴을 들지 못하고 흘끗흘끗 바라보는 기색이 있다

망상스럽다: 요망스럽고 깜찍하다

매실매실하다: 사람이 되바라지고 반드러워 얄밉다

맨망스럽다: 보기에 맨망하다

맨망하다: 요망스럽게 까불어 진득하지 아니하다

맵살스럽다: 보기에 몹시 얄밉다

멀쩡하다: 터무니가 없거나 뻔뻔스럽다

무겁다: 침착하거나 진득하다 (예) 입이 무거운 사람

무성의하다(無誠意): 성의가 없다

무엄스럽다: 보기에 버릇없이 함부로 구는 티가 있다

무엄하다: 버릇없다

무음하다(誣淫): 거짓되고 음란하다

무작스럽다: 보기에 무지하고 우악한 데가 있다

무작하다: 무지하고 우악하다

무존장하다(無尊丈): 어른에 대하여 버릇이 없다

묵중하다(黙重): 말이 적고 몸가짐이 신중하다

묵직하다: 점잖고 무게가 있다

물쩍지근하다: 일을 하는 태도가 지루할 정도로 물쩡하다

미련하다(未練): ⊟미숙하다

미숙하다(未熟): 일 따위에 익숙하지 못하여 서투르다

미적지근하다: 성격이나 행동, 태도 따위가 맺고 끊는 데가 없이 흐리멍덩하다

미지근하다: 행동이나 태도가 결단성이 없고 흐리멍덩하다

박소하다(朴素): ⊟소박하다

반들반들하다: 부끄러워할 줄 모르고 뻔뻔스럽다 셴빤들빤들하다 큰번들번들하다

반복무상하다(叛服無常): 배반하였다 복종하였다 하여 그 태도를 종잡을 수 없다

반상반하하다(半上半下): 태도나 성질이 모호하여 위나 아래 어느 쪽에도 붙지 아니하다

반질반질하다: 뻔뻔스럽고 유들유들하다 셴빤질빤질하다 큰번질번질하다

발칙스럽다: 보기에 발칙하다

발칙하다: 몹시 버릇이 없다

방만하다(放漫): 제멋대로 하여 산만하다

방약무인하다(傍若無人): 곁에 사람이 없는 것처럼 아무 거리낌 없이 함부로 말하고 행동하는 태도가 있다

방자스럽다(放恣): 말, 행동, 태도 따위에 어려워하거나 삼갈 줄 모르고 건방지다

방자하다(放恣): 어려워하거나 조심스러워하는 태도가 없이 무례하고 건방지다

방정맞다: ① 몹시 까불어서 아주 경망스럽다 ② 아주 요망스럽게 줄어서 상서롭지 못하다

배젓하다: 남에게 책잡히거나 굽힐 만한 것이 없이 매우 떳떳하고 의젓하다 여버젓하다

반하다: 조금 반하다 셴빤하다

버젓하다: ① 남의 시선을 의식하여 조심하거나 굽히는 데가 없다 ② 남의 축에 빠지지 않을 정도로 번듯하다

변사스럽다(變詐): ① 변덕스럽게 이랬다저랬다 하는 데가 있다 ② 이리저리 속이는 듯하다

별스럽다: 보통과는 다른 태도가 있다

별쭝나다: 말이나 하는 짓이 아주 별스럽다

별쭝맞다: 몹시 별쭝나다

보드랍다: 성질이나 태도가 곱고 순하다

볼강스럽다: 어른 앞에서 버릇없고 공손하지 못한 태도가 있다

볼메다: 성난 태도가 있다

부드드하다: 인색하여 잔뜩 움켜쥐고 놓기 싫은 태도가 있다 셴뿌드드하다

부제하다(不悌): 윗사람에 공손하지 못하다

부조하다(浮躁): 성질이 차분하지 아니하고 경망스럽다

불건하다(不虔): 경건하지 아니하다

불경스럽다: 보기에 불경한 데가 있다

불공스럽다: 보기에 불공한 데가 있다

불손하다(不遜): 겸손하지 아니하다

불투명하다: 태도나 성질 따위가 확실하거나 분명하지 아니하다

비굴스럽다(卑屈): 비굴한 데가 있다

비굴하다(卑屈): 줏대가 없고 떳떳하지 못하다

비밀스럽다: 보기에 비밀한 데가 있다

비밀하다: 알리면 안 되거나 드러내서 안 되는 태도가 있다

비장하다(悲壯): 슬프면서도 마음을 억눌러 씩씩하다

빤빤스럽다: 보기에 빤빤한 태도가 있다

빤질빤질하다: 몹시 유들유들하고 빤빤스럽다 예반질반질하다 큰뻔질뻔질하다

빳빳하다: 태도나 성질이 꽤 억세다 큰뻣뻣하다

뻔뻔스럽다: 보기에 뻔뻔한 데가 있다 작빤빤스럽다

뻔질뻔질하다: 몹시 유들유들하고 뻔뻔스럽다 예번질번질하다 작빤질빤질하다

뻣뻣하다: 태도나 성격이 아주 억세다 작빳빳하다

뿌드드하다: 인색하게 잔뜩 움켜쥐고 놓기 싫어하는 태도가 있다 예부드드하다

사곡하다(私曲): 사사롭고 곧바르지 못하다

삿되다: 사사롭다

새치름하다: 쌀쌀맞게 시치미를 떼는 태도가 있다

새침하다: 쌀쌀하게 시치미를 떼는 태도가 있다 큰시침하다

샐쭉샐쭉하다: 여럿이 다 샐쭉하다

샐쭉하다: 마음에 시뻐서 고까워하는 태도가 있다

생청스럽다: 생청붙이는 성질이 있다(생떼 쓰는 태도가 있다)

서슴없다: 말이나 행동에 망설임이나 거침이 없다

선드러지다: 태도가 경쾌하고 맵시가 있다

설미지근하다: 어떤 일에 임하는 태도가 분명하지 아니하고 흐리멍덩하다

세치하다(細緻): ᄐ치밀하다(緻密)

소박하다(素朴): 꾸밈이나 거짓이 없고 수수하다

소탈하다: 수수하고 털털하다

소홀하다(疏忽): 대수롭지 아니하고 예사롭다(탐탁하지 아니하고 데면데면하다)

솔이하다(率爾): ① 생각할 겨를도 없이 매우 급하다 ② 말이나 행동이 신중하지 못하고 가볍다

순순하다(諄諄): 타이르는 태도가 다정스럽고 친절하다

스스럽다: 수줍고 부끄럽다

습습하다: 사내답게 너그럽고 활발하다

승겁들다: 초조해하는 기색이 없이 천연스럽다

시건방지다: 시큰둥하게 건방지다

시룽시룽하다: 점잖지 못하게 실없이 까불며 지껄이는 데가 있다

시먹다: 버릇이 못되게 들어 이르는 말을 듣지 아니하다

시설스럽다: 시설거리기를 좋아하여 보기에 실없다 圓새살스럽다

시원하다: 서글서글하고 활발하다

시치름하다: 시치미를 떼고 꽤 태연한 태도로 있다 쪄새치름하다

시침하다: 시치미를 떼는 태도가 있다

시큰둥하다: ① 하는 짓에 엉뚱한 티가 있다 ② 시고 건방지다

시퉁스럽다: 보기에 하는 짓이 주제넘고 건방진 데가 있다

시퉁하다: 주제넘고 건방지다

신밀하다(愼密): 신중하고 꼼꼼하다

실쭉실쭉하다: 여럿이 다 마음에 차지 아니하여서 약간 고까워하는 데가 있다
　　셴씰쭉씰쭉하다 쪄샐쭉샐쭉하다

실쭉하다: 마음에 차지 않아서 매우 아니꼬워하는 태도가 드러나 있다 셴씰쭉
　　하다 쪄샐쭉하다

심악하다(甚惡): 매우 모질고 독하여 야멸치고 인정이 없다

싸늘하다: 친절하지 않고 좀 차가운 듯하다 여사늘하다 큰써늘하다

싹싹하다: 눈치가 빠르고 남을 대하는 태도가 상냥하다

쌜쭉쌜쭉하다: 여럿이 다 쌜쭉하다 여샐쭉샐쭉하다 큰씰쭉씰쭉하다

쌜쭉하다: 마음에 차지 아니하여서 약간 고까워하는 태도가 드러나다 여샐쭉
　　하다 큰씰쭉하다

썩썩하다: 태도가 서근서근하고 눈치가 빠르다

쑥스럽다: 하는 짓이 꼴이 어울리지 아니하여 우습고 싱겁다

아기뚱하다: 〈북한어〉 몸가짐이나 태도가 무뚝뚝하고 뚱하다

아리잠직하다: 키가 작고 모습이 얌전하며 어린 티가 있다

앙가조촘하다: ① 앉지도 서지도 아니하고 몸을 반쯤 굽힌 상태에 있다 ②
　　이러지도 저러지도 못하고 조금 망설이는 상태에 있다

앙그러지다: 하는 짓이 꼭 어울리고 짜인 맛이 있다 (예) 어찌 붙임성 있고 앙그러
　　지게 말을 하던지

앙연하다(怏然): 앙앙하여 결연하다

앙칼스럽다: 보기에 앙칼지다

앙칼지다: ① 제 힘에 겨운 일에 악을 쓰고 덤비는 태도가 있다 ② 매우 앙큼하고 날카롭다

앙큼하다: 엉뚱한 욕심을 품고 분수 밖의 짓을 하고자 하는 태도가 있다

앞차다: 일을 내다보는 태도가 믿음직하고 당차다

애애하다(靄靄): 점잖은 이들이 많이 모여 있다

야단스럽다: 약빠르고 매몰스럽다

야발스럽다: 보기에 야살스럽고 되바라진 데가 있다

야살스럽다: 얄망궂고 잔재미가 있다

야젓잖다: 말이나 행동 따위가 좀스러워 점잖지 못하고 가벼운 데가 있다

야젓하다: 말이나 행동 따위가 좀스럽지 않아 점잖고 무게가 있다

야지랑스럽다: 얄밉도록 능청맞으면서도 천연스럽다

약다: ① 자신에게만 이롭게 꾀를 부리는 성질이 있다 ② 어려운 일이나 난처한 일을 잘 피하는 꾀가 많고 눈치가 빠르다

약빠르다: 약고 눈치가 빠르다

얄궂다: 야릇하고 짓궂다

얘지랑스럽다: '야지랑스럽다'의 잘못

어리광스럽다: 어리광을 부리는 태도가 있다

어리둥절하다: 뜻밖의 놀라운 일을 당하였거나 기가 막혀 얼떨떨하다

어리벙벙하다: 어리둥절하여 갈피를 잡을 수 없다 센어리뻥뻥하다

어색하다: 서먹서먹하여 멋쩍고 쑥스럽다

어정쩡하다: 얼떨떨하고 뻥뻥하다

어처구니없다: 일이 너무 뜻밖이어서 기가 막히는 듯하다 비어이없다

어험스럽다: 짐짓 위엄이 있어 보이는 듯하다

엄살궂다: 엄살을 부리는 태도가 있다

엄살스럽다: 보기에 엄살하는 듯하다

엄전스럽다: 태도나 행실이 정숙하고 점잖은 데가 있다

엄펑스럽다: 의뭉스럽게 남을 속이거나 곯리는 데가 있다

엇되다: 사람이 좀 건방지다

역빠르다: 역어서 눈치나 행동 따위가 재빠르다

열띠다(熱): 열기를 품다 (예) 열띤 논쟁

염려하다(艶麗): 태도가 곱다

염염하다(冉冉): 나아가는 모양이 느릿하다

오도깝스럽다: 경망하게 덤비는 태도가 있다

오만스럽다(傲慢): 보기에 건방지다

오연하다(傲然): 태도가 거만하거나 그렇게 보일 정도로 담담하다

오퍅하다(傲愎): 교만하고 독살스럽다

왁살스럽다: '우악살스럽다'의 준말

완강하다(頑强): 태도가 모질고 의지가 굳다

완만하다(頑慢): 성질이 모질고 거만하다

완선하다(完善): 나무랄 데가 없다

완악하다(頑惡): 성질이 억세고 고집스럽고 사납다

완완하다(婉婉)¹: ① 태도가 예쁘고 맵시가 있다 ② 상냥하고 부드럽다

완완하다(緩緩)²: 느릿느릿하다

요망스럽다(妖妄): ① 요사스럽고 망령된 태도가 있다 ② 언행이 방정맞고 경
  솔한 데가 있다

요조하다(窈窕): 얌전하고 아름답다

우람하다: 위엄이 있다

우아하다(優雅): 점잖고 아름다워 품위가 있다

우악살스럽다: ① 보기에 매우 미련하고 험상궂은 데가 있다 ② 보기에 대단히
  무지하고 포악하며 드센 데가 있다

우악스럽다: 보기에 모질고 우락부락하다

우악하다: 모질고 우락부락하다

우자스럽다(愚者): 어리석어서 신분에 맞지 않는 태도가 있다

위엄스럽다(威嚴): 점잖고 엄숙한 태도가 있다

위엄하다(威嚴): 존경할 만한 위세가 있어 점잖고 엄숙하다

위연하다(威然): 위엄이 있고 늠름하다

유심하다(有心): 주의가 깊다

유체스럽다: 잘난 체하고 점잖은 체하여 온화한 맛이 없다

융숭하다(隆崇): 대하는 태도가 정성스럽다

음충스럽다: 마음이 음흉하고 불량한 태도나 느낌이 있다

의젓잖다: 점잖지 못하고 가벼운 데가 있다

의젓하다: 말이나 행동 따위가 점잖고 무게가 있다

이상하다: 별나거나 색다르다

이왕스럽다: 아양을 부리는 듯하다

익살맞다: 익살스러운 데가 있다

익살스럽다: 익살을 부리는 데가 있다

자방하다(恣放): ⦀방자하다

자약하다: 기색이 달라질 만한 자리를 당하여도 보통 때처럼 아무렇지 아니하다

자일하다(恣逸): ⦀방자하다

잔드근하다: 태도와 행동이 침착하고 참을성이 있다 ⓔ진드근하다

잔망스럽다(屛妄): 잔망한 태도가 있다

잔망하다(屛妄): ① 행동이 자질구레하고 가볍다 ② 얄밉도록 맹랑하다

장난스럽다: 장난하는 듯한 태도가 있다

장렬하다(壯烈): 의기가 씩씩하고 열렬하다

잦바듬하다: ① 덤비지 않고 물러날 듯하다 ② 어떤 일에 대하여 탐탁해하거나 즐겨 하는 빛이 없다 ⓔ젖버듬하다

절엄하다(切嚴): ⦀지엄하다

정밀하다(精密): 정세하고 치밀하다

정성스럽다(精誠): 정성어린 태도가 있다

정중하다(鄭重): 태도가 점잖고 묵직하다

정치하다(精緻): 정교하고 치밀하다

젖버듬하다: 탐탁해하지 않는 듯한 태도를 보이고 있다 ⓐ잦바듬하다

조잡스럽다: 음식에 대하여 다랍게 욕심을 부리는 태도가 있다 ⓔ주접스럽다

종상하다(綜詳): 치밀하고 상세하다

종용하다(從容): 성격이나 태도가 차분하고 침착하다

주접스럽다: 음식 따위에 욕심을 부리는 태도가 있다

주제넘다: 말이나 하는 짓이 아니꼽게 제 꼴에 지나치는 태도가 있다(제 꼴보다는 건방지다)

준절하다(峻截): 매우 위엄이 있고 정중하다

중후하다(重厚): 태도가 정중하고 심덕이 두텁다

지공하다(至恭): 아주 공손하다

지독하다: 아주 심하다

지망지망하다: ① 조심성이 없고 경박하게 촐랑대는 데가 있다 ② 어리석고 둔하여 무슨 일에나 소홀하다

지엄하다(至嚴): 매우 엄하다

진드근하다: 태도와 행동이 매우 침착하고 참을성이 많다

진중하다(鎭重): 무게가 있고 점잖다

진지하다(眞摯): 태도가 참되고 착실하다

질탕스럽다(佚蕩): 보기에 질탕하다

질탕하다(佚蕩): 신이 나서 정도가 지나치도록 흥겹다

질펀하다: 주저앉아 하는 일 없이 늘어져 있다

짓궂다: 별나거나 엉뚱하다

짭질찮다: '짭짤찮다'의 잘못

짭짤찮다: 점잖지 못하고 속되다

째째하다: '쩨쩨하다'의 잘못 〈북한어〉 선명하고 똑똑하다

쩨쩨하다: 사람이 잘고 인색하다

찌뿌드드하다: 표정이나 기분이 밝지 못하고 매우 언짢다

차근차근하다: 조리가 있고 찬찬하다

차근하다: 찬찬하거나 차분하다

차완하다(差緩): 조금 느슨하거나 느리다

착살맞다: 얄밉게 착살스럽다

착살스럽다: 착살한 태도가 있다

착살하다: 하는 짓이 잘고 다랍다 큰척살하다

찬찬하다: 동작이나 태도가 편안하고 느릿하다 큰천천하다 비침착하다

참률하다(慘慄): 몸이 벌벌 떨릴 만큼 끔찍하다

참척하다: 한 가지 일에만 정신을 골똘하게 쏟아 다른 생각이 없다.

천연덕스럽다: 짐짓 천연한 체하는 태도가 있다

천연스럽다: 보기에 천연하다

천천하다: 동작이 급하지 아니하고 느리다 작찬찬하다

초연하다(超然): 현실에 아랑곳하지 않고 의젓하다

추잡스럽다(醜雜): 추저분하고 잡스러운 태도가 있다

추잡하다: 거칠고 막되어서 조촐한 맛이 없다

추접스럽다: 추접지근한 태도가 있다

추접지근하다: 깨끗하지 않고 조금 추저분한 듯하다

충성스럽다: 충성의 태도가 있다

충충하다(沖沖): 몹시 걱정되는 태도가 있다

치밀하다(緻密): 자세하고 꼼꼼하다

치사스럽다: 보기에 치사하다

치사하다: 떳떳하지 못하고 남부끄럽다 비다랍다 비쩨쩨하다

치졸하다(稚拙): 유치하고 졸렬하다

침용하다(沈勇): 침착하고 용맹스럽다

침정하다(沈正): 침착하고 정직하다

침착하다(沈着): 행동이 들뜨지 아니하고 차분하다

침후하다(沈厚): 침착하고 중후하다

쾌속하다(快速): 썩 빠르다

탁연하다(卓然): 뛰어나 의젓하다

탄명스럽다: 똑똑하지 못하고 흐리멍덩한 태도가 있다

탕일하다(蕩逸): 방탕하여 절제가 없다

태깔스럽다: 보기에 교만한 태도가 있다

태없다: 사람이 뽐내거나 잘난 체하는 빛이 없다

태연스럽다(泰然): 보기에 태연하다

태연하다(泰然): 마땅히 머뭇거리거나 두려워할 상황에서 태도나 기색이 아무
　　렇지도 않은 듯이 예사롭다

퉁어리적다: 옳은지 그른지도 모르고 아무 생각 없이 행동하는 데가 있다

평연하다(平然): 평범하고 자연스럽다

포달스럽다: 포달을 부리는 태도가 있다

포만하다(暴慢): 사납고 거만하다 ⊞포횡하다

포역하다(暴逆): 포악하여 인도에 벗어나다

포횡하다(暴橫): ⊟포만하다

폭려하다(暴戾): 사람의 도리에 어그러지게 모질고 사납다

한만하다(汗漫): 탐탁하지 않고 등한하다

행행연하다(悻悻然): 성이 발끈 나서 자리를 박차고 떠나는 태도가 쌀쌀하다

허랑방탕하다(虛浪放蕩): ① 언행이 허황하고 착실하지 못하며 주색에 빠져
　　행실이 추저분하다 ② 허랑하고 방탕하다

허술하다: 무심하고 소홀하다

허탕하다(虛蕩): ⊟허랑방탕하다

헤프다: 말이나 행동을 곧잘 하여 버리는 태도가 있다

호들갑스럽다: 지나치게 풍을 떨며 떠드는 태도가 있다

호사스럽다: 호사를 부리는 태도가 있다

호의하다(豪毅): 썩 굳세고 의젓하다

호장하다(豪壯): 호탕하고 장쾌하다

호협하다(豪俠): 호방하고 의협심이 있다

흉증스럽다(凶證): 성질이나 버릇이 음흉하고 험상궂은 데가 있다

흐리다: 떳떳하거나 깨끗하지 못하여 꺼림칙하다

흔연하다(欣然): 흔연한 태도가 있다

홍감하다: 홍감 부리는 태도가 있다

73. 터무니없음의 뜻

말짱하다: 전혀 터무니없다 囝멀쩡하다

무거하다(無據): ⩦무근하다

무거하다(無據): 터무니없다 비무계한다

무계하다(無稽): ⩦무근하다

무근하다(無根): 근거가 없다

74. 특별함·특이함의 뜻

각별하다(各別): 유달리 특별하다

다르다: 특별한 데가 있다

독특하다(獨特): 특별하게 다르다

수이하다(殊異): 특별히 다르다

특유하다(特有): 일정한 사물만이 특별히 갖추고 있다

특이하다(特異): ① 보통 것이나 보통 상태에 비하여 두드러지게 다르다 ②
   특별하게 다르다 비독특하다

특중하다(特重): 특별히 중대하다

75. 틀림이 없음을 뜻하는 형용사

얼없다: 조금도 틀림이 없다 (예) 자녀들만 얼없게 하면 뒤탈은 나지 않는다

여정하다: 과히 틀릴 것이 없다

외상없다: 조금도 틀림이 없거나 어김이 없다

위불없다: ⩦위불위없다

위불위없다(爲不爲): 틀림이나 의심이 엇다 준위불없다

346

적확하다: 정확하게 맞아 조금도 틀리지 아니하다

진적하다(眞的): 참되고 틀림없다

하릴없다: 조금도 틀림이 없다

확적하다(確的): ⊟적확하다

76. 평온함을 뜻하는 형용사

미온하다: 평온하지 못하다

불온하다(不穩): 평온하지 아니하다

평담하다(平淡)¹: 고요하여 깨끗하고 산뜻하다

평담하다(平澹)²: 마음이 고요하고 탐욕이 없다

평연하다(平然): 평범하고 자연스럽다

평온하다(平穩): 평화롭고 안온하다 ⊟타안하다

평정하다(平靜): 평온하고 고요하다

77. 표정을 뜻하는 형용사

보로통하다: 얼굴에 못마땅하여 좀 성난 빛이 있다 ⟨센⟩뽀로통하다 ⟨큰⟩부루퉁
　　하다

새치롬하다: '새치름하다'의 잘못

새치름하다: 조금 쌀쌀맞게 시치미를 떼는 태도가 있다

새침스럽다: 보기에 새침한 데가 있다

샐쭉샐쭉하다: 여럿이 다 샐쭉하다 ⟨센⟩쌜쭉쌜쭉하다 ⟨큰⟩실쭉실쭉하다

샐쭉하다: 마음에 시뻐서 고까워하는 태도가 조금 나타나 있다 ⟨센⟩쌜쭉하다
　　⟨큰⟩실쭉하다

시무룩하다: 마음에 못마땅하여 말이 없고 언짢은 표정이 있다

78. 품격·품위를 나타내는 형용사

개결하다(介潔): 성분이 단단하고 조촐하다 (예) 개결한 인품

커접스럽다: 품격이 낮고도 더럽다
낮다: 품위가 나쁘거나 좋지 못하다 變높다
숭준하다(崇峻): 품위가 높고 귀하다
야하다(野): 품위가 고상하지 못하다
얌전스럽다: 얌전한 듯하다
얌전하다: 모양이 좋고 품위가 있다
잠잖다: 품격이 야하지 않고 고상하다 큰점잖다
점잖다: 품격이 야하지 아니하고 고상하다 작잠잖다
천덕스럽다(賤): 보기에 품격이 낮고 야비하다
천속하다(賤俗): 천하고 속되다

79. 풍속을 뜻하는 형용사

보람하다: 다른 물건과 구별을 하거나 잊어버리지 않게 하려고 표시를 하다
비리하다(鄙俚): 풍속이나 언어 따위가 속되고 촌스럽다
비속하다(卑俗): 풍속이 낮고 천하다
해속하다(駭俗): 풍속이, 세상 사람이 놀랄 만큼 해괴하다

80. 풍채와 관련된 형용사

헌거롭다: 풍채가 좋고 의기가 단단해 보이다
헌거하다(軒擧): 풍채가 좋고 의기가 당당하다 비헌앙하다
헌앙하다(軒昻): =헌거하다
헌걸차다: 대단히 헌거롭다
헌헌하다(軒軒): 풍채가 단단하고 빼어나다

81. 필요함의 뜻

그립다: 아쉽고 필요하다
긴요하다(緊要): 꼭 필요하고 중요하다

긴중하다(緊重): 꼭 필요하고 중요하다
불요하다(不要): 불필요하다
불필요하다(不必要): 필요하지 아니하다
새롭다: 매우 절실하게 필요하다 (예) 돈 한 푼이 새롭다
일없다: 필요가 없다
절요하다: 아주 절실하게 필요하다
절절하다(切切): 꼭 필요하다

82. 학문의 뜻

담심하다(潭深): 학문 따위의 연구가 깊다
박학다문하다(博學多聞): 학식과 견문이 넓다
박학다식하다(博學多識): 학식이 넓고 많다
박학다재하다(博學多才): 학문이 넓고 재주가 많다
박학하다(博學): 배운 것이 많고 학식이 넓다
박흡하다(博洽): 아는 것이 많아 막힐 데가 없다
식달하다(識達): 견식이 있고 사물의 도리에 밝다
온오하다(蘊奧): 학문이나 지식이 옹골차다
유식하다(有識): 학문이 있어 견식이 높다
해박하다(該博): 학문이 넓다
현오하다(玄奧): 학문이나 기예 따위가 그윽하고 깊다

83. 한가함의 뜻

공한하다(空閑): 하는 일 없이 한가하다
유연하다(悠然): 한가롭고 느긋하다
유유하다(悠悠): 한가하고 여유가 있다
한갓지다: 한가하고 조용하다
한료하다(閑廖): 한가하고 고요하다
한만하다(閑漫): 아주 한가하고 느긋한 데가 있다
한산하다(閑散): 일이 없어 한가하다

한아스럽다(閑雅): 보기에 한아하다
한아하다(閑雅): 한가하고 아담하다
한유하다(閑裕): 한가하고 여유가 있다
한적하다(閑寂)¹: 한가하고 고요하다
한적하다(閑適)²: 한가하고 매인 데가 없어 마음에 마땅하다
한정하다(閑靜): 한가하고 조용하다

84. 한도의 뜻

무궁무진하다: 한도 끝도 없다
무량하다: 양이 한이 없다
무제한하다: 한도나 범위가 정해져 있지 않다
무한량하다: 한량이 없다 🔳무량하다
무한하다: 한도가 없다 🔳유한하다
여무지다: 어떤 한도에 거의 같다
적바르다: 어떤 한도에 겨우 자라다
태과하다(太過): 너무 지나치다
태람하다(太濫): 너무 한도에 지나치다

85. 햇볕의 뜻

바르다: 햇볕을 잘 받는 자리에 있다 (예) 볕이 바른 마루
반하다: 장마 때 해가 잠깐 나서 밝다 🔳번하다 🔳빤하다
볕바르다: 햇볕이 바로 비치어 밝고 따뜻하다
설핏하다: 해가 져서 밝은 볕이 약하다

86. 행동·행위와 관련된 형용사

느릿느릿하다: 동작이 느리고 굼뜨다 🔳나릿나릿하다 🔳완완하다
나릿나릿하다: 동작이 좀 느리고 굼뜨다 🔳느릿느릿하다

늘쩍지근하다: 매우 느른하다 짼날짝지근하다

가만하다: 주로 '가만한'으로 쓰이며, 그다지 드러나지 아니하게 움직임이 조용하다

간동간동하다: 여럿이 다 또는 매우 흐트러짐이 없이 잘 정돈되어 단출하다

감연하다(敢然): 과감스럽다

강용하다(强勇)¹: 강하고 용감하다

강용하다(剛勇)²: 굳세고 용감하다

개채머리없다: '채신머리없다'의 방언(평북)

객설스럽다: 객쩍은 잔소리와 다름없다

객스럽다: 보기에 객쩍다

객없다: '객쩍다'의 잘못

객적다: '객쩍다'의 잘못

객쩍다: 말이나 행동이 쓸데없고 실없다

거추없다: 하는 짓이 어울리지 않게 싱겁다

거푼거푼하다: ①물체의 한 부분이 바람에 불리어 떠들려 가볍게 자꾸 움직이다 ②자꾸 앉았다 섰다 하다

걸싸다: 일이나 동작 따위가 매우 날쌔다

검박하다: 검소하고 질박하다

검접하다: 검질기게 달라붙다

경첩하다(輕捷): 가볍고 잽싸다

경쾌하다(輕快): 가볍고 날래다

과감스럽다(果敢): 보기에 과감하다

과감하다(果敢): 과단성이 있고 용감하다

광패하다(狂悖): 미치광이처럼 하는 짓이 막되다

광포하다(狂暴): 미쳐 날뛰듯이 포악하다

광폭하다(狂暴): 冒광포하다

괘꽝스럽다: 말이나 행동이 엉뚱하게 괴이하다

괘다리적다: 멋없고 거칠다

괘달머리적다: '괘다리적다'를 속되게 이르는 말

괘사스럽다: 변덕스럽게 익살을 부리며 엇가는 듯한 태도가 있다

괴상망측하다: 괴상하고 망측하다

괴악스럽다(怪惡): 보기에 괴악하다

괴악하다(怪惡): 괴이하고 흉악하다

괴패하다(乖悖): 이치에 어그러지고 도리에 벗어나 엇되다

교만하다(驕慢): 잘난 체하여 겸손하지 못하고 건방지게 행동하다

구리다: 하는 짓이 지저분하다(하는 짓이 의심스럽다) 게쿠리다

군단지럽다: 마음이나 행실이 다랍고 지저분하다 큰군던지럽다

군던지럽다: 마음이나 행실이 더럽고 지저분하다 좌군단지럽다

군지럽다: '군던지럽다'의 준말

굼뜨다: 동작이 답답할 만큼 느리다 비우둔하다

기민하다(機敏): 날쌔거나 재빠르다

기특하다(奇特): 생각이나 행동이 뛰어나며 특별하여 귀엽다

꺼덕치다: 몹시 거칠고 막되다 여거덕치다

껄렁껄렁하다: 말이나 행동이 모두 미덥지 아니하고 종잡을 수 없이 허황되다

껄렁하다: 말이나 행동이 믿음직하지 않고 종잡을 수 없을 만큼 허황되다

꼰질꼰질하다: 하는 짓이 너무 찬찬하고 꼼꼼하여 갑갑하다

꼼짝없다: 조금도 움직이는 기색이 없다

꿈쩍없다: 조금도 움직이는 기색이 없다 좌꼼짝없다

낙역하다(絡繹): 왕래가 끊임이 없다

난폭하다(亂暴): 막되고 사납다

날렵하다: 날래고 재치가 있다

날쌔다: 동작이 날래고 재빠르다

날짱날짱하다: 행동이 나른하게 느리다

느릿하다: 행동이 재지 못하고 느리다 좌나릿하다

늘쩡늘쩡하다: 행동이 느른하게 느리다 좌날짱날짱하다

다이내믹하다: 동적이다

다팔다팔하다: 침착하지 못하고 들떠서 행동이 자꾸 좀 경망스럽다 큰더펄더
　　펄하다

단중하다(端重): 단정하고 무게가 있다

담대하다: ＝대담하다

대담하다: 배짱이 두툼하고 용감하다 반소담하다

더펄더펄하다: 침착하지 못하고 들떠서 행동이 늘 가볍다 좌다팔다팔하다

덜떨어지다: 어린 아이의 단계를 벗어나지 못하여 나이에 비해 어리고 미련
　　하다

데퉁맞다: 매우 데퉁스럽다

데퉁스럽다: 데퉁하게 보인다

데퉁하다: 하는 짓이나 말이 거칠고 융통성이 없이 미련하게 보인다

도저하다(到底): 행동이 바르고 곧아서 훌륭하다

도지다: 매우 심하고 호되다 (예) 도지게 때리다

되바라지다: 너그럽게 감싸주는 맛이 적다 (예) 되바라져서 친구가 없다

되퉁스럽다: 하는 짓이 찬찬하지 못하여 일 저지르기를 잘한다

둔열하다(鈍劣): 굼뜨고 용열하다

둔팍하다: 굼뜨고 미련하다

둔하다: 동작이 느리고 굼뜨다

뒤퉁스럽다: 생각이 투미하여 일 저지르기를 잘한다 函되퉁스럽다

땀지근하다: 말이나 행동이 좀 느리고 땀직하다 큰뜸지근하다

땀직땀직하다: 말이나 행동이 한결같이 매우 땀직하다 큰뜸직뜸직하다

땀직하다: 말이나 행동이 좀 진득하고 무게가 있다 큰뜸직하다

뜸지근하다: 말이나 행동이 꽤 느리고 뜸직하다 函땀지근하다

뜸직뜸직하다: 말이나 행동이 한결같이 뜸직하다 函땀직땀직하다

뜸직하다: 말이나 행동이 진득하고 무게가 있다 函땀직하다

맛없다: 하는 짓이 싱겁다

맛적다: 재미나 흥미가 적어서 싱겁다

망솔하다(妄率): 아무 생각 없이 경솔하다

머줍다: 동작이 둔하고 느리다

머춤하다: 잠깐 그쳐 뜸하다

메뜨다: 밉상스럽도록 동작이 둔하다

무겁다: 동작이 둔하고 굼뜨다

무지무지하다(無知無知): 몹시 감때사납고 우악스럽다

무지하다(無知): 몹시 감때사납고 우악스럽다

민속하다(敏速): 잽싸고 빠르다

민첩하다(敏捷): 재빠르거나 잽싸다

발랄하다: 생기 있고 활발하다

발칙하다: 하는 짓이 아주 괘씸하다

방사하다(放肆): 제멋대로 행동하며 거리끼고 어려워하는 데가 없다

방정하다(方正): 행동이 바르고 점잖다

방탕하다(放蕩): 주색잡기 따위에 빠져 행실이 좋지 못하다

벅차다: 어떤 한도에 지나쳐서 감당하기가 어렵다

벼락같다: 동작이나 행동이 몹시 빠름을 나타내는 말

부경하다(浮輕): 하는 짓이나 몸가짐이 들뜨고 가볍다

부득이하다: 마지못하여 할 수 없다

부박하다(浮薄): 들뜨고 경박하다 (예) 행동거지가 부박하다

부자유스럽다: 행동에 자유롭지 못한 데가 있다

부질없다: 공연한 짓으로 쓸 데가 없다

불가피하다: 피할 수가 없다

불감하다: 감당할 수 없다

불륜하다(不倫): ⊟패륜하다

불측하다(不測): 마음이나 행동이 고약하고 엉큼하다

비겁하다: 하는 짓이 떳떳하지 못하고 야비하다

비아냥스럽다: 얄밉게 빈정거리며 놀리는 태도가 있다

비양스럽다: ① '비아냥스럽다'의 방언(강원) ② '비아냥스럽다'의 북한어

비패하다(鄙悖): 하는 짓이 추저분하고 막되다

비호하다(飛虎): 매우 용맹스럽고 날쌔다

빨랑빨랑하다: 성미나 행동이 재빠르고 가뿐가뿐하다 囝팔랑팔랑하다 囝뻘렁뻘렁하다

사납다: 성질이나 행동이 모질고 고약하다

살벌하다: 행동이나 분위기가 무시무시하다

상스럽다: 사리에 어그러지거나 상스럽다

새새하다: 실없이 까불어 점잖지 못하다

서낙하다: 장난이 심하고 하는 짓이 극성맞다

서서하다(徐徐): ⊟천천하다 (예) 서서하게 걷다

선하다: '서낙하다'의 준말

설만하다(褻慢): 행동이 무례하고 단정하지 못하다

소상하다(素尙): 검소하고 고상하다

숙청하다(淑淸): 성품과 행동이 깨끗하다

시망스럽다: 너무 짓궂게 심하다

신둥부러지다: 지나치게 주제넘다

신둥지다: ⊟신둥부러지다

심하다: 몹시 호되다

싸다: 동작이 재고 빠르다

아니꼽다: 욕지기가 나서 게울 듯하다

알끈하다: 무엇을 잃었거나 기회를 놓치고서 두고두고 아쉬워하다

애원하다(哀怨): 슬프게 원망하는 듯하다

어김없다: 어기는 일이 없다

어뜩비뜩하다: 행동이 바르거나 단정하지 못하다

어설프다: 하는 짓이 경망스럽고 지망지망하다

어엿하다: 행동이 당당하고 떳떳하다

언구럭스럽다: 교묘한 말로 떠벌리며 농락하는 듯하다

여들없다: 행동이 멋없고 미련하다

엷다: 하는 짓이 빤히 들여다보일 만큼 진중한 맛이 없다

옮다: 다른 곳으로 자리를 옮기다

와달박달하다: 행동이나 성질이 곰살갑지 못하고 수선스럽고 우악스럽다

와살스럽다: '우악살스럽다'의 준말

완패하다(頑悖): 완악하고 막되다 (예) 완패한 행동

용감무쌍하다(勇敢無雙): 씩씩하기가 짝이 없다

용감스럽다: 보기에 씩씩한 듯하다

용감하다: 어려움이나 두려움을 모르며 날쌔고 씩씩하다

용강하다(勇剛): 날쌔고 굳세다

용맹스럽다: 용맹하게 보인다

용장하다(勇壯): 날래고 훌륭하다

용한하다(勇悍): 날래고 사납다

용협하다(勇俠): 날래고 의협심이 있다

우악살스럽다: ① 보이게 매우 미련하고 험상궂은 데가 있다 ② 보기에 대단히 무지하고 포학하며 드센 데가 있다

우통하다: 굼뜨다

음험하다(陰險): ① 겉으로는 부드럽고 솔직한 체하지만, 속은 내숭스럽고 음흉하다 ② 음산하고 험악하다

음황하다(淫荒): 주색에 빠져서 행동이 거칠고 우악하다

자깝스럽다: '잡상스럽다'의 잘못

자랑스럽다: 자랑할 만하다

자발머리없다: '자발없다'를 속되게 이르는 말

자발없다: 행동이 가볍고 참을성이 없다

잔득하다: 하는 짓이 제법 무게가 있고 참을성이 있다 囹진득하다

잗달다: 하는 짓이 질고 인색하다

잡상스럽다: 잡되고 상스러운 데가 있다

재다: 동작이 재빠르고 날쌔다

저조하다(低調): 활동이나 감정이 왕성하지 못하고 침체해 있다

저주스럽다(詛呪): 저주를 하여 마땅하다

정결하다(貞潔): 정조가 굳고 행실이 깨끗하다

조심성스럽다: 조심성이 있어 보인다

조심스럽다: 보기에 조심하는 태도가 있다

조촐하다: 행동이 난잡하지 않고 단정하다

조하다: ⟨=⟩조촐하다

준연하다(蠢然): 꿈질거리는 모양이 굼뜨다

준우하다(蠢愚): 굼뜨고 어리석다

줄기차다: 억세게 나가서 조금도 쉽지 않다

지둔하다(遲鈍): 굼뜨고 미련하다

질기다: 행동이나 일의 상태가 쉽게 그치거나 바뀌지 않고 이어지는 경향이
있다

착살맞다: 얄밉게 착살스럽다 ⟨큰⟩칙살맞다

착살스럽다: 착살한 태도가 있다 ⟨큰⟩칙살스럽다

착살하다: 하는 짓이 질고 다랍다 ⟨큰⟩칙살하다

찬찬하다: 동작이나 태도가 편안하고 느릿하다 ⟨큰⟩천천하다 ⟨비⟩침착하다

참척하다: 한 가지 일에만 정신을 골똘하게 쏟아 다른 생각이 없다

창졸하다(倉卒): 매우 급작스럽다

채신머리사납다: '채신사납다'를 속되게 이르는 말

채신머리없다: '채신없다'를 속되게 이르는 말 ⟨큰⟩치신머리없다

채신사납다: 몸가짐을 잘못하여 꼴이 몹시 언짢다

채신없다: 몸을 가볍게 가져서 체모가 없다 ⟨큰⟩치신없다 ⟨비⟩처신없다

처신없다: ⟨=⟩채신없다

천자하다(擅恣): 제 마음대로 하여 조금도 꺼림이 없다

천천하다: 동작이나 태도가 급하지 아니하고 느리다

치근치근하다: 귀찮게 구는 것이 몹시 짓궂다

치신머리사납다: '치신사납다'를 속되게 이르는 말

치신머리없다: '치신없다'를 속되게 이르는 말

치신사납다: 몸을 잘못 가지어 꼴이 매우 사납다 ⟨좌⟩채신사납다

치신없다: 몸을 가볍게 가져서 매우 체모가 없다 ⟨좌⟩채신없다

칠칠하다: 주접이 들지 않고 깨끗하다

코리타분하다: 하는 짓이나 성미 따위가 매우 다랍다 回고리타분하다

쾌첩하다(快捷): 통쾌하도록 아주 날래다

쾌하다: 하는 짓이 시원스럽다 囲빠르다

패륜하다(悖倫): 인륜에 어그러지다

패역하다(悖逆): 패악하여 불순하다

편편하다(翩翩): ① 나는 모양이 가볍고 날쌔다 ② 풍채가 멋스럽고 좋다

하열하다(下劣): 하는 짓이나 생각이 낮고 못되다

할랑하다: 행동이 조심스럽지 아니하고 경박하다 큰헐렁하다

해망하다(駭妄): 행동이 요망하다

헐렁하다: 행동이 들떠서 껄렁하고 허황하다 좨할랑하다

헤프다: ① 물건이나 돈 따위를 아끼지 아니하고 함부로 쓰는 버릇이 있다
　　② 쓰는 물건이 쉽게 닳거나 빨리 없어지는 듯하다 ③ 말이나 행동 따위를
　　삼가거나 아끼는 데가 없이 마구 하는 듯하다

홀하다(忽): 신중하지 않고 가볍다

화끈하다: 일을 시원스럽게 해내는 맛이 없다

활발하다(活潑): 움직임이 매우 생기 있고 힘차며 시원하다

황탄하다(荒誕): 말이나 행동이 거칠고 허황하다

효용하다(驍勇): 사납고 날래다

휘황찬란하다: 행동이 보기에 야단스럽다

휘황하다: 国휘황찬란하다

흉잡하다: 흉악하고 난잡하다

흐늘흐늘하다: 행동이 빠르지 못하고 느릿느릿하다

흐지부지하다: 하는 짓이 흐리멍덩하다

87. 행복의 뜻

다복하다(多福): 복이 많다

다행스럽다: 느낌에 다행하다

다행하다(多幸): 일이 잘 되어 좋다

박행하다(薄倖): 행복하지 못하다

불우하다(不遇): 때를 만나지 못하여 불행하다

불행하다(不幸): 행복하지 아니하다

요행하다: 거의 이루어질 수 없는 것이 뜻밖에 이루어져 다행하다
용하다: 매우 다행하다
유복하다(裕福)[1]: 살림이 넉넉하다
유복하다(有福)[2]: 복이 있다
천만다행하다: 아주 다행하다
행복스럽다: 행복한 듯하다
행복하다: 생활에서 충분한 만족과 기쁨을 느끼어 흐뭇하다
행심하다(幸甚): 퍽 다행하다

88. 형세의 뜻

급급하다(岌岌): 형세가 위급하다
날카롭다: 시선, 모양, 형세가 매섭다
불꽃같다: 일어나는 형세가 대단하다
숙지근하다: 일어나던 형세가 누그러진 듯하다
열세하다(劣勢): 형세가 상대편보다 못하다
유연하다(油然): 우러는 형세가 왕성하다
험하다: 움직이는 형세가 위태롭다

89. 호기의 뜻

호걸스럽다(豪傑): 호걸다운 데가 있다
호기롭다(豪氣): ① 씩씩하고 호방한 기상이 많다 ② 꺼드럭거리며 뽐내는 기운이 있다
호기스럽다(豪氣): 보기에 호기로운 데가 있다
호매하다(豪邁): 호기롭고 열째다 (예) 호매한 기개

90. 홀쭉함의 뜻

홀쭉하다: ① 길이에 비하여 통이 가늘다 ② 얼굴이 좁고 갸름하다 ③ 속이
　　　비어 안으로 오므라져 있다 큰홀쭉하다
홀쭉홀쭉하다: 여럿이 다 홀쭉하다 큰홀쭉홀쭉하다
훌쭉하다: ① 길이에 비하여 통이 아주 가늘다 ② 얼굴이 뾰족하고 갸름하다
　　　③ 속이 비어 안으로 오므라져 있다 작홀쭉하다
훌쭉훌쭉하다: 여럿이 다 훌쭉하다 작홀쭉홀쭉하다

91. 확실함에 관한 형용사

견확하다(堅確): 튼튼하고 확실하다
덧없다: 갈피를 잡을 수 없거나 확실하지 않다
명확하다(明確): 명백하고 확실하다
부정확하다: 바르고 확실하지 아니하다
분명하다: 틀림없고 확실하다
불명료하다: 명료하지 아니하다
불명하다: 확실하지 아니하다
불명확하다: 명백하고 확실하지 아니하다
상확하다(詳確): 자세하고 확실하다
적실하다(的實): 틀림없이 확실하다
해백하다(楷白): 정확하고 분명하다
확연하다(確然): 아주 정확하다

92. 효도의 뜻

불효하다: 효성스럽지 아니하다
증증하다(蒸蒸): 효성 따위가 극진하다
효도하다(孝道): 부모를 정성껏 잘 섬기다
효성스럽다: 정성스럽고 효도하는 태도가 있다
효순하다(孝順): 효행이 있고 유순하다

93. 효력의 뜻

구진하다: 약재가 여러 해 묵어 쓸모가 없다
신통하다: 효력이 빠르고 훌륭하다
신효하다(神效): 효험이 신통하다
유효하다: 효력이 있다 〈법〉 법률상 행위의 효과가 있다 🔁무효하다

94. 훌륭함의 뜻

가상스럽다(嘉尙): 보기에 착하고 기특한 데가 있다
가상하다(嘉尙): 착하고 기특하다 🔁갸륵하다
갸륵하다: ① 착하고 장하다 ② 딱하고 가련하다 🔁가상하다
고매하다: 인격, 품성, 학식 등이 높고 빼어나다
고묘하다(高妙): 고상하고 묘하다
고상하다: ① 품위가 높고 훌륭하다 ② 뜻이 높고 거룩하다
고아하다(高雅)[1]: ① 뜻이나 지조 따위가 높고 빠르다 ② 고상하고 우아하다
고아하다(古雅)[2]: 예스럽고 아담한 맛이 있다
고일하다(高逸): 높이 빼어나다
고절하다(高絶): 더할 수 없고 뛰어나다
과인하다(過人): 능력, 재주, 지식, 덕망 따위가 보통 사람보다 뛰어나다
관절하다(冠絶): 가장 뛰어나다
굉걸하다(宏傑): 굉장하고 훌륭하다
그럴듯하다: 제법 훌륭하다
그럴싸하다: 꽤 훌륭하다
기발하다(奇拔): 진기하게 빼어나다
눈부시다: 매우 훌륭하거나 찬란하다 (예) 눈부신 업적
늠렬하다(凜烈): 추위가 살을 엘 듯이 심하다
늠연하다(凜然): ① 위엄과 기개가 있고 훌륭하다 ② 🟰늠렬하다(凜烈)
성대하다(盛大): 크고 훌륭하다
성명하다(聖明): 거룩하고 슬기롭다
성스럽다(聖): 거룩하고 고결하고 위대하다
수발하다(秀拔): 뛰어나게 훌륭하다

수우하다(殊尤): 매우 훌륭하다
수절하다(殊絕): 빼어나게 훌륭하다
숭고하다(崇高): 거룩하고 고상하다
숭수하다(崇秀): 높고 빼어나다
아름답다: 마음에 들게 갸륵하고 훌륭하다
위대하다(偉大): 거룩하고 훌륭하다
장미하다(壯美): 매우 훌륭하고 아름답다
장하다(壯): 두드러지게 훌륭하다
정량하다(精良): 매우 정하고 훌륭하다
진수하다(珍秀): 진귀하고 뛰어나다
찬연하다(燦然): 매우 영광스럽고 훌륭하다
표일하다(飄逸): 뛰어나게 훌륭하다
하찮다: 그다지 훌륭하지 않다
현준하다(賢俊): 어질고 훌륭하다
훌륭하다: 사람 됨됨이나 행실이 썩 좋아서 나무랄 곳이 없다

95. 희망의 뜻

고원하다(高遠): 이상이나 포부가 높고 원대하다
노랗다: 가능성이나 희망이 보이지 아니하다
맹랑하다(孟浪): 생각하던 바와는 달리 아주 허망하다
무망하다(無望): 바랄 수 없다
바람직스럽다: ▣바람직하다
바람직하다: 어떤 사물의 값어치가 있어 바랄 만하다
밝다: 기대할 만하다 (예) 전망이 밝다
암담하다(暗澹): 희망이 없고 막막하다
어둡다: 막막하고 희망이 없다 (예) 어두웠던 시대
유망하다(有望): 희망이 있다
희망차다: 희망이 가득하다

96. 힘을 뜻하는 형용사

강력하다(强力): 힘세거나 힘차다

노무력하다(老無力): 늙어서 힘이 없다

대차다: 거세고 힘차다

더덜뭇하다: 결단성이나 단속하는 힘이 부족하다 (예) 더덜뭇한 지도자

면력하다(綿力): 힘이 약하다

무르다: 활 쏘는 사람의 힘이 활의 힘을 이기어 알맞게 부드럽다

미력하다(微力): 힘이 적다

미약하다: 힘이 없고 여리다

발악스럽다(發惡): 배겨내는 힘이 다부지다

보드레하다: 맞설 힘이 없을 만큼 약하다 **큰**부드레하다

볼되다: ① 몹시 힘이 겹다 ② 죄어치는 힘이 매우 단단하다

빠근하다: 무슨 일이 힘에 좀 벅차다 **큰**뻐근하다

뼈지다: 온갖 고통을 견뎌 가면서 일을 하는 데 힘이 겹다

세다: 힘이 많다

세차다: 힘 있고 억세다

소약하다(小弱): 작고 힘이 약하다

아귀하다: 힘에 벅차다

아름차다: 힘에 겹다

악세다: 힘이 퍽 세다 **큰**억세다

앙세다: 몸은 약해 보여도 힘은 세고 다부지다

약하다: 힘이 적거나 덜하다

어렵다: 하기에 까다로운 점이 많아 힘에 겹다 **반**쉽다

억세다: 힘이 몹시 세다 **좌**악세다

역강하다(力强): 힘이 세고 기력이 왕성하다

역부족하다(力不足): 힘이나 기량 따위가 모자라다

역불급하다(力不及): **=**역부족하다

염염하다(冉冉): 늘어질 듯 힘이 없다

파사하다(婆娑): 힘, 형세 따위가 쇠하여 약하다

팽팽하다: 둘의 힘이 서로 어슷비슷하다 **큰**핑핑하다

호탕하다(浩蕩): 세차게 내달리는 듯한 힘이 있다

힘겹다: 힘이 부쳐 감당하기 어렵다

힘없다: 힘을 내지 못하거나 약하다

힘지다: ① 힘이 없다 ② 힘이 들 만하다

힘차다: 힘 있고 씩씩하다

97. 여러 가지 모습

가량맞다: 격에 어울리지 않게 조촐하지 못하다 큰거령맞다

가량스럽다: 보기에 가량맞다

가려하다(佳麗): ① 경치가 아름답고 새뜻하다 ② 아리땁다

각양하다(各樣): 모양이나 형식 따위가 여러 가지로 다르다

감작감작하다: 검은 얼룩이나 점들이 여기저기 잘게 박히어 있다 센깜작깜작
　　하다 큰검적검적하다

괴죄하다: 옷차림이나 모양새가 지저분하고 궁상스럽다 센꾀죄하다

교치하다(巧緻): 정교하다

구태의연하다: 옛날의 묵은 모습 그대로이다

극흉하다(極凶): 몹시 흉악하다

기굴하다: 겉모양이 이상야릇하고 허우대가 크다

기똥차다: '기막히다'를 속되게 이르는 말

깜작깜작하다: 검은 얼룩이나 점들이 여기저기 자잘하게 박혀 있다 여감작감
　　작하다 큰껌적껌적하다

껄렁껄렁하다: 어떤 사물이 아주 탐탁하지 못하여 꼴답지 아니하고 너절하다

껄렁하다: 어떤 사물이 꼴답지 아니하고 너절하다

껌적껌적하다: 검은 얼룩이나 점들이 여기저기 큼직하게 박혀 있다 여검적검
　　적하다 작깜작깜작하다

껑짜치다: 열없고 어색하여 매우 거북하다

꼴답잖다: 꼴이 보기에 언짢거나 흉하다

꼴사납다: 하는 짓이나 모양이 아주 좋지 못하다

꾀죄하다: 옷차림이나 모양새가 지저분하고 궁상스럽다 여괴죄하다

나다분하다: 자잘한 물건들이 갈피를 잡을 수 없이 어지럽게 널려 있다 큰너더
　　분하다

나볏하다: 남에게 드러내 보이기에 반듯하고 의젓하다

난분분하다: 눈이 흩날리어 어지럽다

날카롭다: 모양이 매섭다

너볏하다: 남에게 드러내 보이기에 번듯하고 의젓하다

네모반듯하다: 네모지고 반듯하다

노성하다(老成): 숙성하고 의젓하다

뇌꼴스럽다: 보기에 낯간지럽고 얄미우며 아니꼽다

담소하다(淡素): 담담하고 소박하다

당당하다(堂堂): 겉모양이 어연번듯하다

도드라지다: 겉으로 드러나서 또렷하다 困두드러지다

동실동실하다: 동그스름하고 토실토실하다 困둥실둥실하다

되똑되똑하다: 여럿이 다 되똑하다

되똑하다: 작은 물체가 중심을 잃고 한 쪽으로 한 번 기울어지다 困뒤똑하다

되바라지다: 웅숭깊고 아늑한 맛이 없다 (예) 되바라진 산기슭

두드러지다: 드러나서 또렷하다 困도드라지다

매끈하다: 미끄러울 정도로 흠이나 거침새가 없이 밋밋하다 困머끈하다

매초롬하다: 젊고 건강하여 아름다운 태가 있다

맵자하다: 모양이 꼭 째어 어울리다

몬존하다: 얼굴이나 모습이 위풍이 없이 초라하다

못나다: 모양이 잘 생기지 못하다 困잘나다

미추룸하다: 한창 때에 건강하고 아름다운 데가 있다 困매초롬하다

미추름하다: 〈순우리말〉 한창 때에 건강해서 기름기가 돌고 이들이들하여 아
    름다운 태가 있다

민출하다: 밋밋하고 훤칠하다

방정하다(方正): 행동이 바르고 점잖다

번듯하다: 큰 물건이 놓여 있는 모양새가 기울거나 비뚤거나 하지 않고 바르다
    困반듯하다

번뜻하다: 큰 물건의 놓여 있는 모양새가 조금 기울거나 비뚤거나 하지 않고
    아주 썩 바르다 困번듯하다 困반듯하다

번잡스럽다(煩雜): 보기에 번잡하다

번추하다(煩醜): 번잡하고 더럽다

번화하다: 번창하고 화려하다

벽립하다(壁立): 깎아지른 듯한 낭떠러지가 벽처럼 서 있다 (예) 기암이 병립하다

불건전하다: 건전하지 아니하다

불사하다(不似): 꼴답지 아니하다

364

뻐젓하다: 남의 축에 빠질 것이 없이 번듯하다 예버젓하다

사일하다(奢佚): 사치스럽고 게으르다

사참하다(奢僭): 사치스럽고 참람하다(분수에 맞지 않게 너무 과하다)

사치스럽다: 사치한 듯하다

사치하다(奢侈): 치제가 지나치게 화려하다

산드러지다: ① 말쑥하고 간드러지다 ② 시원시원하고 말쑥하다

산뜻하다: 깨끗하고 말쑥하다

살기등등하다(殺氣騰騰): 살기가 얼굴에 그득하다

삼렬하다(森列): 촘촘히 늘어서 있다

선뜻선뜻하다: 매우 선뜻하다 좌산뜻산뜻하다

선뜻하다: 말쑥하고 시원하다 좌산뜻하다

성라하다(星羅): 별과 같이 많이 늘어서 있다

소박하다(素朴): 꾸밈이 없고 수수하다

소상하다(素尙): 검소하고 고상하다

소탈하다(疏脫): 예절이나 형식에 얽매이지 아니하고 수수하고 털털하다

쇄탈하다(洒脫): ⑤소탈하다

수수하다: 옷차림이나 태도가 그저 무던하다

스마트하다(smart): 맵시 있거나 말쑥하다

앙그러지다: 모양이 어울려 보기에 좋다

야하다(冶): 깊숙하지 못하고 되바라지다 (예) 야한 행동

얌전하다: 수선스럽지 않고 맵시가 있다

어숭그러하다: 어지간하게 잘 되어 있어 까다롭지 않고 수수하다

어연번듯하다: 세상에 드러내 놓기엔 아주 떳떳하고 번듯하다

에굽다: 약간 휘우듬하게 굽다

영절스럽다: 신기할 정도로 그럴 듯한 데가 있다

용천맞다: 매우 용천한 데가 있다

용천하다: 꼴사납거나 꺼림칙하다

웅대하다(雄大): 웅장하게 크다

웅려하다(雄麗): 웅장하고 화려하다

웅장하다(雄壯): 우람하고 굉장하다

유려하다(流麗): 유창하고 아름답다

유착스럽다: 유착한 데가 있다

유착하다: 매우 투박하고 크다

유창하다(流暢): 거침없이 미끈하다

작작하다(灼灼): 화려하고 찬란하다

장려하다(壯麗): 장엄하고 화려하다

장절하다(壯絶): 웅장하고 뛰어나다

장중하다(莊重): 웅장하고 장엄하다

쟁그랍다: 보거나 만지기에 소름이 끼칠 정도로 조금 흉하거나 끔찍하다

쟁그럽다: 〈북한어〉 ① '쟁그랍다'의 북한어 ② 하는 행동이 괴상하여 얄밉다

쟁글쟁글하다: 몹시 쟁그랍다 囹징글징글하다

정연하다(亭然): 솟은 모양이 우뚝하다

정정하다(井井): 왕래가 빈번하다

조잘조잘하다: ① 작은 끄나풀 같은 것이 어지럽게 달려 있다 囹주절주절하다
    ② '자잘하다'의 방언(전북)

조촐하다: 외모가 추잡하지 않고 해사하다 囹조하다

주절주절하다: 끄나풀 같은 것이 어지럽게 늘어져 있다 囹조잘조잘하다

지르퉁하다: 잔뜩 성이 나서 부루퉁하다 囹찌르퉁하다

지흉하다(至凶): 囜극흉하다

징그럽다: 소름이 끼치도록 끔찍하고 흉하다

징글맞다: 몹시 징글징글하다

징글징글하다: 몹시 징그럽다

찬란하다(燦爛): 광채가 뻔쩍여서 환하다

찬연하다(燦然): 이를 드러내고 웃는 모양이 시원스럽다

참연하다(嶄然): 한층 우뚝하다

참혹하다(慘酷): 비참하고 끔찍하다

창피하다: 모양이 사납다

천연하다(天然): 생긴 그대로 조금도 꾸밈이 없다

추하다(醜): 흉하다

축하다(縮): 약간 상하여 싱싱하지 아니하다

측편하다(側偏): 물고기나 곤충 따위의 몸이 옆으로 납작하다

탄탄하다: 된 품이나 생김새가 굳고 실하다 囹튼튼하다

투깔스럽다: 투박스럽고 거칠다

투박스럽다: 보기에 투박한 데가 있다

투상스럽다: 囜툽상스럽다

툽상스럽다: 투박하고 상스럽다 囜투상스럽다

틀스럽다: 보기에 틀거지가 있다

틀지다: 틀거지가 있다

퍼렇다: 싱싱하고 생생하다

편편하다(翩翩): 풍채가 멋스럽고 좋다

표표하다(漂漂): ① 공중에 높이 떠 있다 ② 물에 둥둥 떠 있다

품렬하다(品劣): 된 품이 낮다

한소하다(閑素): 차분하고 꾸밈새가 없다

한아하다(閑雅): 정숙하고 우아하다

해끄무레하다: 생김새가 반듯하고 빛깔이 조금 하얗다

해반드르르하다: 해말쑥하고 반드르르하다 큰희번드르르하다

해반들하다: 겉모양이 해말쑥하고 좀 반드르르하다

핸섬하다(handsome): 풍채가 좋거나 말쑥하다

헌창하다: 키나 몸집 따위가 보기 좋게 어울리도록 크다

헌칠민틋하다: 헌칠하고 민틋하다

헤먹다: 들어 있는 물건보다 공간이 넓어서 어울리지 아니하다

호리호리하다: 키가 크고 날씬하다

호화하다(豪華): 몹시 사치스럽고 화려하다

화사하다(華奢): 화려하고 사치하다

화치하다(華侈): 매우 번화하고 사치스럽다

활연하다(豁然): ① 터진 꼴이 환하다 ② 깨달은 꼴이 막힌 것 없이 밝다

흥업다: 꽤 흥하다

흘연하다(屹然): 우뚝 솟은 꼴이 위엄 있다

희끄무레하다: 태가 없이 엷게 희읍스름하다

희읍스름하다: 산뜻하지 못하게 조금 희다

98. 기타

가탄스럽다: ① 일이 방해되는 복잡한 조건이 많아 순편하지 못하다 ② 이런저런 조건을 잡아서 까다롭다

건숙하다(虔肅): 경건하고 엄숙하다

관숙하다(慣熟): 익숙하다

기구하다: 인생살이가 순탄하지 못하고 가탈이 많다

까다롭다: 조건이 복잡하거나 엄격하여 해결하기 어렵다

난데없다: 별안간 불쑥 나와서 어디서 나왔는지 알 수 없다

낭창낭창하다: 가는 막대기나 줄 따위가 좀 흔들거릴 만큼 탄력이 있다

낮다: 품질이 나쁘거나 좋지 못하다 世높다

대견스럽다: 보기에 대견하다

대견하다: 마음에 퍽 흐뭇하고 자랑스럽다

대꾼하다: 좀 지쳐서 눈이 뒤로 달리고 정기가 없다 센떼꾼하다 큰데꾼하다

대중없다: 어떠한 표준을 잡을 수가 없다

되알지다: 힘주는 맛이나 억짓손이 몹시 세다 (예) 되알지게 기를 쓴다

드르르하다: 어떤 일에 익숙하여 전혀 막힘이 없다 센뜨르르하다 좌다르르
    하다

때꾼하다: 너무 지쳐서 눈이 뒤로 달리고 정기가 없다 여대꾼하다 큰떼꾼하다

막연하다(漠然): 똑똑하지 못하고 어렴풋하다

맑다: 환히 트이어 탁한 데가 있다

매초롬하다: 젊고 건강하여 아름다운 태가 있다

무명색하다(無名色): 명색이 없다

무미하다(無味): 무의미하다

무사하다(無嗣): 무후하다

무상하다: 〈불교〉 상주하는 것이 없다는 뜻으로 '나고 죽으며 흥하고 망하는
    것이 덧없음'을 일컬음

무소부지하다(無所不知): 이롭지 아니한 데가 없다

무위하다(無違): 어김이 없다

무의미하다: 아무 뜻이 없다

무탈하다(無頉): 트집이나 허물 잡힐 데가 없다

무현관하다(無顯官): 조상 가운데 높은 벼슬을 지낸 이가 없다

문제없다: 문제로 삼을 정도로 어려운 것이 없다

미성숙하다(未成熟): 다 익거나 여물지 아니하다

반반하다: 잠이 오지 않아 눈이 말똥말똥하다

분운하다(紛紜): 의논이 일치하지 아니하고 이러니저러니 하여 부산하다

불일하다(不一): '불일치하다'의 준말

빡빡하다: 장기에서 실수 없이 든든하게 두기 때문에 결말이 쉬 나지 않아
    답답하다 큰뻑뻑하다

뻑뻑하다: 장기에서 실수 없이 든든하게 두기 때문에 결말이 쉬 나지 않아

버겁다 困빡빡하다

세다: 바둑, 장기 따위의 수가 높다

아렴풋하다: 잠이 깊이 들지 않고 의식이 있는 듯 만 듯 흐릿하다 昆어렴풋
하다

아리까리하다: ① '알쏭달쏭하다'의 잘못 ② '아리송하다'의 잘못

악연하다(愕然): 깜짝 놀라 아찔하다

안녕하시다: 걱정이나 탈이 없다

어렴풋하다: 잠이 깊이 들지 않고 의식이 있는 듯 만 듯 흐릿하다 困아렴풋
하다

어지간하다: 일정한 표준에 거의 비슷한 만큼 가깝다

억세다: 운수 따위의 좋고 나쁜 정도가 심하다

없다: 자리를 차지하고 있지 아니하다 (예) 산에 나무라고는 없다

염려스럽다: 염려가 되어 불안하다

온하다(溫): 〈한의학〉 약의 성질이 덥다 困냉하다

우연스럽다: 보기에 우연한 듯하다

우연찮다: '우연하지 아니하다'의 준말

유표하다(有表): 여럿 가운데 두드러진 특징이 있다

의지가지없다: 조금도 의지할 곳이 없다

일정하다(一定): 어떤 것의 크기, 모양, 범위, 시간 따위가 하나로 정하여져
있다

임의롭다(任意): 일정한 기준이나 원칙이 없어 하고 싶은 대로 할 수 있다

자랑스럽다: 자랑할 만하다

장태평하다: 아무 걱정 없이 태평하다

쟁쟁하다(琤琤): 옥이나 금속 따위의 울리는 소리가 맑고 또렷하다

적연하다(適然): 마침 우연하다

죽다: 두드러져야 할 자리가 꺼지거나 하여 모자라다

준동하다(準同): 어떤 표준과 같다

지벽하다(地僻): 위치가 외딸고 구석지다

창건하다(蒼健): 시문이 고아하고 굳세다

치욕스럽다(恥辱): 욕되고 수치스럽다

태안하다(泰安): 태평하여 안락하다

털털하다: 품질이 수수하다 (예) 털털한 옷

파산하다(罷散): 벼슬을 그만두어 한산하다

퍼석퍼석하다: 자꾸 퍼석 주저앉다 젭파삭파삭하다

퍼석하다: 매우 퍼석하다 젭파삭하다

푸르다: 열매 따위가 아직 익지 않은 상태에 있다

푹신하다: 매우 포근하게 부드럽고 탄력이 있다

하차묵지않다: 품질이 조금 좋다

합례하다(合禮): 새서방과 새색시가 첫날밤 잠자리를 같이 하다

험하다(險): 주로 먹거나 입는 것 따위가 거칠고 너절하다 (예) 험한 음식

호졸근하다: 땀이 옷을 적실 정도로 많이 나서 반드르르하다 큰후줄근하다

화섬하다(華贍): 문장이 아름답고 그 내용이 풍부하다

환연하다(渙然): 의혹이 풀리어 가뭇없다

회색하다(晦塞): 꽉 막히어 깜깜하다

횡자하다(橫态): 제 멋대로 놀아 막되다

후줄근하다: 땀이 옷을 몹시 적실 정도로 많이 나서 번드르르하다 젭호졸근
    하다

제**3**장

주관적 형용사

01. 가능 유무를 뜻하는 형용사

가능하다: 할 수 있거나 할 수 있다
가취하다(可取): 취할 만하다
될성부르다: 잘 될 가망이 있다
쉽다: 가능성이 많다
없다: '~ 수 없다'의 꼴로 쓰이어 가능하지 아니하다 (예) 먹을 수 없는 버섯
유력하다: 가능성이 많다

02. 간편·간단함을 뜻하는 형용사

가든하다: 쓰거나 다루기에 가볍고 간편하다
가뜬하다: 쓰거나 다루기에 매우 가볍고 간편하다
간결하다(簡潔): 간단하고 짜임새가 있다
간경하다(簡勁): 간결하고 힘차다
간고하다(簡古): 간결하고 예스럽다
간단간단하다: 매우 간단하다, 여럿이 다 간단하다
간단명료하다(簡單明瞭): 간단하고 명료하다
간단하다(簡單): 간편하고 단출하다

간략하다(簡略): 간단하고 짤막하다
간명하다(簡明): 간단하고 명료하다
간약하다(簡約): ⊟간략하다
간정하다(簡淨): 간략하고 깨끗하다
간조하다(簡粗): 간단하고 조잡하다
간첩하다(簡捷): 간단하고 가뿐하다
간출하다(簡出): 단출하다
간편하다(簡便): 간단하고 편하다
단출하다: 일이나 차림차림이 간편하다
솔이하다(率易): 간단하고 손쉽다

03. 값·대금을 뜻하는 형용사

값비싸다: 어떤 표준보다 값이 많다
값싸다: 어떤 표준보다 값이 적다
값없다: 너무 흔하거나 쓸데가 없어 값나가지 아니하다
값지다: 값을 많이 지니고 있다
곡귀하다(穀貴): 시장에서 곡식 공급이 달리어 값이 비싸다
곡천하다(穀賤): 곡식이 많이 나서 흔하고 값이 싸다
낮다: 값이 어떤 기준보다 적다 ⮂높다
다락같다: 물건 값이 매우 높다
뜻있다: 값어치가 있다
불렴하다: 값이 싸지 아니하다
싸다: 마땅한 값보다 낮다
쓸데없다: 아무런 값어치가 없다
쓸모없다: 쓸 만한 가치가 없다
염하다(廉): 값이 싸다
저렴하다(低廉): 싸다
허름하다: 값이 좀 싼 듯하다
헐하다: 값이 싸다
헗다: '헐하다'의 준말

04. 거짓을 뜻하는 형용사

거짓되다: 거짓이 있어 바르지 아니하다 圕참되다
참되다: 거짓이 없고 바르다 圕거짓되다
핍진하다(逼眞): 거짓이 없다
허망하다(虛妄): 거짓되어 망령되다

05. 계속을 뜻하는 형용사

그지없다: ① 끝이나 한량이 없다 ② 이루 다 말할 수 없다
끊임없다: 잇대어 끊이지 아니하다
끝없다: 그지없다
면면하다(綿綿): 끊임없다
부단하다(不斷): 계속 잇달아 끊임이 없다
하염없다: 그침이 없다 (예) 하염없는 눈물

06. 계책을 뜻하는 형용사

몰책하다(沒策): 계책이 없다
무계책하다(無計策): 계책이 없다
원대하다(遠大): 계획, 희망 따위가 장래성이 많고 규모가 크다

07. 넓이의 뜻

07.1. 넓은 뜻

개활하다(開豁): 탁 트이어 너르다
공활하다(空豁): 텅 비고 매우 넓다
관활하다(寬闊): 드넓다
광막하다(廣漠): 아득하게 넓다

광망하다(曠茫): 아주 넓고 아득하다

광범하다(廣範): '광범위하다'의 준말

광활하다(廣闊): 드넓다

나부죽하다: 작은 것이 좀 넓은 듯하다 큰너부죽하다 (예) 얼굴이 너부죽하다

나붓하다: 조금 나부죽하다 큰너붓하다

너렁청하다: 텅 비고 널따랗다

너르다: 공간으로 넓다 반좁다

너르디너르다: 몹시 너르다

너붓하다: 조금 너부죽하다 작나붓하다

널널하다: '널찍하다'의 방언(함남)

널다랗다: '널따랗다'의 잘못

널따랗다: 꽤 넓다 반좁다랗다

널찍널찍하다: ① 여럿이 다 널찍하다 ② 매우 널찍하다

널찍하다: 꽤 너르다

넓다: 면이나 바닥 따위가 크다 반좁다

넓둥글다: 넓죽하고 둥글다

넓디넓다: 더할 수 없을 만큼 넓다

넓삐죽하다: 넓고 비죽하다

두리넓적하다: 어떤 모양이 둥그스름하고 넓적하다

드넓다: 활짝 트이어서 매우 넓다 비관활하다

망막하다(茫漠): 넓고 멀다

망망하다(茫茫): 넓고 멀다

묘막하다(渺漠): =광막하다

묘망하다(渺茫): 끝없이 넓고 아득하다

무연하다: 아득하게 너르다

양양하다(洋洋): 바다가 한이 없이 넓다

에너르다: 크게 에둘리어 너르다

왕양하다(汪洋): 바다가 끝이 없이 넓다

왕연하다(汪然): 바다나 큰 호수의 물이 깊고 너르다

장활하다(長闊): 아주 멀고 넓다

질펀하다: 넓고 펀펀하다 작잘판하다

창망하다(滄茫): 너르고 멀어서 아득하다

쾌활하다(快闊): 시원하게 앞이 트이어 넓다

태탕하다(駘蕩): 넓고 크다

판하다: 아득하게 너르다 **큰**펀하다

펀펀하다: 높낮이가 없이 번듯하게 너르다 **작**판판하다

펀하다: 아득하게 너르다 **작**판하다

편평하다(扁平): 넓고 평평하다

평원하다(平遠): 넓고 아득하다

평탄하다(平坦): 넓고 평평하다 **비**탄평하다

표묘하다(縹緲): 끝없이 넓거나 멀어서 있는지 없는지 알 수 없을 만큼 어렴풋하다

해바라지다: 어울리지 않게 좀 넓다

헌활하다(軒豁): 훤히 드넓다

헤벌어지다: 어울리지 않게 넓다

호대하다(浩大): 썩 넓고 크다

호박하다(浩博): 크고 넓다

호연하다(浩然): 넓고 크다

호한하다(浩瀚): 넓고 커서 질펀하다

호호막막하다(浩浩漠漠): 끝없이 넓고 멀어 아득하다

호호탕탕하다(浩浩蕩蕩): 썩 넓어서 끝이 없다

홍원하다(弘遠): 넓고 멀다

활여하다(豁如): 막힘이 없이 넓다

황막하다(荒漠): 거칠고도 편하게 넓다

횡댕그렁하다: 무서울 정도로 텅 비고 넓기만 하다 **큰**휑뎅그렁하다 **준**휑하다

휑뎅그렁하다: 무서울 정도로 텅 비고 넓기만 하다 **작**횡댕그렁하다 **준**휑하다

07.2. 좁은 뜻

비좁다: 여럿이 촘촘히 들어 있어 빈자리가 몹시 적다

솔다: 공간으로 좁다

옹색하다: 자유롭지 못할 만큼 좁다

조붓하다: 조금 좁은 듯하다

좁다: 면이나 바닥 따위가 작다 **반**넓다

좁다랗다: 꽤 좁다

좁디좁다: 몹시 좁다

착박하다(窄迫): 답답할 정도로 몹시 좁다
착소하다(窄小)〓협소하다
협소하다(狹小): 좁고 작다 ⽐착소하다
협장하다(狹長): 좁고 깊다
협착하다(狹窄): 몹시 좁다

08. 부지(不知)를 뜻하는 형용사

간데없다: 어디로 사라졌는지 알 수 없다
간데온데없다: 〓온데간데없다
온데간데없다: 어디로 사라졌는지 도무지 알 수가 없다

09. 수량(분량)에 관한 형용사

09.1. 많은 수량

가득가득하다: ① 각각 다 가득하다 ② 매우 가득하다
가득가득하다: ① 각각 다 가득하다 ② 매우 가득하다 쎈가뜩가뜩하다 큰그득
　　그득하다
가득하다: ① 어떤 범위 안에 분량이 차 있다 ②빈 데가 없을 만큼 많다 ③
　　공간에 무엇이 널리 퍼져 있다 ④ 어떤 생각이 많다 쎈가뜩하다 큰그득
　　하다
가들막하다: 거의 가득하다
가뜩하다: ① 어떤 범위 안에 분량이 꽉 차 있다 ② 빈 데가 없을 만큼 매우
　　많다 ③ 공간에 널리 퍼져 있다 ④ 어떤 생각이 매우 많다
가랑가랑하다: ① 액체가 많이 담기거나 괴어서 가장자리까지 찰 듯 찰 듯하다
　　② 눈물이 좀 갈쌍갈쌍하다 ③ 건더기는 좀 적은데 국물이 많아서 걸맞지
　　아니하다 ④ 물을 많이 마셔서 뱃속이 좀 근근하다
골막골막하다: 그릇마다 골막하다 큰굴먹굴먹하다
골막하다: 조금 곯아 가득하지 아니하다 큰굴먹하다
골싹골싹하다: 그릇마다 모두 골싹하다 큰굴썩굴썩하다

골싹하다: 그릇에 담긴 것이 좀 골막하다 **른**굴썩하다

과다하다(過多): 퍽 많다

과도하다(過度): 지나치다

굴먹굴먹하다: 그릇마다 모두 굴먹하다 골막골막하다 **좌**골막골막하다

굴먹하다: 조금 굶어 그득하지 아니하다 **좌**골막하다

굴썩굴썩하다: 그릇마다 모두 굴썩하다 **좌**골싹골싹하다

굴썩하다: 그릇에 담긴 것이 좀 굴먹하다 **좌**골싹하다

그뜩그뜩하다: 각각 다 그득하다 **센**그뜩그뜩하다 **좌**가득가득하다 **여**그득그득
하다

그뜩하다: ① 큰 범위 안에 분량이 차 있다 ② 넓은 곳에 빈 데가 없을 만큼
많다 ③ 넓은 곳간에 매우 널리 퍼져 있다 ④ 어떤 생각이 무척 많다 **여**그득
하다 **좌**가득하다

그렁그렁하다: ① 액체가 많이 담기거나 괴이어서 가장자리까지 거의 찰 듯
찰 듯하다 ② 눈물이 좀 글썽글썽하다 ③건더기는 적은데 국물이 너무
많아서 걸맞지 않다 ④물을 너무 많이 마셔서 뱃속이 근근하다 **거**크렁크
렁하다 **좌**가랑가랑하다

근근하다: 우물이나 못 따위에 괸 물이 가득하다

깔축없다: 조금도 축남이 없다

나쁘다: 양에 차지 아니하다 (예) 밥을 좀 나쁜 듯이 먹어라

남짓하다: 어떤 수량에 차고 조금 남음이 있다

넘실넘실하다: 물 따위가 그릇에 그득히 차서 넘칠 듯 넘칠 듯하다 **좌**남실남실
하다

다다하다(多多): 매우 많다

다대하다(多大): 많고도 크다

다분하다: 분량이나 비율이 비교적 많다

담뿍담뿍하다: ① 여럿이 다 담뿍하다 **른**듬뿍듬뿍하다 ② 매우 담뿍하다 **른**듬
뿍듬뿍하다

담뿍하다: 넘칠 정도로 가득하다 **른**듬뿍하다

덜하다: 견주어 보아 심하지 않게 적다

데억지다: 정도에 지나치게 크거나 많다

듬뿍듬뿍하다: 여럿이 다 듬뿍하다 **좌**담뿍담뿍하다

듬뿍하다: ① 매우 수북하다 ② 잔뜩 넘칠 정도로 그득하다

떨떨하다: 말이나 하는 짓이 분명하지 않고 모자라는 듯하다

만만하다(滿滿): 가득하거나 넉넉하다

만실하다(滿室): 방 안에 가득하다

만정하다(滿庭): 마당에 가득하다

만좌하다(滿座): 사람들이 자리에 가득하다

많다: ① 수나 분량이 어느 정도의 위에 있다 ② 어느 정도보다 더하다

맛바르다: 맛있게 먹던 음식이 다 없어져서 양이 시쁘다

모춤하다: 길이나 분량이 어떤 한도보다 조금 모자라다

무량하다(無量): 한량이 없다

무수하다(無數): 수없이 많다

무지하다(無知): 놀랄 만큼 많다

무한량하다(無限量): 한량이 없다 비무량

방대하다(厖大): 엄청나게 크거나 많다

벅차다: 가득하여서 넘칠 듯하다

변변하다: 어지간히 충분하다

부듯하다: 제법 들어차서 그득하다 센뿌듯하다

불소하다(不少): 적지 아니하다

불철저하다: 속속들이 꿰뚫어 미치지 못하여 빈틈이나 모자람이 있다

빠듯하다: 어떤 수량이나 한도에 겨우 미칠 듯하다 여바듯하다 큰뿌듯하다

빼곡하다: 빈틈이 없이 꽉 들어차 있다 큰삐국하다

뿌듯하다: 빈틈없이 들어차서 그득하다 여부듯하다

삐국하다: 빈틈이 없이 아주 꽉 들어차 있다 작빼곡하다

성만하다(盛滿): 빈틈없이 차서 가득하다 비영만하다

소도록하다: 꽤 많거나 흔하다 큰수두룩하다

수두룩하다: 사람이나 짐승 따위가 많이 들끓을 만큼 아주 많고 흔하다

수둑하다: '수두룩하다'의 잘못

수북수북하다: 여럿이 다 수북하다

수북하다: 쌓이거나 담겨 있는 물건들이 불룩하게 많다

숱하다: 아주 많다

여리다: 표준보다 좀 모자라다 작야리다 (예) 여린 십리

올막졸막하다: 작고 도드라진 덩어리 따위가 고르지 않게 많다 큰울먹줄먹하다

올망졸망하다: 작고 또렷한 것들이 고르지 않게 많다 큰울멍줄멍하다

올목졸목하다: 자잘하고 도드라진 것들이 고르지 않고 배다 큰울묵줄묵하다

올몽졸몽하다: 작고 또렷한 것 들이 고르지 않고 배다 흰울뭉줄뭉하다
월수하다(越數): 수량이나 정도가 예정보다 훨씬 많거나 더하다
유부족하다: 오히려 모자라다
자라다: 모자람이 없다
적잖다: '적지 아니하다'가 줄어든 말
족족하다(簇簇): 여러 개가 아래로 늘어진 것이 수없이 많다
중하다(重): 가치, 책임 따위가 많거나 크다
찰랑찰랑하다: 매우 찰랑하다 흰철렁철렁하다
찰랑하다: 조금 넘칠 듯 많은 물이 가들막하다 흰철렁하다
충족하다(充足): 모자람이 없게 채우다
탕탕평평하다(蕩蕩平平): 싸움, 시비, 논쟁 따위에서 어느 쪽에도 치우침이 없
　　이 공평하다
탕평하다(蕩平): 어느 쪽에나 치우지지 아니하다 〓탕탕평평하다
태다하다(太多): 썩 많다
태부족하다: 많이 모자라다
파다하다(頗多): 아주 많다
하고 많다: '하고 많은'으로 쓰이어 '많고 많다'의 뜻 비다다하다(多多)
허다하다(許多): 수효가 많다
후하다: 많고 넉넉하여 인색하지 않다

09.2. 부피를 나타내는 형용사

낙낙하다: 부피가 겨냥보다 좀 크다 흰넉넉하다
덜퍽스럽다: 푸지고 탐스러운 데가 있다
덜퍽지다: 주로 부피가 어림없이 엄청나다
둔중하다(鈍重): 부피가 크고 무겁다
몰하다: 부치가 의외로 적은 듯하다
몽총하다: 길이 부피 따위가 좀 작다
부픗하다: 〈순우리말〉 ① 물건이 부프고도 두껍다 ② 말이 과장되다

09.3. 빈부의 뜻

09.3.1. 풍부한 뜻

가멸다: 재산이 넉넉하고 많다
거늑하다: 넉넉하여 아주 느긋하다
건하다: ① 매우 넉넉하다 ② ▣흥건하다 ③ '거나하다'의 준말
너끈하다: 모자람이 없이 넉넉하다
넉넉하다: 어떤 표준에 하고도 남음이 있다 ▣낙낙하다
능준하다: 표준에 차고도 남아서 넉넉하다
다족하다(多足): 넉넉하다
두둑하다: 넉넉하고 남음이 있다 (예) 돈이 두둑하니 마음 놓게 먹게
든든하다: 재산 따위가 꽤 실속이 있다
만가하다(滿家): 천량이 많다
만만하다(滿滿): 가득하거나 넉넉하다
민궁하다(民窮): 백성이 가난하고 구차하다
부강하다(富强): 넉넉하고 강하다
부귀하다(富貴): 재산이 넉넉하고 지위가 높다
부섬하다(富贍): 재물이나 지식이 아주 넉넉하다
부성하다(富盛): 재물이 풍성하다
부요하다(富饒): ▣부유하다
부유하다(富裕): 재물을 썩 많이 가지고 있다
부하다(富): 재산이 넉넉하다
부화하다(富華): 재물이 넉넉하고 호화롭다
섬부하다(贍富): 넉넉하고 풍부하다
섬족하다(贍足): ▣섬부하다
실하다(實): 재산이 넉넉하다
영성하다(贏羨): 재산이 넘치도록 가득하다
요다하다(饒多): 풍요하고 많다
유족하다(有足): 넉넉하고 만족스럽다
은부하다(殷富): 넉넉하고 풍성풍성하다
작작유여하다(綽綽有餘): 여유작작하다
작작하다(綽綽): 빠듯하지 않고 넉넉하다

족족하다(足足): 썩 넉넉하다

족하다(足): 수량이나 정도 따위가 넉넉하다

좋다: 넉넉하거나 많다

질번질번하다: 보기에 넉넉하고 윤택하다

짜다: 재물에 대한 욕심이 많아서 구두쇠처럼 인색하다

충분하다(充分): 만족할 만큼 넉넉하다

탁탁하다: 넉넉하고 오붓하다

포족하다(飽足): 풍족하다

푸근하다: 실속 있게 넉넉하다

푸지다: 매우 많아서 넉넉하다

푸짐하다: 마음이 흐뭇하도록 넉넉하다

푼더분하다: 모자람이 없이 넉넉하다

푼푼하다: 모자람이 없이 넉넉하다 🅱️푼더분하다 🅿️푼하다

풍락하다(豐樂) : 재물이 풍족하고 안락하다 (예) 풍락한 환경

풍만하다(豐滿): 풍족하여 그득하다

풍부하다(豐富): 넉넉하게 많다

풍성하다(豐盛): 넉넉하고 흥성흥성하다

풍요롭다(豐饒): 풍요한 느낌이 있다

풍요하다(豐饒): 흠뻑 많아서 넉넉하다

풍유하다(豐裕): 흠뻑 많아서 넉넉하다

풍족하다(豐足): 모자람이 없이 매우 넉넉하다 🅱️포족하다

풍후하다(豐厚): 아주 넉넉하다

한미하다(寒微): 터수가 구차하고 지체가 변변하지 못하다

해비하다(該備): 갖추어진 것이 넉넉하다

활택하다(滑澤): 반드럽고 윤택하다

흔전하다: 아주 넉넉하다

흡족하다(洽足): 아주 넉넉하다

홍건하다: 물 따위가 푹 잠기거나 고일 정도로 많다

09.3.2. 가난한 뜻

가난하다: 살림살이가 넉넉하지 못하다

가년스럽다: 보기에 궁한 티가 다랍게 끼어있다

간곤하다(艱困): 빈곤하다

간구하다(艱苟): 가난하고 구차하다

간군하다(艱窘): 가난하고 군색하다

간핍하다(艱乏): 매우 가난하여 없는 것이 많다

거년스럽다: 보기에 궁한 티가 흘러서 더럽다 囮가년스럽다

고궁하다(固窮): 몹시 곤궁하다

고궁하다(孤窮): 외롭고 궁하다

구간하다(苟艱): 구차하고 가난하다

구구하다(區區): 떳떳하지 못하고 구차스럽다

구차스럽다: 보기에 구차한 느낌이 있다

구차하다: ① 군색하고 구구하다 ② 매우 가난하다

군간하다(窘艱): 군색하고 고생스럽다

군박하다(窘迫): 가난하다

군색스럽다: 보기에 군색하다

군색하다: 생활이 딱하고 어렵다

군속하다: 옴짝달싹 못 하게 어렵다

궁고하다(窮苦): 궁하고 괴롭다

궁곤하다(窮困): 궁하고 곤란하다

궁극스럽다: 보기에 궁극하다

궁극하다(窮極): 더할 나위 없이 빈궁하다

궁뚱망뚱하다: 궁벽하고 너절하다

궁박하다(窮迫): 몹시 곤궁하다

궁상맞다(窮狀): 꾀죄죄하고 초라하다

궁상스럽다: 보기에 궁상이 드러나 있다

궁색하다(窮塞): 곤궁하고 군색하다

궁폐하다(窮弊): 곤궁하고 피곤하다

궁하다: 가난하고 어렵다

커꿈스럽다: 궁벽하여 흔하지 아니하다

근천하다: 궁상스럽다

급하다: 몹시 군색하거나 딱하다

무소득하다(無所得): 아무 얻는 바가 없다

무자력하다(無資力): 자산의 힘이 없다

무자본하다(無資本): 자본이 없다

미족하다(未足): 아직 넉넉하지 못하다

민궁하다(民窮): 백성이 가난하고 구차하다

벽하다(僻): 한편으로 치우쳐 궁벽하다

부실하다(不實): 넉넉하지 못하거나 충분하지 못하다

불빈하다(不貧): 가난하지 아니하다

불충분하다(不充分): 만족할 만큼 넉넉하지 못하다

빈곤하다(貧困): 가난하고 군색하다

빈궁하다(貧窮): 가난하고 궁색하다

빈약하다(貧弱): 가난하고 힘이 없다

섬부하다(贍富): 넉넉하고 가멸다

세궁하다(細窮): 몹시 가난하다

신고스럽다(辛苦): 몹시 고생스럽다

옹색하다(壅塞): 매우 궁색하다

옹울하다(壅鬱): 속이 트이지 아니하여 몹시 답답하다

완전하다(宛轉): 순화롭고 원활하여 구차한 데가 없다

전련하다(顚連): 몹시 가난하여 어찌할 수가 없다

주저롭다: 넉넉하지 못하여 아주 아쉽다

지궁차궁하다(至窮且窮): '지궁하다'의 힘줌말

지궁하다(至窮): 더할 수 없이 곤궁하다

지빈하다(至貧): 아주 가난하다

천한하다(賤寒): 지체가 낮고 살림이 가난하다

철빈하다(鐵貧): 극빈하다(아주 가난하다)

청승궂다: 궁기가 끼여 보여서 측은하다

청승맞다: 얄밉게 청승궂다

청승스럽다: 보기에 청승궂다

초라하다: 차림이나 모양이 호졸근하고 궁상스럽다

한빈하다(寒貧): 가난하다

한소하다(寒素): 가난하나 깨끗하다

한천하다(寒賤): 가난하고 천하다

함함하다(顑頷): 굶주려서 살 길이 없다

09.3.3. 고난함·곤란함의 정도

각다분하다: 일을 해 나가기에 힘들고 고되다
간초하다: 고초가 심하다
고난스럽다: 어지간히 고난이 많다
고생스럽다: 고생이 되어 괴롭다
고신하다(苦辛): 괴롭고 쓰리다
고위하다(孤危): 외롭고 위태하다
고적하다(孤寂): 외롭고 쓸쓸하다
고치하다(苦恥): 괴롭고 부끄럽다
고통스럽다: 고통이 어지간히 많다
곤고하다: 고생스럽다
곤군하다: 곤란하고 군색하다
곤궁하다: 곤란하고 궁하다
곤급하다: 곤란하고 급하다
곤박하다: 어찌할 수 없이 일의 형세가 아주 급하다
곤비하다: 곤핍하다
곤색하다: 운수가 막히어 지내기 어렵다
곤핍하다: 고달파서 힘이 없다
곤혹하다: 곤혹을 느낄 만한 점이 있다
기궁하다(奇窮): 몹시 곤궁하다

09.4. 적은 수량

경미하다: 가볍고 매우 적다
극소하다(極少): 몹시 적다
근소하다(僅少): 아주 적다
낮다: 비율이 어떤 기준보다 적다 凹높다
멀다: 어떤 수량, 정도, 기준, 목표 따위에 모자라다, 주로 '아직' 다음에 쓰인다
못하다: '못해도'로 쓰이어 '적어도'의 뜻을 나타낸다
무세하다(無稅): 세금이 없다
무정액하다: 일정한 액수가 없다
미흡하다(未洽): 흡족하지 아니하다

바듯하다: 조금 빠듯하다

박소하다(薄少): 얼마 되지 아니하다

부족하다(不足): 만족스럽지 못하다

불만스럽다: 마음에 차지 않아 못마땅하다

불만족스럽다: 마음에 차지 않아 못마땅한 느낌이 있다

불만족하다: 마음에 차지 않아 못마땅하다

선소하다(尠少): 매우 적다

소안하다(小安): 작은 일에 만족하고 큰 뜻이 있다

쉽다: 흔하거나 예사롭다

시답다: '시답지' 꼴로 부정하는 말과 함께 쓰이어 '만족스럽지 않다', '대수롭지 않다'의 뜻을 나타낸다

시답잖다: 만족스럽지 못하거나 대수롭지 아니하다

싸다: 오히려 적다

야리다: 표준보다 약간 모자라다 囹여리다

양양하다(揚揚): 뜻한 바를 이룬 만족한 빛을 얼굴과 행동에 나타내는 면이 있다

없다: 부족하거나 드물다 (예) 찬 없는 밥

적다: ① 수나 양이 일정한 표준에 미치지 못하다 ② 어떤 표준의 정도보다 못하다

조그마하다: 좀 작거나 적다

조그맣다: '조그마하다'의 준말

짧다: 먹는 양이 적다 (예) 입이 짧다

허룩하다: 줄어서 적다

후파문하다: '많고 푸지다'는 뜻으로 생각한 것 보다 너무 적은 것을 비꼬는 말

희소하다(稀少): 드물다

희유하다(稀有): 드물다

09.5. 푸짐함의 뜻

걸다: 잔치나 축하연 따위가 음식이 많아 풍부하다

덜퍽스럽다: 보기에 덜퍽지다

덜퍽지다: 푸지고 탐스럽다

덤턱스럽다: 보기에 매우 투박스럽고 크고 푸지다

만족스럽다: 꽤 만족하다

만족하다: 마음에 모자람이 없이 흐뭇하다

보람되다: 어떤 일을 한 뒤에 결과가 만족감이 있다

짐벙지다: 신명지고 푸지다

톡톡하다: 실속 있고 푸짐하다

푸닥지다: 많지 못한 것에 대하여 많다고 비꼬아 말할 때에 '푸지다'의 뜻으로
　　쓰는 말

푸달지다: '푸닥지다'의 잘못

풍려하다(豐麗): 풍성하고 곱다

풍미하다(豐美): 풍성하고 아름답다

풍성풍성하다(豊盛豊盛): 매우 풍성하다

풍성하다(豊盛): 넉넉하고 흥성흥성하다

풍신하다: 옷의 크기가 몸에 비해 넉넉하다

풍요롭다(豐饒): 흠뻑 많아서 넉넉하다

풍유롭다(豐裕): 冝풍요롭다

풍족하다(豐足): 모자람이 없이 매우 넉넉하다

한없다(限): 그지없다

홑지다: 너저분하지 않고 홋홋하다 (예) 신혼살림이라 홑지다

훈감하다: 푸짐하고 호화롭다

흐드러지다: 매우 흐뭇하거나 푸지다

흐무뭇하다: 아주 흐뭇하다 잘하무뭇하다

흐뭇하다: 마음이 느긋하고 만족스럽다 잘하뭇하다

흡연하다(洽然): 썩 흡족한 빛이 드러나다

10. 아픔을 뜻하는 형용사

깔끔깔끔하다: 깔끄럽고 찔린 듯한 아픈 느낌이 있다

띵하다: 웅숭깊게 아프다

싸하다: 입안, 목구멍, 코안이 자극을 받아 아린 듯한 느낌이 있다

아르르하다: 조금 아린 느낌이 있다

아리다: ① 찌르는 듯이 아프다 ② 알알하여 혀끝을 찌르는 듯한 느낌이 있다

아릿아릿하다: 몹시 아릿하다

아릿하다: 조금 아리다

얼얼하다: 상처 따위로 속 깊이 아린 느낌이 있다 짠알알하다

통초(痛楚): 아프고 고달프다

11. 앎의 뜻

까맣다: 아는 바가 없다

명투하다(明透): 속속들이 알아 분명하다

무식하다: 아는 것이 없다

밝다: 잘 알아서 막힘이 없다 빤어둡다

캄캄하다: 아는 것이 아주 없다, 전혀 알 길이 없다

환하다: 어떤 것에 대하여 잘 알고 있다

황홀하다(恍惚): 미묘하여 헤아려 알기 어렵다

행하다: 무슨 일에나 막힐 것이 없이 다 잘 알아 환하다 른횡하다

12. 어색함을 뜻하는 형용사

부옇다: 심하게 닦아세워지거나 캐어물음을 당하여 매우 열없고 어색하다 (예)
　　꾸중만 부옇게 들었다

부자연하다: 꾸밈이 있거나 하여 어울리지 아니하고 어색하다

열없다: 어색하고 겸연쩍다

열쩍다: '열없다'의 잘못

13. 수에 관한 형용사

낙낙하다: 수효가 겨냥보다 조금 크다 른넉넉하다

단일하다: 다만 하나로 되어 있다

대중없다: 미리 헤아릴 수가 없다

무이하다(無二): 둘 이상은 없다

무정수하다(無定數): 일정한 수효가 없다

불측하다(不測): 미리 헤아릴 수 없다

수다하다(數多): 수가 많다

수많다: 수효가 매우 많다

수없다(數): 셀 수가 없다

어림없다: 겉가량도 헤아릴 수 없다
　　　㉠ 짐작조차 할 수 없다
　　　㉡ 도저히 감당할 수 없다
　　　㉢ 도저히 견줄 수도 없다
　　　㉣ 비교도 되지 않는다

왕양하다(汪洋): 미루어 헤아리기 어렵다

우수하다(優數): 수효가 많다

흐리다: 셈을 가리는 것이 분명하지 못하거나 더디다

14. 연모의 뜻

궁글다: 착 달라붙어 있어야 할 물건이 들떠서 속이 비다

기물답다(器物): 기물로 쓸 만하다

담심하다(潭深): 못이 깊다

되다: 줄 따위가 단단하고 팽팽하다

뜨다: 인두, 다리미 따위의 쇠붙이가 잘 달구어지지 않는다

순하다: 배가 가는 방향과 바람이 부는 방향이 같다

시퍼렇다: 날 따위가 매우 날카롭다

치면하다: 그릇 속에 물건이 차서 가장자리에 거의 닿을 만하다

15. 운수의 뜻

다행다복하다(多幸多福): 운수가 좋고 복되다

불길하다: 운이 좋지 않거나 일이 상서롭지 못하다

수궁하다(數窮): 운수가 사납다

수기하다(數奇): 운수가 사납다

16. 의견의 뜻

난만하다(爛漫): 의견의 주고받음이 충분하다
분분하다: 의견들이 갈피를 잡을 수 없이 많고 어수선하다
어떠하다: 무슨 의견, 성질, 형편, 상태 따위가 어찌 되어 있다 준어떻다 비여하
　하다
어떻다: '어떠하다'의 준말
여하하다(如何): ≡어떠하다
의문스럽다: 의문 나는 데가 있다

17. 의심의 뜻

다의하다(多疑): 의심이 많다
불심하다(不審): 살피어 아는 것이 자세하지 않거나 의심스럽다
새새하다: 의심이 많고 좀스럽다
순전하다(純全): 의심할 나위가 없다

18. 이익의 뜻

무방하다(無妨): ('-어도' 꼴에 후행하여) 거리낄 것이 없이 괜찮다
무손하다(無損): 손해가 없다
박략하다(薄略): 박하고 약소하다
박리하다(薄利): 이익이 박하다
박소하다(薄少): 얼마 되지 아니하다
박하다(薄): 이득이 보잘것없이 매우 적다
유리하다(有利): 이익이 있다
이롭다: 이익이 있다
해롭다: 해가 될 수 있다

19. 지적(指摘)형용사

고러고러하다: 여럿이 다 고러하다 🖹그러그러하다
고러루하다: 대개 고런 따위와 비슷하다 🖹그러루하다
고러조러하다: 고러하고 조러하다
고러하다: 그와 같다
고만고만하다: 고만한 정도로 서로 비슷비슷하다 🖹그만그만하다
고만하다: 고 정도로 비슷하다
고연하다(固然): 본디부터 그러하다
그러그러하다: ① 여럿이 다 그러하다 ② 그러루하여 별로 신기하지 아니하다
　　🖹고러고러하다
그러저러하다: 그러하기도 하고 저러하기도 하다
그러하다: '그렇다'의 본말
그럴듯하다: ① 그렇다고 할 만하다 ② 그렇게 될 것 같다 ③ 거의 비슷하다
그럴싸하다: 어쩐지 그럴 듯하다
그렇다: ① 상태, 모양, 성질 따위가 그와 같다 ② 특별한 변화가 없다 ③ 만족스
　　럽지 아니하다
그렇잖다: 그러하지 아니하다
그만그만하다: 그러한 정도로 그저 비슷비슷하다 🖹고만고만하다
그만저만하다: 주로 부정하는 말과 함께 또는 의문문에 쓰이어 이미 된 정도로
　　그만하다
그만하다: 정도가 웬만하다
그지없다: 이루 다 말할 수 없다
무엇하다: 바로집어서 말하지 않고 둘러서 말할 때 '곤란하다, 거북하다, 난처
　　하다, 딱하다, 미안하다, 싫다' 따위의 뜻으로 쓰이는 말
뭐하다: '무엇하다'의 준말
뭘하다: '뭣하다'의 잘못
뭣하다: '무엇하다'의 준말
미필연하다(未必然): 반드시 그렇지는 않다
번지르르하다: 말이나 행동 따위가 실속은 전혀 없이 겉만 그럴듯하다 🖹뻔지
　　르르하다
불연하다(不然): 그렇지 아니하다
아무러하다: ① 전혀 어떠하다 ② 되는 대로 어떠하다

아무렇다: '아무러하다'의 준말

약시약시하다(若是若是): ⬜이러이러하다

약시하다(若是): ⬜이러하다

약차약차하다(若此若此): ⬜이러이러하다

약차하다(若此): ⬜이러하다

약하하다(若何): '여하하다'의 높임말

어떠하다: '어떻다'의 본말

어떻다: 의견, 성질, 형편, 상태 따위가 어찌 되어 있다

어연간하다: '엔간하다'의 본말

엔간하다: 대중으로 보아 정도가 표준에 꽤 가깝다

여간하다: 흔히 부정하는 말과 함께 쓰이어 '이만저만하다'의 뜻

여사여사하다(如斯如斯): ⬜이러이러하다

여사하다(如斯): ⬜이러하다

여시여시하다(如是如是): ⬜이러이러하다

여시하다(如是): ⬜이러하다

여차여차하다(如此如此): ⬜이러이러하다

여차하다(如此): ⬜이러하다

여하하다(如何): ⬜어떠하다

요러요러하다: 여럿이 다 요러하다 ⬛이러이러하다

요러조러하다: 요러하고 조러하다 ⬛이러저러하다

요렇다: '요러하다'의 준말 ⬛이렇다

우연만하다: '웬만하다'의 본말 ⬛어지간하다

웬만하다: ① 정도나 형편이 표준에 가깝거나 그보다 약간 낫다 ② 허용되는
    범위에서 크게 벗어나지 아니한 상태에 있다

이러이러하다: 여럿이 다 이러하다 ⬛요러요러하다 ⬛약시약시하다

이러저러하다: 이러하고 저러하다 ⬛요러조러하다

이러하다: '이렇다'의 본말

이렇다: 상태, 모양, 성질 따위가 이와 같다

저러저러하다: 여럿이 다 저러하다 ⬛조러조러하다

저러하다: '저렇다'의 본말

저렇다: 성질, 모양, 상태 따위가 저와 같다 ⬛조렇다

저만하다: 상태, 모양, 성질 따위의 정도가 저러하다

적연하다(的然): 틀림없이 꼭 그러하다

조러조러하다: 여럿이 다 조러하다 图저러저러하다

조러하다: '조렇다'의 본말

조렇다: 상태, 모양, 성질 따위가 저와 같다

조만하다: 작지도 크지도, 더하지도 덜하지도 않고 조러한 대로 있다 图저만
하다